(2014)
£5
Trvl

THOMAS (

Thomas Charles o'r Bala

Golygwyd gan

D. Densil Morgan

Gwasg Prifysgol Cymru
Caerdydd
2014

www.gwasgprifysgolcymru.org

Mae cofnod catalogio'r gyfrol hon ar gael gan y Llyfrgell Brydeinig.

ISBN 978-1-7831-6068-6
e-ISBN 978-1-7831-6069-3

Cysodwyd yng Nghymru gan Eira Fenn Gaunt, Caerdydd.
Argraffwyd gan CPI Antony Rowe, Chippenham, Wiltshire.

Cynnwys

Rhagymadrodd

Cynnyrch cynhadledd a gynhaliwyd ym Mhrifysgol Cymru y Drindod Dewi Sant ar gampws Llanbedr Pont Steffan adeg y Pasg 2013 yw'r penodau sy'n dilyn. Menter ar y cyd rhwng y Brifysgol a Chanolfan Uwchefrydiau Cymreig a Cheltaidd Prifysgol Cymru yn Aberystwyth ydoedd gyda nawdd gan Gymdeithas Ddysgedig Cymru. Anelwyd at dafoli o'r newydd gyfraniad Thomas Charles o'r Bala at ein hanes mewn pryd ar gyfer dathlu daucanmlwyddiant ei farw yn 2014. Gwelir o'r gyfrol fod y cyfraniad hwnnw'n un sylweddol dros ben.

O'i gymharu â tho cyntaf y diwygwyr Methodistaidd, Howell Harris, Daniel Rowland a Williams Pantycelyn, ychydig sydd wedi'i ysgrifennu yn ddiweddar ar fywyd a gwaith Thomas Charles. Cafwyd cofiant tair cyfrol helaeth gan D. E. Jenkins, Dinbych, dros ganrif yn ôl sy'n ffynhonnell anhepgor i bob ymchwilydd o hyd ac yn arweiniad diogel i'r maes yn gyffredinol. Ar wahân i ambell gyfraniad pwysig, yn neillt-uol ysgrifau R. Tudur Jones a'i gyfrol fechan *Gwas y Gair a Chyfaill Cenedl* yn y 1970au (ynghyd a thraethawd doethuriaeth anghyhoedd-edig Medwin Hughes), ni fu cyfraniad Charles yn destun myfyrdod gan haneswyr crefydd a diwylliant na beirniaid llên. Rhoddwyd sylw newydd a gwreiddiol iddo gan haneswyr celf, Peter Lord yn arbennig, yn y 1990au, tra bo'r cyfrolau sy'n nodi daucanmlwyddiant ordeinio 1811 a roes fod i Gyfundeb y Methodistiaid Calfinaidd Cymreig, sef Eryn M. White ac eraill, *The Elect Methodists: Calvinistic Methodism in England and Wales, 1735–1811* (2012), a J. Gwynfor Jones (gol.), *Hanes Methodistiaeth Galfinaidd Cymru, Cyfrol III: Y Twf a'r Cadarnhau (c.1814–1914)* (2011) wedi sbarduno diddordeb ynddo fel ffigur amlycaf yr ymwahanu oddi wrth Eglwys Loegr. Hon, fodd bynnag, fydd y gyfrol ehangaf ei rhychwant ar y gwrthrych i'w chyhoeddi ers degawdau lawer.

Fel y gwelir o'r tudalennau sy'n dilyn, bu Thomas Charles yn all-weddol mewn amryw byd o symudiadau o bwys hanesyddol mawr.

Ef oedd addysgydd pwysicaf Cymru er dyddiau Griffith Jones, Llanddowror, ac fel hyrwyddwr effeithiolaf mudiad yr ysgolion Sul, sicrhaodd ledaeniad llythrennedd ymhlith gwerin ddifantais a thlawd. O'r Beibl y daeth ei ysbrydoliaeth bennaf, a bu'n greiddiol yn natblygiad y Feibl Gymdeithas nid yn unig yng Nghymru ond ymhell y tu hwnt, ym Mhrydain a thramor. Roedd ei *Eiriadur* enwog yn gyfraniad swmpus at eiriaduraeth Gymraeg yn gyffredinol yn ogystal ag at ysgolheictod Beiblaidd a diwinyddol, tra bod ei amddiffyniad o'r Methodistiaid mewn cyfnod o gynnwrf politicaidd a thwf radicaliaeth wedi sicrhau lle iddo yn natblygiad gwleidyddiaeth Cymru yn ogystal â'i chrefydd. Er mai'r gair oedd ei ddewis gyfrwng, trwy bregethu, hyfforddi a llenydda, mae'r ddelwedd weledig ohono o waith artistiaid fel Hugh Hughes a ledaenwyd mor helaeth trwy wasg gyfnodol y bedwaredd ganrif ar bymtheg, wedi sicrhau lle iddo yn nychymyg gweledig y Cymry fel yn eu diwylliant ysbrydol a deallusol. Erbyn 1814 prin bod modd osgoi dylanwad Thomas Charles ar fywyd ei bobl.

Serch iddo ddylanwadu ar eraill yn fawr, nid ef oedd y mudiad Methodistaidd. Bu'n cydweithio'n agos â Thomas Jones o Ddinbych, yr unig un o'i gyfoeswyr a oedd i'w gymharu ag ef o ran praffter ymenyddol ac ehangder dysg, tra bod ei gysylltiad â'r emynyddes Ann Griffiths ac â Mary Jones a gyrchodd ato i brynu Beibl, heb sôn am y gefnogaeth aruthrol a gafodd gan Sally Jones o'r Bala, a ddaeth yn wraig iddo, yn ein hatgoffa (a bod angen ein hatgoffa) o gyfraniad aruthrol merched i'r mudiad diwygiadol cyfoes. Gŵr o sir Gaerfyrddin oedd Charles er ymgartrefu ohono yn y Bala a chael ei gysylltu'n annatod ag enw'r dref, a thrwy ei lafur yno daeth yn gyfrwng i glymu de a gogledd ynghyd. Bu'r unoliaeth honno'n bwysig odiaeth mewn mudiad a fyddai'n cyfrannu mor helaeth at dwf yr ymwybyddiaeth genedlaethol maes o law. Ac ni ddarfu ei ddylanwad yno gyda'i farw yn 1814. I'r Bala daeth y Lewis Edwards ifanc yn 1836 a phriodi Jane Charles, ei wyres, a sefydlu coleg yno, a dychwelyd i'r Bala o Aberystwyth a wnaeth Thomas Charles Edwards hanner canrif yn ddiweddarach yn bennaeth y coleg, wedi sicrhau fod seiliau'r brifysgol genedlaethol newydd yn ddiogel. Dyn cenedl oedd Thomas Charles ac un o benseiri Cymru egnïol y bedwaredd ganrif ar bymtheg ac nid ychydig o'r ugeinfed ganrif hefyd.

Ymgais yw'r penodau nesaf i ddisgrifio, dadansoddi a chyflwyno cyd-destun i bob un o'r agweddau hyn, ac eraill yn ogystal. Gwneir hynny yng ngoleuni'r ysgolheictod diweddaraf ac yn ôl canonau'r consensws academaidd cyfoes. Rwy'n ddiolchgar eithriadol i'r awduron am eu parodrwydd i gyfrannu at y fenter. Roedd y gynhadledd a roes fod i'r papurau gwreiddiol yn achlysur hynod gyfoethog o ran cyfnewid barn a goleuo'n gilydd, ac mae'r penodau gorffenedig yn elwach o'r trafodaethau hynny. Ysgafnodd fy nghydweithiwr Geraint Lloyd fy maich yn ddirfawr trwy gyfieithu pennod yr Athro Martin O'Kane.

Gobeithio bydd y gyfrol hon yn deilwng o goffadwriaeth un o Gymry mawr y ddeunawfed ganrif a'r bedwaredd ganrif ar bymtheg, ac yn gyfraniad at waddol ddiwylliannol y Gymru newydd yn ogystal.

D. Densil Morgan
Llanbedr Pont Steffan
Gŵyl Ddewi 2014

Rhestr Darluniau

Rhestr Byrfoddau

Bywg.	R. T. Jenkins a J. E. Lloyd (goln), *Y Bywgraffiadur Cymreig hyd 1940* (Llundain: 1953).
CCH	*Cylchgrawn Cymdeithas Hanes Eglwys Bresbyteraidd Cymru.*
CHC	*Cylchgrawn Hanes Cymru.*
Cofiant	Thomas Jones, *Cofiant, neu Hanes Bywyd a Marwolaeth y Parch. Thomas Charles* (Bala: 1816).
Cynnydd	Gomer M. Roberts (gol.), *Hanes Methodistiaeth Galfinaidd Cymru, Cyfrol II: Cynnydd y Corff* (Caernarfon: 1978).
Deffroad	Gomer M. Roberts, *Hanes Methodistiaeth Galfinaidd Cymru, Cyfrol I: Y Deffroad Mawr* (Caernarfon: 1973).
Gwas	R. Tudur Jones, *Thomas Charles o'r Bala: Gwas y Gair a Chyfaill Cenedl* (Caerdydd: 1979).
Life, I	D. E. Jenkins, *The Life of the Rev. Thomas Charles B.A. of Bala*, I (Denbigh: 1908, ail arg. 1910).
Life, II	D. E. Jenkins, *The Life of the Rev. Thomas Charles B.A. of Bala*, II (Denbigh: 1908, ail arg. 1910).
Life, III	D. E. Jenkins, *The Life of the Rev. Thomas Charles B.A. of Bala*, III (Denbigh: 1908, ail arg. 1910).
LLGC	Llyfrgell Genedlaethol Cymru.
THSC	*Transactions of the Honourable Society of Cymmrodorion.*
Twf	J. Gwynfor Jones (gol.), *Hanes Methodistiaeth Galfinaidd Cymru. Cyfrol III: Y Twf a'r Cadarnhau (c.1814–1914)* (Caernarfon: 2011).

Nodiadau ar Gyfranwyr

Cyn-ddarlithydd yn y Coleg Normal ac Ysgol Addysg Prifysgol Bangor yw Huw John Hughes. Enillodd ei ddoethuriaeth (Prifysgol Bangor, 2011) ar astudiaeth o dwf a datblygiad yr Ysgol Sul a gyhoeddwyd fel *Coleg y Werin: Hanes yr Ysgol Sul yng Nghymru rhwng 1780 ac 1851* (2013).

Graddiodd Andras Iago mewn Hanes Cymru ym Mhrifysgol Aberystwyth a bellach mae'n ddarlithydd yn Ysgol Diwinyddiaeth, Astudiaethau Crefyddol ac Astudiaethau Islamaidd Prifysgol Cymru y Drindod Dewi Sant, campws Caerfyrddin, o dan gynllun y Coleg Cymraeg Cenedlaethol.

Athro yn Ysgol y Gymraeg Prifysgol Caerdydd yw E. Wyn James, a chyd-Gyfarwyddwr Canolfan Uwchefrydiau Cymry America. Ef yw golygydd *Rhyfeddaf Fyth: Emynau a Llythyrau Ann Griffiths* (1998) ac mae'n awdur toreth o ysgrifau a phenodau ar lên y Methodistiaid. Ef yw golygydd Gwefan Ann Griffiths a Gwefan Baledi Cymru.

Cyn-gyfarwyddwr Cymreig Cymdeithas y Beiblau yw R. Watcyn James. Enillodd ei ddoethuriaeth (Prifysgol Cymru Aberystwyth, 1982) ar astudiaeth o fywyd a gwaith John Davies, y cenhadwr i Tahiti, ac mae'n gyn-olygydd *Cylchgrawn Hanes Eglwys Bresbyteraidd Cymru.*

Athro yn y Gymraeg a Chyfarwyddwr Canolfan Uwchefrydiau Cymreig a Cheltaidd Prifysgol Cymru yn Aberystwyth yw Dafydd Johnston. Un o'i gyhoeddiadau diweddaraf yw'r gyfrol a olygodd gyda Mary-Ann Constantine, *Footsteps of Liberty and Revolt: Essays on Wales and the French Revolution* (2013).

Wedi ei geni a magu yn yr Almaen, y mae Marion Löffler wedi gweithio fel Cymrawd Ymchwil yng Nghanolfan Uwchefrydiau Cymreig a Cheltaidd Prifysgol Cymru er 1994. Bu'n ymwneud â phrosiectau Iolo Morganwg a Chymru a'r Chwyldro Ffrengig a chyhoeddodd yn eu sgil y cyfrolau *The Historical and Literary Legacy of Iolo Morganwg 1826–1926* (2007), *Welsh Responses to the French Revolution: Press and Public Discourse 1789–1802* (2012) a *Political Pamphlets and Sermons from Wales 1790–1806* (2014).

Aelod o Ysgol y Gymraeg a Dwyieithrwydd, Prifysgol Cymru y Drindod Dewi Sant yw Geraint Lloyd, wedi'i leoli ar gampws Caerfyrddin. Fe'i hyfforddwyd mewn Ieithoedd Modern ym Mhrifysgol Aberystwyth a graddiodd mewn Diwinyddiaeth yn y Faculté de Théologie Réformée d'Aix en Provence.

Athro Diwinyddiaeth Prifysgol Cymru y Drindod Dewi Sant yw D. Densil Morgan ac yn Brofost campws Llanbedr Pont Steffan. Ymhlith ei gyhoeddiadau mae *Wales and the Word: Historical Perspectives on Welsh Identity and Religion* (2008), *Lewis Edwards* (2009) ac *Edward Matthews, Ewenni* (2012).

Beirniad llenyddol a hanesydd llên yw Derec Llwyd Morgan, ac mae'n gyn-Is-Ganghellor Prifysgol Aberystwyth ac yn gyn-Is-Ganghellor Hŷn Prifysgol Cymru. Ymhlith ei lu gyhoeddiadau mae *Y Diwygiad Mawr* (1980), *Pobl Pantycelyn* (1986), *Y Beibl a Llenyddiaeth Gymraeg* (1998) a *Tyred i'n Gwaredu: Bywyd John Roberts Llanfwrog* (2010). Ei waith diweddaraf yw *Y Brenhinbren* (2013), cofiant i Syr Thomas Parry.

Brodor o Belffast yw Martin O'Kane ac yn athro Astudiaethau Beiblaidd ym Mhrifysgol Cymru y Drindod Dewi Sant, campws Llanbedr Pont Steffan. Mae'n arbenigwr ar le'r Ysgrythur Sanctaidd mewn delweddaeth artistig ac ymhlith ei gyhoeddiadau mae *Biblical Art in Wales* (2010).

Darlithydd yn Ysgol y Gymraeg Prifysgol Caerdydd yw Llion Pryderi Roberts. Yn ogystal â chyhoeddi ar feirniadaeth lenyddol John Morris-Jones, maes ei ymchwil yw llên gofiannol a'r theori sydd ynghlwm â hynny.

Mae Eryn Mant White yn uwch-ddarlithydd yn Ysgol Hanes a Hanes Cymru Prifysgol Aberystwyth ac yn arbenigwr ar hanes y Methodistiaid cynnar. Ymhlith ei chyhoeddiadau diweddar mae *The Welsh Bible* (2007) ac mae'n gyd-awdur *The Elect Methodists: Calvinistic Methodism in England and Wales, 1735–1811* (2012).

1

Gyrfa Thomas Charles yn ei chyd-destun hanesyddol

Eryn Mant White

Ym 1837, wedi i Fethodistiaeth ddatblygu'n enwad cenedlaethol parchus, sefydlodd Lewis Edwards ei goleg yn y Bala mewn warws y tu cefn i hen siop Sally Charles, gan wneud defnydd o stydi Thomas Charles yn ogystal. Ac yntau wedi priodi Jane, wyres Thomas Charles, mentrodd awgrymu fod y cysylltiadau hyn yn dynodi rhyw fath o olyniaeth apostolaidd.[1] Er mai cellwair a wnâi, eto yr oedd hedyn o wirionedd yn y syniad hwn o olyniaeth drwy Thomas Charles, oherwydd ef oedd y bont rhwng cenhedlaeth gyntaf y diwygiad a'r ail, rhwng tadau Methodistaidd y ddeunawfed ganrif a gweinidogion y bedwaredd ganrif ar bymtheg, rhwng cadw seiat a llunio enwad. Wrth grynhoi hanes Methodistiaeth gynnar yng Nghymru, tueddir yn aml i bwysleisio fod gwahanol gryfderau gan y tri arweinydd cyntaf: mai Daniel Rowland oedd y pregethwr efengylaidd mwyaf effeithiol, mai Howell Harris oedd y trefnydd gorau ac mai Williams oedd 'piau'r canu'.[2] Er bod hynny'n symleiddio'r sefyllfa i raddau, rhaid cydnabod fod y triawd â gwahanol rinweddau a diffygion, ac yn disgleirio mewn gwahanol feysydd. Llwyddodd Thomas Charles i raddau helaeth i gyfuno prif gryfderau'r tri arweinydd gwreiddiol, drwy wneud cyfraniad sylweddol ym maes efengylu, trefnu a llenydda. Yn ogystal, etifeddodd bwyslais y ddeunawfed ganrif ar bwysigrwydd allweddol addysg a llythrennedd, yn enwedig gwybodaeth o'r Beibl. Felly, gwelid dylanwad datblygiadau pwysig canol y ddeunawfed ganrif yn gryf iawn ar ei yrfa, ond ef hefyd a lywiodd yr Hen Gorff i fewn i'r bedwaredd ganrif ar bymtheg gan baratoi ar gyfer y dyfodol fel enwad Anghydffurfiol ar wahân.

Fel yr amlyga'r amrywiaeth o benodau yn y gyfrol hon, bu Thomas Charles yn weithgar a dylanwadol mewn sawl maes, ond er gwaethaf hynny ni dderbyniodd gymaint â hynny o sylw gan haneswyr fel y cyfryw, o'i gymharu ag unigolion eraill yn hanes crefydd a diwylliant yng Nghymru. Paratowyd cofiannau yn Gymraeg ac yn Saesneg yn weddol fuan ar ôl ei farw, ond gellid dadlau fod y rheiny'n perthyn i draddodiad hagiograffig y Cyfundeb yn hytrach nag yn hanes di-duedd.[3] Cynigient batrwm o fywyd a moeswers i eraill i'w ddilyn; cyfaddefodd Lewis Edwards, er enghraifft, mai cofiant Charles a wnaeth fwyaf o les ysbrydol iddo pan yn fachgen.[4] Prin yw'r gweithiau modern sy'n canolbwyntio ar Charles, ac eithrio cyfrol gryno R. Tudur Jones.[5] Gall hynny fod oherwydd nad oes unrhyw beth dadleuol iawn am ei yrfa a'i gyfraniad, o gymharu â chymeriad fel Howell Harris, er enghraifft, a fu'n destun sawl astudiaeth yn ystod yr ugeinfed ganrif. Y mae'n fwy na thebyg hefyd fod yna deimlad nad oedd fawr o fodd i ychwanegu at dair cyfrol gynhwysfawr D. E. Jenkins, a gyhoeddwyd ychydig dros ganrif yn ôl ym 1908, ag sy'n parhau i fod yn waith safonol ar ei yrfa.

Diau mai'r ddwy ffaith fwyaf hysbys am Thomas Charles ar lafar gwlad yw mai Thomas Charles *y Bala* ydoedd a'i fod wedi cychwyn yr ysgolion Sul yng Nghymru, ond, fel sawl 'ffaith' hanesyddol gyd-nabyddedig, nid yw'r naill beth na'r llall yn gwbl gywir. Nid Charles oedd yr arloeswr cyntaf o ran sefydlu ysgolion Sul yng Nghymru ac nid hanu o'r Bala a wnâi ond o'r de; *rhodd* i'r gogledd ydoedd, chwedl Daniel Rowland.[6] Ganed ef ym mhlwyf Llanfihangel Abercywyn, ger San Clêr, yn sir Gaerfyrddin, ym mis Hydref 1755. Bro ei febyd yn ne-orllewin sir Gâr oedd canolfan gweithgarwch Griffith Jones o'i blwyf yn Llanddowror a chynefin hefyd i Peter Williams, a aned yn Llansadyrnin, nid nepell o Landdowror. Bu farw Griffith Jones ym 1761, a Thomas Charles heb gyrraedd ei chwe mlwydd oed, felly go brin iddo fod yn ddylanwad cryf uniongyrchol ar y bachgen ifanc, ond y mae'n bur sicr iddo fod yn ddylanwad anuniongyrchol pwysig iawn. Etifeddwyd mantell Jones gan Bridget Bevan, a fu'n cynnal y rhwydwaith o ysgolion o'i chartref yn Nhalacharn tan ei marwolaeth hithau ym 1779. Hawdd credu hefyd fod yr ymwybyddiaeth am Jones a'i gyfraniad yn parhau'n gyffredinol yn yr ardal. Yn fwy penodol, soniai Thomas Charles mai 'ei dad yng Nghrist' oedd hen ŵr lleol o'r enw Rhys Hugh, a fu'n ddisgybl ffyddlon i Griffith Jones.[7] Treuliodd Charles oriau yn ei gwmni pan yn ei arddegau, yn ymweld ag ef unwaith neu ddwywaith yr wythnos. Gellid honni'n hyderus felly iddo gael ei hyfforddi am ddulliau ac egwyddorion arloeswr yr ysgolion cylchynol, ac un o bregethwyr mawr y ddeunawfed ganrif, ymhell cyn iddo weld tyrrau breuddwydiol Rhydychen o'i flaen.

Fel Griffith Jones, sylweddolai rhieni Charles hefyd werth addysg, oherwydd sicrhawyd bod eu mab yn manteisio ar y cyfleoedd oedd ar gael yn lleol, a bu'n hynod ffodus fod yr addysg honno gyda'r orau yng Nghymru ar y pryd. Treuliodd dros dair blynedd yn yr ysgol yn Llanddowror cyn iddo fynd yn bedair ar ddeg oed at yr Academi yng Nghaerfyrddin, lle bu'n dilyn cwrs o astudiaeth rhwng 1769 a 1775. Cynrychiola'r Academi hon hefyd gysylltiad gyda'r gorffennol crefyddol yng Nghymru, yn fwyaf penodol gyda'r etifeddiaeth Anghydffurfiol. Gellid olrhain gwreiddiau Academi Caerfyrddin yn ôl i academi gynnar Samuel Jones ym Mrynllywarch, sefydliad a ddaeth i fodolaeth oherwydd y gwaharddiad ar Ymneilltuwyr rhag mynychu prifysgol.[8] Dengys cyfnod Charles yn yr Academi y modd y cynigiai'r sefydliadau hyn gyfleoedd am flas ar addysg uwch i Gymry galluog yn nes at adref na phrifysgolion Lloegr. Felly, elwodd Charles oherwydd canlyniadau pwyslais yr ail ganrif ar bymtheg a'r ddeunawfed ganrif ar yr angen am addysg er mwyn cynyddu gwybodaeth grefyddol yng Nghymru, a gellid ei ystyried yn etifedd y blaenoriaethau hynny.

Bu'r cyfnod yn yr Academi hefyd yn neilltuol bwysig o ran ei fywyd ysbrydol oherwydd tra'n fyfyriwr yno, ac yntau heb gyrraedd ei ddeunaw oed, clywodd Daniel Rowland yn pregethu ar 20 Ionawr 1773[9] ac meddai,

> ac o'r diwrnod cysurol hwnnw cefais fath o nef newydd a daear newydd i'w mwynhau. Y cyfnewidiad a brofai dyn dall wrth dderbyn ei olwg, nid ydyw yn fwy na'r cyfnewidiad a brofais i y pryd hwnnw yn fy meddwl.[10]

Gan ei fod eisoes â'i fryd ar urddau eglwysig, y mae'n bosib nad yw'r dröedigaeth hon yn ymddangos yn gyfnewidiad llwyr o'r tu allan, ond ymdebyga'r disgrifiad ohoni i'r hyn a geir dro ar ôl tro gan y rheiny a gyffrowyd gan y diwygiad efengylaidd. Mynegir yr un syniad o newid sylfaenol ysgytwol a bythgofiadwy wrth brofi'r ailenedigaeth hon gan Howell Harris, John Thomas, Rhaeadr Gwy, a William Williams, Pantycelyn, ynghyd â nifer o ddychweledigion mwy distadl.[11] I Thomas Charles yn sicr yr oedd hwn yn drobwynt holl bwysig yn ei fywyd a'i drodd at adain efengylaidd yr Eglwys ac yn y pen draw at Fethodistiaeth.

Ar ôl ei dröedigaeth, aeth ymlaen â'i addysg, gan astudio ym Mhrifysgol Rhydychen am dair blynedd, rhwng 1775 a 1778. Bwriodd ymlaen yn ogystal â'i fwriad i ymuno â'r Eglwys ac urddwyd ef yn ddiacon ym 1778 ac yna'n offeiriad ym 1780. Bu'r cyfnod yn Rhydychen hefyd yn arwyddocaol o ran sefydlu cydnabod a chyfeillion, gan gynnwys Simon Lloyd y Bala, mab Sarah Bowen, cyn aelod o Deulu Trefeca Howell Harris, a ffurfiai gysylltiad cryf â'r traddodiad Methodistaidd Cymreig. Ar ôl rhai blynyddoedd fel curad yng Ngwlad yr Haf yn Lloegr, symudodd i'r Bala ym 1783 i briodi Sally Jones ond câi anhawster i ennill a chadw bywoliaeth eglwysig oherwydd ei dueddiadau efengylaidd a arweiniodd at gwynion amdano. Wedi cyfnod pur anhapus yn gwasanaethu fel curad yn Llanymawddwy ym 1784, ymddengys iddo roi heibio'r syniad o fywoliaeth eglwysig gan ganolbwyntio ar ei waith gyda'r Methodistiaid. Nid penderfyniad rhwydd oedd hwn iddo a chyfaddefai mewn llythyr at gyfaill ym Mehefin 1784:

> I am in a strait between two things; – between leaving the church and continuing in it. Being turned out of three churches in this country without the prospect of another, what shall I do?. . . Christ's words continually sound in my ears, – 'Feed my lambs.' I think I feel my heart willing to engage in the work, be the consequences what they may. But then I ought to be certain in my own mind that God calls me to preach at large. This stimulates me to try all means to continue in the church, and to wait a little longer to see what the Lord will do. [12]

Cyfnod anodd a rhwystredig oedd hwn i Charles yn amlwg a derbyniai gyngor gwrthgyferbyniol o sawl cyfeiriad wrth geisio penderfynu ar ei ddyfodol. Un o'r dewisiadau posibl iddo oedd i geisio lle yn Lloegr, gan ddefnyddio rhai o'r cysylltiadau a luniodd yn Rhydychen â chlerigwyr efengylaidd eu hagwedd. Yn y fantol hefyd yr oedd Sally a'i busnes a'i hamharodrwydd i gefnu ar ei theulu a'i chymuned.[13] Wedi pwyso a mesur, daeth i'r penderfyniad i ymroi i bregethu ble câi ei alw, gyda'r siop dan ofal Sally yn y Bala yn fodd i gynnal y teulu yn lle'r cyflog y byddai wedi cael fel curad.

Unwaith iddo gymryd y cam allweddol o ymuno â'r seiat yn y Bala ym 1785, nid yw'n syndod iddo ddatblygu'n ffigwr blaenllaw yn y mudiad Methodistaidd. Rhoddid parch bob amser ymhlith y Methodistiaid i unrhyw ŵr mewn urddau eglwysig ac fe fyddai enw 'y Parchedig Mr Charles' yn sicr o ymddangos ar ben rhestr aelodau Sasiwn y Gogledd ar sail hynny'n unig. Gyda chlerigwyr ordeiniedig mor affwysol o brin ymhlith Methodistiaid y gogledd, byddai'r disgwyliadau ohono hyd yn oed yn fwy na'r cyffredin. Yn ogystal, yr oedd mewn sefyllfa i fod yn gyswllt pwysig rhwng Sasiwn y De a'r Gogledd, a oedd i raddau'n ddau endid cwbl ar wahân ond yn ceisio cadw at yr egwyddor eu bod yn perthyn i fudiad unedig, fel bod aelodau'r un â'r hawl i fynychu a phleidleisio yng nghyfarfodydd y llall.[14]

Ymaelododd â'r Methodistiaid ar adeg dyngedfennol yn eu hanes, pan oedd oes yr arweinwyr cynnar ar fin dod i ben ac ansicrwydd ynglŷn â phwy fyddai'n eu tywys yn y dyfodol. Er bod Howell Harris yn ei fedd er 1773, ymunodd Charles â'r mudiad yn ddigon cynnar i ddod yn gyfarwydd â Daniel Rowland a William Williams. Derbyniodd glod gan Rowland ar ôl iddo yntau ei glywed yn pregethu yn Llangeitho ym 1785[15] a thyfodd cyfeillgarwch gwresog rhyngddo a Rowland a Williams Pantycelyn, gyda'r ddau yn ei dderbyn fel caffaeliad i'r mudiad. Wedi marw Rowland ym 1790, at Charles y gyrrodd Williams ei lythyron olaf yn datgan ei ofidiau a'i obeithion am ddyfodol Methodistiaeth. Wrth ystyried pa mor weithgar y bu Charles drwy'i fywyd, tybed a wnaeth ddwyn i gof eiriau olaf Pantycelyn: 'O annwyl annwyl frawd, gweithiwch tra yw hi yn ddydd, mae'r nos yn dyfod arnoch fel daeth arnai yma, pan nas gellwch drafaelio na phregethu.'[16] Charles yn wir a etifeddodd y gwaith o arwain y mudiad, er gwaethaf gobaith Pantycelyn i weld Nathaniel Rowland yn llywio'r Methodistiaid Calfinaidd i'r ganrif nesaf, yn ne Cymru o leiaf.

Achosir rhywfaint o benbleth i haneswyr gan gefnogaeth frwd Pantycelyn i Nathaniel, gan gofio iddo brofi ei hun yn y pen draw yn anaddas i'r gwaith o arwain y mudiad ac iddo gael ei droi allan am feddwdod erbyn 1807.[17] Ond adeg marwolaeth Pantycelyn, yr oedd Nathaniel eisoes wedi cysegru blynyddoedd lawer at wasanaeth y Sasiwn ac yn brofiadol iawn o ran trefniant y mudiad. Er bod Williams yn amlwg yn parchu gallu Thomas Charles, byddai'n rhyfedd iawn mewn gwirionedd iddo ffafrio Charles fel arweinydd, gan fod yntau'n parhau'n gymharol newydd a dibrofiad ym maes Methodistiaeth ac hefyd wedi ei leoli yn y gogledd, tra'r oedd cryfder traddodiadol y mudiad yn y de. Nid oes dwywaith ychwaith fod parch mawr Pantycelyn at y tad yn lliwio'i agwedd tuag at y mab. Y mae'n bosibl mai byw mewn gobaith y gwnâi y profai Nathaniel yn olynydd teilwng, oherwydd yn ei farwnad i Daniel Rowland anogai Nathaniel i bwyso ar brofiad Dafydd Jones, Llan-gan, i'w gynorthwyo, gan synhwyro efallai y byddai angen cyngor doeth a phwyllog. Er gwaethaf y gobeithion hynny, Charles yn y pen draw a gamodd i'r dynged a fwriedid i Nathaniel fel prif arweinydd yr ail genhedlaeth o Fethodistiaid.

Bu Charles yn ffigwr hynod bwysig, wrth gwrs, o ran datblygiad Methodistiaeth yng ngogledd Cymru yn enwedig; nid nad oedd Methodistiaeth eisoes wedi treiddio i'r parthau hynny, er bod Howell Harris yn mynnu ym 1740: 'Poor North Wales they live here like Brutes knowing nothing'.[18] Er i Harris bron â chael ei rwygo'n ddarnau gan dorf yn y Bala ym 1741, yr oedd seiat wedi sefydlu yno ers blynyddoedd erbyn i Charles ymgartrefu yn y dref ym 1783.[19] Serch hynny, lleolwyd y prif arweinwyr i gyd yn y de, man geni'r mudiad, a Charles oedd y clerigwr ordeiniedig cyntaf yn y gogledd i gysegru'i hun i'r achos. Gwnaeth ei bresenoldeb a'i gyfraniad egnïol gryn dipyn i hybu dylanwad y mudiad yn y gogledd ac yn weddol fuan cychwynnodd ar daith bregethu i sir Gaernarfon, lle cyfarfu â Thomas Jones, Dinbych, am y tro cyntaf.[20] Daeth gogledd Cymru i raddau yn darged poblogaidd ar gyfer efengylu Anghydffurfiol yn ogystal, gyda'r Bedyddwyr yn sefydlu cenhadaeth i'r gogledd ym 1776 a'r Wesleiaid yn cychwyn ymgyrch o ddifrif drwy gyfrwng y Gymraeg ym 1800.[21] Profodd arweiniad Charles, gyda chefnogaeth pregethwyr abl fel John Evans, y Bala, Thomas Jones, Dinbych, a'r John Elias ifanc, yn allweddol bwysig er mwyn sicrhau twf Methodistiaeth Galfinaidd yn wyneb y gystadleuaeth hon.

Nid oes cymaint o sôn am ddylanwad Thomas Charles fel pregethwr, er i Thomas Jones gyfeirio at ei 'yspryd deffröus a'i ddoniau rhagorol fel pregethwr'.[22] Efallai fod barn John Hughes yn un fwy cytbwys ar y testun pan awgrymodd: 'nid yn y pulpud y bu ei brif ragoroldeb. *Gweithiwr* ydoedd yn hytrach na *llefarwr*. Yr oedd ei *ysbryd* yn rhagori ar ei *dafod*.'[23] Er gwaethaf hynny, yr oedd yn ffefryn gan yr Arglwyddes Huntingdon, a alwai arno'n gyson i bregethu yn y capeli a berthynai i'w chyfundeb, yn Llundain ac yng Nghaerfaddon.[24] Beth bynnag oedd ei ddoniau fel pregethwr, un o brif fanteision Charles oedd ei fod wedi ei dderbyn i urddau offeiriad ac o'r herwydd yn medru gweinyddu'r cymun. Y canlyniad oedd, fel y sylwodd Ann Griffiths, i'r Bala ddatblygu'n gyrchfan pererinion Methodistaidd a oedd yn heidio i dderbyn y sacrament o law Thomas Charles, fel yr unig glerigwr ordeiniedig yn y gogledd am flynyddoedd lawer a fedrai gyflawni'r gorchwyl hwn.[25] Erbyn dechrau'r bedwaredd ganrif ar bymtheg felly, cafwyd symudiad tua'r gogledd o ran cydbwysedd daearyddol y mudiad, gyda'r Bala'n olynu Llangeitho fel y pencadlys. Bu Trefeca ar y llaw arall yn ymylol yn yr hanes mewn gwirionedd hyd nes i ŵyr Thomas Charles, David Charles, fynd yno'n brifathro ar goleg newydd yr enwad yn y de ym 1842.[26]

Wrth olrhain gyrfa Thomas Charles ymhlith y Methodistiaid, nid oes dwywaith mai'i bwysigrwydd hanesyddol pennaf yw fel yr arweinydd a oruchwyliodd yr ordeinio gweinidogion a ddynodai sefydlu enwad newydd ym 1811. Cododd y cwestiwn o ymrannu oddi wrth yr Eglwys yn gyson yn sasiynau'r 1740au, felly ar ryw olwg y syndod yw fod y mudiad wedi oedi mor hir cyn cymryd y cam tyngedfennol.[27] Eto, ymddengys yn gwbl groes i dueddiadau Charles o blaid yr Eglwys Anglicanaidd i dorri'n rhydd o'i gafael yn y fath fodd ac y mae'n parhau'n anodd i haneswyr i olrhain y camau a arweiniodd at ei newid agwedd.[28] Ffactor bosibl yn ei benderfyniad oedd yr awydd i atgyfnerthu safle'r cynghorwyr a oedd fel pregethwyr lleyg wedi eu llesteirio rhag medru gweinidogaethu'n llawn i'w cynulleidfaoedd. Golygai ansicrwydd eu sefyllfa hefyd eu bod yn agored i'w dirmygu gan awdurdodau lleyg ac eglwysig ac i'w herlid gan y gyfraith.[29] Ar y llaw arall, gellid awgrymu nad oedd yr ordeinio'n gam mor chwyldroadol â hynny ac mai'r hyn a wnaeth Charles oedd cydnabod realiti sefyllfa a grëwyd mewn gwirionedd yn ystod dyddiau cynnar y diwygiad. Er gwaethaf amharodrwydd yr arweinwyr o Rowland a Harris ymlaen i ymadael yn ffurfiol â'r Eglwys, yr oedd nifer fawr o nodweddion enwad yn perthyn i'r mudiad o ddyddiau sefydlu'r Sasiwn yn y 1740au.[30] Cyhoeddwyd llyfr rheolau ym 1742 ac unwaith yr oedd blwch casglu yn y seiadau yn cyfrannu at gronfa ganolog yn ogystal, gellid dadlau bod sylfaen enwad wedi ei gosod. Gyda thwf sylweddol mewn aelodaeth, a strwythur cadarn o ran seiat, cyfarfod misol a sasiwn erbyn diwedd y ddeunawfed ganrif, ymddangosai fel petai'r plentyn yn tyfu'n rhy fawr i gôl y fam. Er bod yr arweinwyr wedi mynnu'n gyson i barhau'n rhyw fath o garfan oddi fewn i'r Eglwys Anglicanaidd, ychwanegodd y nifer helaeth o gapeli a godwyd gan y Methodistiaid at yr ymdeimlad eu bod yn sect ar wahân mewn popeth ond enw. Cyfrannai cyhoeddiadau Charles a'i gyfeillion at yr ymdeimlad hwnnw, gyda Robert Jones Rhos-lan yn cyhoeddi *Grawnsyppiau Canaan* (1795) fel casgliad o emynau'n neilltuol at ddefnydd y seiadau a Charles a Thomas Jones yn llunio rheolau newydd i'r mudiad, sef *Rheolau a dybenion y Cymdeithasau Neillduol* (1801).

Daeth pethau i'r pen erbyn 1811 oherwydd er bod modd darparu cyflenwad o bregethwyr heb fawr o drafferth yn ystod y blynyddoedd a ragflaenai'r ordeinio, mater gwahanol iawn oedd gwasanaethau cymun. O'r cychwyn yr oedd rhai aelodau'n anfodlon i dderbyn cymundeb gan glerigwyr Anglicanaidd a fedrent fod yn elyniaethus iawn i'w daliadau Methodistaidd, hyd at eu gwahardd rhag dod at y bwrdd. Dyna paham y tyrrai cynifer at Daniel Rowland yn Llangeitho ac yn nes ymlaen at Charles yn y Bala. Nid oedd y sefyllfa gynddrwg yn y de lle'r oedd mwy o glerigwyr o ogwydd Methodistaidd, ond yr oedd yn argyfyngus yn y gogledd wrth i nifer yr aelodau gynyddu erbyn diwedd y ddeunawfed ganrif. Erbyn 1805 yr oedd dau glerigwr Methodistaidd eu safiad yn y gogledd yn ogystal â Thomas Charles, sef Simon Lloyd yn y Bala a William Lloyd yn sir Gaernarfon. Hyd yn oed wedyn, yr oedd ardaloedd eang heb fod o fewn cyrraedd cyfleus i Fethodist a fedrai weinyddu cymun iddynt. Awgrymai Simon Lloyd i Charles dderbyn yr ordeinio yn y diwedd fel mater o anghenraid oherwydd y prinder clerigwyr i weinyddu cymun.[31] Cyfaddefodd Thomas Jones iddo bron iawn â theimlo'n ddig tuag at Charles am ymwrthod mor hir â'r syniad o ordeinio, yn wyneb y fath gyfyngderau.[32] Mae'n ddigon posibl i Charles sylweddoli erbyn 1810, fel yr awgrymodd Gomer Roberts, na fedrid 'atal y llifeiriant mwy',[33] oherwydd erbyn hynny yr oedd Thomas Jones ac eraill wedi gweithredu'n uniongyrchol drwy fedyddio babanod. Anodd yn wir oedd dadlau nad oedd Thomas Jones, Ebenezer Morris, John Elias ac Ebenezer Richard yn addas i'r gorchwyl o weinidogaethu.

Bugeilid sawl cynulleidfa Fethodistaidd gan bregethwyr lleyg a oedd yn gofalu am eu holl anghenion heblaw am y sacramentau. Yn eu plith yr oedd Ebenezer Morris, Tŵrgwyn, sir Aberteifi, a holodd Charles, yn Sasiwn y Bala ym 1810 fwy na thebyg, pa un oedd fwyaf pwysig: pregethu'r efengyl neu weinyddu'r ordinhadau o fedydd a swper yr Arglwydd.[34] Bu'n rhaid i Charles ateb mai pregethu'r efengyl oedd y flaenoriaeth ac y mae'n bosibl fod y cwestiwn hwn wedi crisialu'i feddwl, gan arwain iddo gydsynio â'r rheiny a ddymunai weld y mudiad yn ordeinio'i weinidogion ei hun. Unwaith y daeth i'r casgliad mai dyna'r ffordd ymlaen, ymaflodd yn y dasg o ddyfeisio trefn i'r ordeinio, gan arwain y cynulliad yn y Bala ac yn Llandeilo. Tueddai hynny i wrthddweud awgrym Jonathan Jones, cofiannydd Thomas Jones, fod Charles wedi petruso oherwydd ansicrwydd ynglŷn â'r modd o gynnal gwasanaeth ordeinio y tu allan i'r Eglwys.[35] Wrth gynllunio tuag at y dyfodol, gofalodd ar yr un pryd i sicrhau cysylltiad â gorffennol y mudiad drwy alw ar John Evans y Bala i ddarllen yn y gwasanaeth. Ystyriai yntau'i hun yn rhy hen i'w ordeinio, ond yr oedd yn gyswllt byw â dyddiau cynnar y diwygiad, wedi profi tröedigaeth ym 1745.[36]

Er gwaethaf ymdrechion Thomas Charles, nid pawb a fedrai ddygymod ag ymrwygo oddi wrth yr Eglwys a chollwyd nifer o glerigwyr y de, gan gynnwys David Griffiths, Nanhyfer.[37] Yr unig rai o blith clerigwyr Anglicanaidd y mudiad a oedd yn bresennol yn y gwasanaethau ordeinio yn y Bala a Llandeilo ym Mehefin a Gorffennaf 1811 oedd y rheiny nad oedd yn dal bywoliaethau eglwysig, sef y tri yn y gogledd, ynghyd â John Williams, Pantycelyn, a John Williams, Lledrod, yn y de. Felly, er na fedrir cytuno'n llwyr â datganiad Robert Jones Rhos-lan fod hon yn 'drefn esmwyth a boddhaol i ddwyn y gwaith ymlaen heb friwo neb',[38] eto, sicrhawyd y newid yn gymharol rwydd a heddychlon, efallai o ganlyniad i'r ffaith fod yr enwad newydd eisoes yn 'Hen Gorff' gyda thri chwarter canrif o brofiad y tu cefn iddo. Dathlu dod i'w oed y gwnaeth y mudiad Methodistaidd mewn gwirionedd ym 1811 yn hytrach na chael ei eni o'r newydd. Cododd rywfaint o gythrwfl erbyn 1878 oherwydd bod Esgob Llanelwy wedi ailadrodd yn gyhoeddus honiadau fod Thomas Charles wedi datgan ar ei wely angau fod yn edifar ganddo ymadael â'r Eglwys erioed.[39] Nid oes fawr o dystiolaeth i gefnogi'r awgrym ac nid oedd unrhyw arwydd ei fod yn teimlo felly yn sgil yr ordeinio. Mynegodd ei fodlonrwydd â'r sefyllfa a gyrhaeddwyd mewn llythyr at Joseph Tarn o'r Beibl Gymdeithas:

> I never had so delicate a subject under my consideration as I had prejudices of an opposite nature to combat with. However, thro' the Lord's blessing upon my endeavours, I hope I have succeeded. To pass incensured by different parties I do not expect; but I am happy yt the body of Welsh Calvinistic Methodists seem to have been, by the means adopted, by all appearances more firmly compacted than ever; and by that means likely [to] be more extensively useful in promoting knowledge and reformation thro' the whole country.[40]

Nodweddai'r cyfeiriad olaf at daenu gwybodaeth a diwygiad ei bwyslais cyson ar bwysigrwydd addysg grefyddol. O ran ei gyfraniad ehangach i gymdeithas a diwylliant Cymru, ei weithgarwch ym maes addysg a chyhoeddi sydd fwyaf amlwg, ac y mae'n fwyaf enwog am ddatblygu cyfundrefn yr ysgolion Sul. Yn hyn o beth, y mae'n amlwg iddo ddysgu wrth esiampl Griffith Jones oherwydd dilyn patrwm yr ysgolion cylchynol a wnaeth yn y lle cyntaf. Gwnaeth gydnabod iddo gael ei ysbrydoli gan Griffith Jones pan ysgrifennodd yn ei *Catecism Byrr* ym 1789:

> Gyd â di-ball ddiwydrwydd a mawr lwyddiant y llafuriodd y duwiol a'r Parchedig Mr. Griffith Jones ym mhlith y Cymry, yn y gwaith hwn. Fel y mae ei ddiwydrwydd yn condemnio ein hesgeulusdra, felly ei fawr lwyddiant sydd anogaeth gref i ni ymaflyd yn wrol yn yr un gorchwyl.[41]

Y mae'n werth cofio hefyd mai un o'r cwynion yn ei erbyn fel curad Llanymawddwy oedd iddo adfer yr arfer o gateceisio,[42] datblygiad a fyddai wrth fodd calon Griffith Jones, a roddai fri mawr ar gateceisio fel dull hyfforddi plant ac oedolion. Fel Griffith Jones, sylweddolai Thomas Charles yr anhawster o bregethu i gynulleidfaoedd nad oedd yn gyfarwydd â chynnwys y Beibl am na fedrent ei ddarllen. Anodd hawlio Cymru fel gwlad drwyadl Brotestannaidd tra bod y sefyllfa honno'n parhau. Bu'r Methodistiaid yn cynghori eu dilynwyr i geisio addysg o'r cychwyn a thra bod yr ysgolion cylchynol ar gael yn rhad ac am ddim, yr oedd yn ddigon hawdd iddynt annog aelodau i wneud defnydd ohonynt, ond wedi marw Bridget Bevan ym 1779, nid oedd y cyfleustra yna ar gael bellach, gyda'r arian a adawodd Madam Bevan i gynnal yr ysgolion yn destun achos llys a lusgodd ymlaen am flynydd-oedd lawer.[43]

Erbyn 1785, fodd bynnag, yr oedd Thomas Charles wedi lansio cynllun o ysgolion ar ddull yr ysgolion cylchynol, gan weld y rheini'n angenrheidiol fel sylfaen ar gyfer ysgolion Sul, a gychwynnwyd yn fuan wedyn. Gwyddai am sefydlu ysgolion Sul yn Lloegr gan Robert Raikes ac y mae lle i gredu i eraill yng Nghymru goleddu syniadau am ysgolion tebyg cyn Charles,[44] ond nid pwy oedd y cyntaf sy'n bwysig mewn gwirionedd ond pwy oedd fwyaf effeithiol. Tyfodd dylanwad yr ysgolion Sul yn gyflym, gyda'r cymanfaoedd plant yn dilyn yn sgil hynny a'r holl rwydwaith o arholiadau ac esboniadau ar gyfer y maes llafur yn ennyn rhyw fath o ddiwydiant ynddo'i hun ac, yn bennaf oll efallai, yn creu cynulleidfa o ddarllenwyr a oedd yn ystyried dysg yn rhywbeth i ymgyrraedd ato. Llwyddodd Griffith Jones yn rhyfeddol wrth ystyried iddo weithredu heb gefnogaeth yr Eglwys, ond wrth glymu'r ysgolion Sul at yr enwadau, sefydlwyd strwythur cadarn iddynt a oedd yn eu galluogi i fynd gam ymhellach na'r ysgolion cylchynol. Sicrhawyd eu bod ar gael yn gyson o wythnos i wythnos, o flwyddyn i flwyddyn, ac nid yn achlysurol, gan roi cyfle i ddisgyblion i adeiladu ar eu gwersi. Efallai eu bod yn rhoi gormod o bwyslais weithiau ar ddysgu adnodau ac emynau ribidirês, ond, ar yr un pryd, llwyddent i ddarparu addysg sylfaenol bwysig drwy gyfrwng y Gymraeg ymhell cyn i'r wladwriaeth fabwysiadu trefn foddhaol yn hynny o beth.[45]

Fel Griffith Jones hefyd, yr oedd yn flaenoriaeth gan Charles i sicrhau fod Beibl ar gael i bawb i ddarllen, yn fwyaf enwog yn achos Mari Jones, ond yn fwy cyffredinol drwy weithgarwch y Beibl Gymdeithas. Er bod John Roberts, Tremeirchion, wedi ceisio cynhyrfu'r dyfroedd drwy awgrymu fod testun y Beibl Cymraeg a gynhyrchwyd gan y Gymdeithas yn sylfaenol wahanol i Feibl yr SPCK a olygodd yntau ym 1799, ac er bod rhai gwallau yn nhestun Beibl 1807 o ganlyniad i agwedd esgeulus William Owen Pugh fel darllenydd proflenni, gosododd y testun a olygwyd gan Thomas Charles ym 1814 safon ar gyfer y dyfodol.[46] Gellid tybio felly fod safon ei Gymraeg ysgrifenedig wedi gwella tipyn ers ei nodiadau pregeth cynnar a nodweddid gan orgraff ddigon simsan.[47] Rhan o'r gyfrinach y mae'n sicr oedd iddo dreulio blynyddoedd yn pregethu'n gyson yn y Gymraeg ar ôl ymadael â Lloegr, ac iddo drwytho'i hunan yn iaith ac ymadroddion y Beibl wrth baratoi ei Eiriadur.

Os dilyn yn ôl traed Griffith Jones ac eraill a wnâi wrth geisio cynyddu gwybodaeth o'r Beibl, gellid honni ei fod yn arloeswr o ran agweddau o'i ddefnydd o'r wasg argraffu. Fel William Salesbury, Stephen Hughes, Griffith Jones a Peter Williams o'i flaen, synhwyrai ddefnyddioldeb y wasg argraffu er mwyn taenu gwybodaeth. Bu'n hynod gynhyrchiol fel awdur, ond efallai mai'r gwaith a astudiwyd yn fwyaf trwyadl oedd ei *Hyfforddwr i'r Grefydd Gristionogol*, ffefryn yr ysgolion Sul Methodistaidd, a gyhoeddwyd ym 1807 gyda naw argraffiad wedi ymddangos erbyn 1820 ac 80 argraffiad erbyn diwedd y ganrif.[48] Nid oes amau ychwaith ddylanwad ei *Geiriadur Ysgrythyrawl*.[49] Torrwyd cwys newydd yn enwedig gyda chyhoeddi'r *Trysorfa Ysprydol* am y tro cyntaf ym 1799, gyda Thomas Jones yn gyd-olygydd. Dyma'r ymgais gyntaf yn Gymraeg i efelychu llwyddiant yr *Evangelical Magazine* yn Saesneg ac er mai braidd yn herciog oedd ymddangosiad y rhifynnau, bu'r *Trysorfa Ysprydol* yn batrwm ar gyfer cyfnodolion enwadol i'r dyfodol.[50] Cafwyd adlais o enw gwreiddiol Thomas Charles a Thomas Jones yn llwyddiant *Y Drysorfa* ymhlith y Methodistiaid o'r 1830au ymlaen, cyhoeddiad a fu'n gyfrwng i feithrin doniau Daniel Owen. Cynigiai'r cyfnodolion enwadol hyn gyfle euraidd i addysgu, cyfnewid gwybodaeth a hybu ymdeimlad o berthyn ymhlith yr aelodau. Profwyd cynnydd sylweddol yng nghyfnodolion yr enwadau drwy weddill y ganrif, gyda nifer fel y Methodistiaid yn darparu gwahanol gylchgronau ar gyfer gwahanol garfannau o'u haelodaeth, fel *Trysorfa y Plant* ar gyfer yr ifanc. Nid materion crefyddol yn unig a drafodid ynddynt a cheisient gynnig arweiniad ar faterion cyfoes a gwleidyddol, fel arwydd clir o'r hyder ac aeddfedrwydd cynyddol a nodweddai'r Anghydffurfwyr.

Sylweddolai Charles a Thomas Jones hefyd bwysigrwydd fedru cael rheolaeth dros y gwaith argraffu.[51] Eto i raddau dyma ddilyn llwybr un o'r tadau Methodistaidd, gan i Howell Harris sefydlu gwasg argraffu yn Nhrefeca, rhywbeth a fu'n freuddwyd ganddo ers tro. Sefydlwyd gwasg yn y Bala ym 1802 o dan Robert Saunderson ac yno yr argraffwyd y *Geiriadur*, yr *Hyfforddwr* a nifer o weithiau eraill. Pan symudodd Thomas Jones i Ruthun, teimlai yntau'r un angen i gael gwasg gyfleus gerllaw y gellid dibynnu arni i gynhyrchu'r gwaith yn brydlon ac yn effeithiol, felly cyflogodd Thomas Gee at y pwrpas. Symudodd Gee a'r wasg i Ddinbych i ddilyn Thomas Jones ac fe brynodd y wasg ei hun maes o law, gan agor pennod newydd yn hanes cyhoeddi yng Nghymru.[52]

Dywedwyd digon erbyn hyn i brofi prysurdeb amrywiol Thomas Charles, fel gweinidog, fel arweinydd, fel addysgwr ac fel llenor a chyhoeddwr. Yn gyffredinol, bu'i gyfraniad a'i gymeriad yn destun canmoliaeth; disgrifir ef yn gyson fel gŵr rhesymol, hawddgar a diymhongar. Wrth gwrs, rhaid cofio fod llawer o'r hanes cynnar wedi ei gofnodi gan aelodau o'r Hen Gorff a dueddai ei ystyried yn arwr; yn wir cyfeiria D. E. Jenkins ato fel 'eilun cenedlaethol' ym 1908.[53] Bodolai'r un duedd i geisio olrhain gwaith rhagluniaeth yn ei rawd ag a nodweddai rhai o gofiannau cynnar Methodistiaid y ddeunawfed ganrif. Ystyrid, er enghraifft, mai arwydd o drefn rhagluniaeth oedd y penderfyniad ffodus a wnaeth ei arbed rhag boddi ar yr afon Merswy. Adroddwyd yr hanes amdano'n dewis peidio â theithio ar gwch a suddodd gan foddi pawb ar y bwrdd pan sylweddolodd ar y funud olaf fod ei fag wedi ei gludo i gwch arall.[54] Cofnododd Thomas Jones yr hanes am hen ŵr o gynulleidfa'r Bala yn gweddïo y câi Charles 'bymtheg mlynedd yn ychwaneg' er mwyn yr achos, ar achlysur ei salwch ym 1799 pan fu'n rhaid torri i ffwrdd ei fys bawd. Yn ôl Jones, yr oedd Charles ei hun wedi cofio a gweld arwyddocâd y weddi honno pan glafychodd a bu farw bymtheg mlynedd wedyn ym 1814.[55] Gweloddd haneswyr mwy diweddar rinweddau niferus ynddo hefyd. Yn ôl R. Tudur Jones yr oedd 'yn bersonoliaeth hawddgar, yn gymeriad nobl'[56] a chyfeiriodd Derec Llwyd Morgan ato fel 'gŵr goruwchweithgar a goruwchddylanwadol' a fu'n bennaf gyfrifol am 'greu a diffinio math newydd ar Fethodistiaeth'.[57]

Ychydig iawn o feirniadaeth o unrhyw fath a geir ohono, ac er bod ei gyfaill Thomas Jones fel petai'n rhybuddio rhag eilunaddol iaeth drwy atgoffa'i ddarllenwyr ei fod yn ŵr 'â'i waeleddau dynol ganddo', nid yw'n manylu am y ffaeleddau.[58] Un digwyddiad yn ystod ei yrfa sy'n codi rhywfaint o amheuaeth yw ei rôl yn nrama diarddel Peter Williams ym 1791. Digwyddodd hyn ym mlwyddyn allweddol yn hanes y mudiad, yn sgil marwolaeth y ddau olaf o'r arweinwyr gwreiddiol: Daniel Rowland yn Hydref 1790 a William Williams ym mis Ionawr 1791. Un o weithredoedd cyntaf y mudiad o dan arweiniad yr ail genhedlaeth felly oedd i ddiarddel un o'r amlycaf a'r mwyaf ffyddlon o'r hen do. Daeth i sylw Sasiwn y Gogledd fod rhai o'r nodiadau ym Meibl Bach 1790 a olygwyd gan Peter Williams ar y cyd â Dafydd Jones, gweinidog gyda'r Bedyddwyr, yn sawru o Sabeliaeth, sef y gred fod y Drindod yn cynrychioli gwahanol agweddau o'r Duwdod yn hytrach na gwahanol bersonau. Anfonwyd Thomas Charles a John Evans o'r Bala i godi'r mater yn Sasiwn y De yn Llandeilo, lle cafodd Peter Williams ei ddiarddel am heresi.[59]

Unwaith yn rhagor, gellid gweld cysgod dylanwad y tadau Methodistaidd wedi ei daflu dros yr hanes hwn. Ymddengys bod Daniel Rowland wedi gwarchod Peter Williams rhag cynddaredd rhai o aelodau'r sasiwn pan gododd amheuon am ei ddaliadau diwinyddol yn y gorffennol, gan ei rybuddio'n breifat yn hytrach na'i geryddu'n gyhoeddus. Digon tebyg mai'r atgof am effeithiau chwerw diarddel Howell Harris a barodd i Rowland oedi rhag erlid un arall o'i gydweithwyr, er efallai mai canlyniad y tynerwch hwn oedd ennyn dicter Nathaniel Rowland tuag at Peter Williams. Rhagwelai Williams y byddai mewn perygl wrth wynebu'r sasiwn heb Daniel Rowland yno i'w ddiogelu.[60] Nid diniweityn addfwyn oedd Williams o bell ffordd, ond y mae'n anodd peidio barnu iddo gael ei drin yn bur ddidostur gan y sasiwn. Wrth adrodd yr hanes, tueddid i ganolbwyntio ar Nathaniel Rowland fel y pennaf a mwyaf digyfaddawd o elynion Peter Williams.[61] Unwaith yr oedd Nathaniel wedi ei ddiarddel o'r mudiad, daeth yn fwch dihangol cyfleus ac yn fodd o bosibl i wyngalchu enw'r Methodistiaid, gan gynnwys Thomas Charles, rhag ymddangos yn llym a gormesol, ond ystyriai Williams ei hun fod Charles ymhlith y pennaf o'i erlidwyr.[62] Nid ef oedd yr unig un i gredu hynny, oherwydd yn ei gofiant o Peter Williams a gyhoeddwyd ym 1817 awgrymodd Owen Williams fod Charles wedi ei gosbi'n hwyrach drwy golli gwasanaeth y llaw a godwyd yn erbyn Peter Williams, gan gyfeirio'n ddramatig at y ffaith i Charles golli ei fawd chwith.[63]

Rhaid cydnabod mai achos anodd iawn ei farnu yw achos diarddeliad Peter Williams o ran y dadleuon diwinyddol ac o ran y gwead cymhleth o ffactorau personol ymhlith rhai o'r unigolion a oedd yn gysylltiedig.[64] Nid yw'n annhebyg fod cymhellion Charles yn rhai hollol ddiffuant a chlodwiw, ac mai ei unig nod oedd gwarchod athrawiaethau'r ffydd, fel y gwnaeth y mudiad o'r blaen yn achos Howell Harris ac hefyd dros gwestiwn Sandemaniaeth John Popkins. Rhan o ddyletswydd y sasiwn mewn gwirionedd oedd gwarchod yr aelodau cyffredinol rhag unrhyw ddylanwadau a fygythiai eu camarwain neu achosi dryswch iddynt ac y mae'n bosibl fod Charles yn teimlo fod y nodiadau ym Meibl Peter Williams yn rhai a allai arwain y darllenwyr ar gyfeiliorn. Hawdd hefyd gredu awgrym Gomer Roberts fod llais Williams Pantycelyn eto'n llefaru tu hwnt i'r bedd fel petai yn yr achos hwn.[65] Yn un o'i lythyron olaf at Thomas Charles anogodd Pantycelyn ef i fod yn wyliadwrus rhag heresïau megis gwadu'r Drindod, siars a allai fod wedi dylanwadu ar achos Peter Williams.[66] Tybed hefyd pa ddylanwad a gafodd John Evans, y Bala, ar Thomas Charles yn y mater hwn? Y ddau ohonynt a ddewiswyd i gynrychioli Sasiwn y Gogledd yn Sasiwn Llandeilo ac yr oedd John Evans yn uchel ei barch gan Charles ac eraill. Beth bynnag oedd cymhellion y rheiny a benderfynodd ddiarddel Peter Williams, ymddengys mai Nathaniel Rowland a ddioddefodd y niwed mwyaf i'w enw da yn y pen draw, ffaith a gryfhaodd hawl Thomas Charles i ddatblygu'n brif arweinydd y mudiad.

Os cyfyd cwestiynau am ei ymddygiad tuag at Peter Williams, gwelir ochr fwyaf dynol cymeriad Charles yn ei fywyd personol, lle'r efelychodd Daniel Rowland a William Williams drwy briodi gwraig gall, gefnogol, â thipyn bach wrth gefn ganddi. Mynnai E. P. Thompson mai chwerthinllyd oedd synied am garwr Methodistaidd angerddol, ond efallai iddo beidio â rhoi ystyriaeth ddigonol i Thomas Charles, a ddisgrifiwyd gan R. Tudur Jones fel 'carwr eiddgar a thaer'.[67] Am yr adroddir am garwriaeth Charles a Sally yn fwy manwl ym mhennod 11, ni ddywedir fwy amdani yma na'i bod yn sylfaen i briodas eithriadol ddedwydd a fu'n gysur i'r ddau ohonynt am weddill eu hoes ac yn allweddol ar gyfer twf y mudiad yn y gogledd. Efallai na fyddai hyn yn ddigon i ddarbwyllo E. P. Thompson, ond credai Tudur Jones mai dyma 'un o garwriaethau mawr Cymru'.[68] Eto, carwriaeth Fethodistaidd oedd hon, ac yr oedd felly'n holl bwysig i sicrhau fod Duw o'i phlaid. Wrth deithio tua'r Bala ym 1780 i gyfarfod â Sally am y tro cyntaf ar ôl iddynt ddechrau llythyru â'i gilydd, gweddïai Charles y byddai

Duw yn ei gadw rhag dilyn ei ewyllys a'i duedd ei hun.[69] Mae'n bosibl mai'r angen hwn i bwyso a mesur y cymhelliad i ganlyn a phriodi a barodd dramgwydd i Thompson ac eraill. Mynnai Williams Pantycelyn yn ei *Cyfarwyddwr Priodas* fod pwyll ac ystyriaeth yn ffactorau anhepgor mewn priodas Gristionogol ddedwydd. Cyhoeddwyd y *Cyfarwyddwr* ym 1777, blwyddyn cyn i Thomas Charles gael ei gipolwg cyntaf ar ei 'dearest of mortals',[70] Sally, a chyn cychwyn yr ohebiaeth hir rhwng y Bala a Gwlad yr Haf.

Ysgrifennodd Williams y gwaith hwn oherwydd ei fod yn poeni fod cynifer o ferched crefyddol yn cael eu denu i ymadael â'r achos drwy briodi 'bechgyn di-gred ac annuwiol' ac meddai, 'fel rhybudd i wyryfon tref a gwlad ag a ddarlleno hyn o lyfrau i ochelyd colli yr ysbryd a dderbyniasant ar y cyntaf, rhag iddynt gael eu gadael i ieuo yn anghymarus â rhai di-gred'.[71] Ar gyfer merched Methodistaidd fel Sally felly y bwriedid y llyfr yn bennaf, i ofalu na chaent eu swyno gan unrhyw lipryn digrefydd neu hyd yn oed rhyw gurad Anglicanaidd o sir Gaerfyrddin, oni bai fod y curad hwnnw ag ôl duwioldeb gwirioneddol arno. Oedai Sally felly er mwyn darganfod mwy am gyflwr ysbrydol ei darpar ŵr, ac hefyd er mwyn bodloni'i hun nad chwennych ei gwaddol a wnâi. Ym myd Methodistaidd y cyfnod, byddai Sally yn gaffaeliad fel gwraig pregethwr a cheir sôn bod Pantycelyn yn ei llygadu fel gwraig bosibl i'w fab John.[72] Ystyrid Thomas Charles yn ŵr ffodus ar y naw i'w hennill hi felly. Ond yr angen i roi Duw yn gyntaf bob tro oedd yn egluro pam y nododd Charles yn hwyrach fod 20 Awst, sef pen-blwydd eu priodas ym 1783, yn ail i 20 Ionawr, dyddiad ei dröedigaeth, fel diwrnod hyfrytaf y flwyddyn.[73] Fel Methodist da, byddai Sally ei hun yn deall y flaenoriaeth a roddwyd i'r dröedigaeth ysbrydol. O ran ei agwedd at ferched yn gyffredinol, y mae'n arwyddocaol fod Thomas Charles yn gysylltiedig â dwy eicon fenywaidd Methodistiaeth y bedwaredd ganrif ar bymtheg: Mary Jones ac Ann Griffiths.[74] Awgryma'r gwerthfawrogiad o waith Ann Griffiths a'r parodrwydd i'w gyhoeddi symud ymlaen tuag at fwy o gydnabyddiaeth o gyfraniad merched i'r mudiad, gan bontio eto rhwng sefyllfa'r ddeunawfed ganrif, lle rhoddwyd llais i ferched yn bennaf o fewn cyffiniau'r seiat, a'r ganrif nesaf, pan welwyd ambell un fel Cranogwen a Rosina Davies yn mentro pregethu'n gyhoeddus.

Ar sawl ystyr, felly, gweithredai Thomas Charles fel pont rhwng yr hen a'r newydd. Pwysai dylanwad y gorffennol yn gryf arno mewn sawl ffordd ac ni fynnai i'r Methodistiaid anghofio eu gwreiddiau. Dyna paham y bu'n cymell rhai o hynafgwyr y mudiad fel John Evans a Robert Jones i gofnodi'u hatgofion am ddyddiau cynnar y diwygiad, anogaeth a wnaeth arwain at 'Ymddiddanion Scrutator a Senex' yn y *Trysorfa Ysprydol* yn olrhain hanes y mudiad yn y gogledd.[75] Ar yr un pryd, ac er gwaethaf ei barch i draddodiad, yr oedd yn barod i addasu ar gyfer y dyfodol yn ôl yr angen. Fel y clerigwr Anglicanaidd olaf i arwain y mudiad, yr oedd yn y sefyllfa ryfedd o sicrhau diflaniad ei debyg drwy lywyddu'r cyfarfodydd i ordeinio gweinidogion. O hynny allan, arweinwyr y mudiad fyddai'r rheiny fel John Elias ac Ebenezer Richard a ordeiniwyd yn weinidogion Methodistaidd o'r cychwyn ac nad oedd â'r un teyrngarwch i'r Eglwys Wladol a'i thraddodiadau. Charles oedd yr Eglwyswr a hebryngodd y Methodistiaid i'w cyflwr newydd fel Anghydffurfwyr. Trwy wneud hynny, cyfrannodd yn ddirfawr at y twf mewn hyder ac aeddfedrwydd a nodweddai Methodistiaeth ac Anghydffurfiaeth yn ystod y bedwaredd ganrif ar bymtheg, gyda chanlyniadau pellgyrhaeddol ar gyfer crefydd, cymdeithas a diwylliant yng Nghymru.

Nodiadau

1. Thomas Charles Edwards, *Bywyd a Llythyrau y Diweddar Barch. Lewis Edwards* (Lerpwl: 1891), t. 194.
2. Er enghraifft, David Williams, *A History of Modern Wales* (London: 1982), t. 150; Gareth Elwyn Jones, *Modern Wales: A Concise History c.1485–1979* (Cambridge: 1984), tt. 130–31; Geraint H. Jenkins, *A Concise History of Wales* (Cambridge: 2007), tt. 161–3.
3. *Cofiant*; Edward Morgan, *A brief history of the life and labours of Rev. T. Charles A. B. late of Bala, Merionethshire* (Bala: 1828).
4. D. Densil Morgan, *Lewis Edwards* (Caerdydd: 2009), t. 6.
5. *Gwas*.
6. *Cofiant*, t. 161.
7. Ibid., t. 6.
8. Gweler Dewi Eirug Davies, *Hoff Ddysgedig Nyth: Cyfraniad Coleg Presbyteraidd Caerfyrddin i Fywyd Cymru* (Abertawe: 1976); Noel Gibbard, 'Carmarthen Academy (*c*.1703–1795)', *Dissenting Academies Online: Database and Encyclopedia*, Dr Williams's Centre for Dissenting Studies: 2011.
9. *Life*, I, tt. 35–6.
10. *Cofiant*, tt. 8–9.
11. Derec Llwyd Morgan, *Y Diwygiad Mawr* (Llandysul: 1981), tt. 139–49; Meredydd Evans, 'Pantycelyn a Thröedigaeth' yn Derec Llwyd Morgan (gol.), *Meddwl a Dychymyg Williams Pantycelyn* (Llandysul: 1991), tt. 55–81;

Eryn M. White, *Praidd Bach y Bugail Mawr: Seiadau Methodistaidd De-orllewin Cymru 1737–1750* (Llandysul: 1995), tt. 120–4.

[12] *Life*, I, t. 490.

[13] Gweler Gwen Emyr, *Sally Jones: Rhodd Duw i Charles* (Pen-y-bont ar Ogwr: 1996).

[14] *Cynnydd*, tt. 137–9.

[15] *Cofiant*, t. 161.

[16] Dyfynwyd yn Gomer M. Roberts, *Y Pêr Ganiedydd. Cyfrol I: Trem ar ei Fywyd* (Aberystwyth: 1949), t. 172.

[17] Roberts, *Y Pêr Ganiedydd*, t. 169; R. T. Jenkins, 'Diarddeliad Peter Williams' yn *Yng Nghysgod Trefeca* (Caernarfon: 1968), tt. 162–3; Euros Wyn Jones, 'Nathaniel Rowland (1749–1831)', *CCH* 7 (1983), 35–42; Eifion Evans, *Daniel Rowland and the Great Evangelical Awakening in Wales* (Edinburgh: 1985), t. 330; Derec Llwyd Morgan, 'Peter Williams yn 1791' yn *Pobl Pantycelyn* (Llandysul: 1986), tt. 46–8.

[18] LlGC, Archif y Methodistiaid Calfinaidd (CMA), LlS Trefeca 219, 9 Chwefror 1740.

[19] LlS Trefeca 3266; John Hughes, *Methodistiaeth Cymru*, Cyfrol I (Wrecsam: 1851), tt. 481–95; *Deffroad*, t. 292–3; Goronwy P. Owen, *Atgofion John Evans y Bala: Y Diwygiad Methodistaidd ym Meirionnydd a Môn* (Caernarfon: 1997), tt. 52–5.

[20] *Life*, I, tt. 520–1.

[21] T. M. Bassett, *Bedyddwyr Cymru* (Abertawe: 1977), tt. 95–101; Lionel Madden (gol.), *Methodism in Wales: A Short History of the Wesley Tradition* (Llandudno: 2003), tt. 23–8.

[22] *Cofiant*, tt. 164–5.

[23] Hughes, *Methodistiaeth Cymru, I*, t. 332. Ceir y pwyslais yn y gwreiddiol.

[24] Alan Harding, *The Countess of Huntingdon's Connexion* (Oxford: 2003), tt. 348–9; David Ceri Jones, Boyd S. Schlenther, ac Eryn M. White, *The Elect Methodists: Calvinistic Methodism in England and Wales 1735–1811* (Cardiff: 2012), tt. 184–5.

[25] John Hughes, 'Cofiant a Llythyrau Ann Griffith', *Y Traethodydd* 2 (1846), 421.

[26] W. P. Jones, *Coleg Trefeca 1842–1942* (Llandysul: 1942), tt. 24–32; J. Gwynfor Jones, '"From 'Monastic Family' to Calvinistic Methodist Academy": Trefeca College (1842–1906)' yn Alan P. F. Sell (gol.), *The Bible in Church, Academy and Culture: Essays in Honour of the Reverend Dr John Tudno Williams* (Eugene, Oregon: 2011), tt. 197–204.

[27] John Roberts, *Methodistiaeth Galfinaidd Cymru* (Llundain: 1931), tt. 23–8; Eryn M. White, 'A "Poor, Benighted Church"?' yn R. R. Davies a Geraint H. Jenkins (goln), *From Medieval to Modern Wales* (Cardiff: 2004), tt. 124–7.

[28] J. Gwynfor Jones, '"Pontio Dwy Genhedlaeth": Methodistiaeth Galfinaidd Cymru *c.*1791–1820' yn *Twf*, tt. 24–14; Jones, Schlenther a White, *The Elect Methodists*, tt. 224–32.

[29] Roberts, *Methodistiaeth Galfinaidd Cymru*, tt. 67–70.

[30] Jones, Schlenther a White, *The Elect Methodists*, tt. 223–5.

[31] *Life*, III, t. 244.

[32] Ibid, t. 247.

[33] Gomer M. Roberts, 'Ymwahanu oddi wrth Eglwys Loegr' yn *Cynnydd*, t. 303.

[34] Hughes, *Methodistiaeth Cymru*, I, tt. 459–60; Roberts, 'Ymwahanu oddi wrth Eglwys Loegr', t. 302.

[35] Jonathan Jones, *Cofiant y Parch. Thomas Jones* (Dinbych: 1897), t. 229.

[36] Owen, *Atgofion John Evans y Bala*, t. 24.

[37] *Cynnydd*, tt. 326–33; Nigel Yates, 'Calvinistic Methodism: Growth and Separation' yn Glanmor Williams, William Jacob, Nigel Yates and Frances Knight, *The Welsh Church from Reformation to Disestablishment 1603–1920* (Cardiff: 2007), tt. 216–8.

[38] Robert Jones, *Drych yr Amseroedd*, gol. G. M. Ashton (Caerdydd: 1958), t. 99.

[39] *Life*, III, tt. 591–3.

[40] Ibid., t. 264.

[41] Dyfynwyd yn Beryl Thomas, 'Mudiadau Addysg Thomas Charles' yn *Cynnydd*, t. 433.

[42] *Cofiant*, tt. 157–8; *Life*, I, t. 477.

[43] G. J. Thomas, 'Madam Bevan's will: the Chancery action', *Transactions of the Carmarthenshire Antiquarian Society*, 29 (1939), 431–52.

[44] *Life*, II, tt. 1–28; Beryl Thomas, 'Mudiadau Addysg Thomas Charles', t. 438; Gareth Elwyn Jones a Gordon Wynne Roderick, *A History of Education in Wales* (Cardiff: 2003), tt. 42–3.

[45] R. Tudur Jones, *Ffydd ac Argyfwng Cenedl: Hanes Crefydd yng Nghymru 1880–1914* (Abertawe: 1982), tt. 89–110; Derec Llwyd Morgan, '"Ysgolion Sabbothol" Thomas Charles' yn *Pobl Pantycelyn*, tt. 86–110; Eryn M. White, 'Addysg a'r Iaith Gymraeg' yn *Twf*, tt. 225–30.

[46] *Gwas*, tt. 29–33; Eryn M. White, *The Welsh Bible* (Stroud: 2007), tt. 109–12.

[47] Er enghraifft, *Life*, III, tt. 625–6.

[48] White, 'Addysg a'r Iaith Gymraeg', tt. 226–7.

[49] D. Densil Morgan, 'Credo ac Athrawiaeth' yn *Twf*, tt. 118–25.

[50] Huw Walters, 'The Periodical Press to 1914' yn Philip Henry Jones ac Eiluned Rees (goln), *A Nation and its Books* (Aberystwyth: 1998), tt. 197–207; Aled G. Jones, 'The Welsh Newspaper Press' yn Hywel Teifi Edwards (gol.), *A Guide to Welsh Literature c.1800–1900* (Cardiff: 2000), tt. 1–23.

[51] Brynley F. Roberts, 'Llenyddiaeth a Chyhoeddi' yn *Twf*, tt. 188–90.

[52] Gweler Ieuan Wyn Jones, *Y Llinyn Arian: Agweddau o Fywyd a Chyfnod Thomas Gee (1815–1898)* (Dinbych: 1998); Philip Henry Jones, 'Two Welsh Publishers of the Golden Age: Gee a'i Fab and Hughes a'i Fab' yn Rees a Jones (goln), *A Nation and its Books*, tt. 173–88.

[53] *Life*, I, t. 2.

[54] *Cofiant*, tt. 227–8; *Life*, III, t. 605.

[55] *Cofiant*, tt. 199–200: 214.

[56] *Gwas*, t. 17.

[57] Derec Llwyd Morgan, 'Thomas Charles: "Math newydd ar Fethodist"' yn *Pobl Pantycelyn*, t. 75.

[58] *Cofiant*, t. iv.

[59] Gomer M. Roberts, *Bywyd a Gwaith Peter Williams* (Caerdydd: 1943), tt. 93–117.

[60] CMA, LlS Bala 755, Peter Williams at Eliezer Williams, ei fab, 7 Mai 1791.

[61] John Hughes, *Methodistiaeth Cymru*, I, tt. 418–9; J. Morgan Jones a W. Morgan, *Y Tadau Methodistaidd* (Abertawe: 1895), tt. 451–2.

[62] LlGC, LlS Cwrt Mawr 181A, Peter Williams at Eliezer Williams: 17 Mehefin 1791.

[63] Dyfynwyd yn Roberts, *Peter Williams*, t. 101.

[64] Gweler Jenkins, 'Diarddeliad Peter Williams', tt. 162–3; R. H. Evans, 'Y Dadleuon Diwinyddol (1763–1814)' yn *Cynnydd*, tt. 384–425; Derec Llwyd Morgan, 'Peter Williams yn 1791', tt. 46–8; Eryn M. White, 'Peter Williams a'r Beibl Cymraeg', *THSC* (2007), 58–72; R. Tudur Jones, 'Peter Williams', *Oxford Dictionary of National Biography*, *www.oxforddnb.com*.

[65] Roberts, *Peter Williams*, tt. 86–90; Roberts, *Y Pêr Ganiedydd*, tt. 168–73.

[66] LlS Trefeca 4797, William Wiliams at Thomas Charles: 25 Mai 1790.

[67] E. P. Thompson, *The Making of the English Working Class* (Harmondsworth: 1970), t. 405; *Gwas*, t. 18.

[68] *Gwas*, t. 17.

[69] *Life*, I, t. 211.

[70] Ibid., t. 158.

[71] Garfield H. Hughes (gol.), *Gweithiau William Williams Pantycelyn Cyfrol II: Rhyddiaith* (Caerdydd: 1967) , tt. 243–4; Eryn M. White, '"Myrdd o Wragedd": Merched a'r Diwygiad Methodistaidd', *Llên Cymru* 20 (1997), 65–6.

[72] Roberts, *Y Pêr Ganiedydd*, t. 151.

[73] *Cofiant*, t. 154.

[74] Gw. Pennod 8 yn y gyfrol hon.

[75] Owen, *Atgofion John Evans y Bala*, tt. 95–131.

2

Thomas Charles, llythrennedd a'r Ysgol Sul

Huw John Hughes

Athro wrth reddf oedd Thomas Charles. Gyda'i bersonoliaeth radlon, diwydrwydd a dycnwch ei ymroddiad, ystod eang ei ddysg a'i ddiddordebau, fel ysgogydd, gweinyddwr a threfnydd heb ei ail ac un a chanddo barch at unigolyn boed blentyn neu oedolyn, nid rhyfedd iddo ddod yn enwog yn ei ddydd ac wedi'i farwolaeth yn eilun cenedl gyfan. Gydag efengylyddiaeth Feibl-ganolog ac aberth Crist yn sylfaen i'w athrawiaeth, aeth ati'n ddiarbed i genhadu ac addysgu ei bobl. Pan ddychwelodd o'i guradiaeth yng Ngwlad yr Haf gwelodd, wrth grwydro cefn gwlad yn pregethu, pa mor annysgedig a digrefydd oedd y bobl a'r unig ffordd i'w goleuo oedd eu haddysgu. Ei nod trwy'r cwbl oedd achub eneidiau ei gyd-Gymry. Gydol ei oes rhoes le blaenllaw i gynnwys deallol Cristnogaeth a chanlyniad hyn oedd ei ddyhead i argyhoeddi. Dyna'r rheswm am i addysg fod mor allweddol yn ei genhadaeth.

Droeon cafodd ei gymell i agor ysgolion ar batrwm ysgolion Robert Raikes yng nghylch Caerloyw[1] – ysgolion i blant yn unig oedd y rhain yn cael eu cynnal ar y Suliau sef yr unig ddiwrnod yr oedd y plant yn segur o'u tasgau beunyddiol yn y ffatrïoedd. Ymateb negyddol oedd eiddo Charles i'r anogaethau hyn ar y cychwyn, 'As to y[r] Sunday Schools in England I have heard of them, but it wo[d] be impossible to set them up here in this Wild Country.'[2] Gwyddai fod y teuluoedd mor wasgaredig ac ofnodd na fyddai'r offeiriaid plwyf yn barod i ymuno a chefnogi'r fenter.

Roedd yr ysfa i addysgu trwy gateceisio eisoes wedi digwydd yng Ngwlad yr Haf ac wedi parhau pan ddychwelodd i Gymru, i blwyfi

Llangynog, Llandegla a Bryneglwys. Ddechrau Ionawr 1784 daeth yn gurad i Lanymawddwy ac erbyn mis Ebrill roedd wedi gadael y plwyf. Un o'r cyhuddiadau yn ei erbyn oedd iddo gateceisio'r plant ar ôl yr ail lith yng ngwasanaethau'r gosber.[3] Er iddo gael cyngor i adael Cymru, 'cafodd eu [*sic*] dueddu neu yn hytrach ei nerthu mewn ymroddiad i ddilyn arweiniad rhagluniaeth, a bwrw ei goelbren ym mhlith y corph o bobl a elwir yn Fethodistiaid Calfinaidd'.[4] A dyna a ddigwyddodd. Ymhen ychydig fisoedd roedd yn ddiwyd yn addysgu plant y Bala ar ei aelwyd ar y dechrau ond fel y cynyddai'r fintai, rhaid oedd symud i gapel y Methodistiaid yn y dref.

Roedd 1785 yn flwyddyn dyngedfennol yng ngyrfa Charles, sef blwyddyn dechrau ar ei waith gyda'r ysgolion cylchynol. Ar batrwm Griffith Jones y sylfaenodd ei ysgolion dyddiol gan y gwyddai o brofiad am y dylanwad fu arno ef a'r daioni a brofwyd trwyddynt yng Nghymru benbaladr.[5]

Wrth geisio dadansoddi athroniaeth addysgol Charles mae lle i gredu ei fod yn cynrychioli dwy ysgol o feddwl.[6] Ar y naill law cynrychiolai athroniaeth John Locke (1632–1704) a ddadleuai fod meddwl plentyn fel *tabula rasa* sef darn o bapur glân neu gŵyr oedd yn barod i'w fowldio a'i fodelu yn ôl y galw. Pwysleisiodd gynneddf gynhenid plentyn i resymu a gwelodd gyfnod plentyndod fel rhan allweddol o ddatblygiad yr unigolyn. Elfen arall o feddylfryd Locke oedd ei bwyslais ar hybu arfer dda ac y dylai plentyn o'r crud ddysgu ymwrthod â'i ddyheadau a'i anghenion ac y dylai ddysgu nad oedd i gael popeth dim ond am ei fod yn ei foddhau. Dylid mynd ati i arsylwi'n fanwl er mwyn darganfod natur a chymeriad pob unigolyn.[7] Credai efengylyddiaeth y cyfnod y gellid meithrin meddwl plentyn ar gyfer tröedigaeth grefyddol a gwyddai Charles o'i brofiad ei hun arwyddocâd a dylanwad y profiad o dröedigaeth. Poblogeiddiwyd athroniaeth Locke ar dudalennau'r *Arminian Magazine*, cyhoeddiad y gellid tybio bod Charles yn ymwybodol o'i gynnwys gan fod Thomas Foulkes, llysdad Sally, ei wraig, yn cadw cysylltiad â'r gymdeithas Wesleaidd yng Nghaer.[8] Ar y llaw arall, roedd y pwyslais crefyddol ar bechod plentyn o'i enedigaeth yn rhan o gred sylfaenol Charles.[9] Mae'n bwysig cofio mai Calfiniaeth gymedrol wedi ei thymheru gan efengylyddiaeth oedd sylfaen ei ddiwinyddiaeth,[10] ac nid yw'n syndod fod y Methodistiaid wedi rhoi cymaint o bwyslais ar addysg i hyfforddi a goleuo. Cyfunodd y ddwy elfen, yr addysgol a'r crefyddol, i greu fframwaith gadarn ar gyfer ei ysgolion, 'tra anhawdd yw dysgu gwybodaeth i bobl na fedrant ddarllen, a dysgu iddynt ddeall pregethu, heb addysg blaenorol trwy *gateceisio*.'[11] Nod y ddeubeth hyn oedd creu gwareiddiad oedd wedi'i sylfaenu ar y Beibl, ac yn ganllaw ar gyfer byw yn y byd hwn ac ymbaratoad am y byd a ddaw.

Yn wahanol i ymgyrchoedd daearyddol eang Griffith Jones, penderfynodd Charles ganolbwyntio i ddechrau ar ei dref ei hun, sef y Bala. Dechreuodd hyfforddi athrawon ar ei aelwyd ei hun gan gyflogi un athro yn 1785, saith ohonynt ym 1786, dwsin yn 1787 ac ugain erbyn 1794. Ar y dechrau £8 y flwyddyn oedd cyflog athro gan godi i £12 ym 1797. Cwynodd ym 1808 ei fod yn gorfod talu gymaint â £15 a'i fod ar y cychwyn yn medru cadw ugain athro 'ar yr un gost â deg yn bresennol'.[12] Nid oedd pob athro'n derbyn yr un cyflog fel y gwelwn yn hanes Lewis Wiliam, gŵr a ddaeth yn ei dro yn athro ar yr enwog Mary Jones, a gŵr nad oedd ef ei hun (yn ôl pob tystiolaeth) wedi meistroli'r sgil o ddarllen. Er hynny gwelodd Charles ddeunydd athro yn y gwladwr gwylaidd hwn a chyflogodd ef ym 1799 i gychwyn ar £4 y flwyddyn a'r un pryd ei annog i fynd at John Jones, Pen-parc, am hyfforddiant mewn darllen. Ymhen y flwyddyn roedd yn athro yn Abergynolwyn a Mary Jones yn un o'i ddisgyblion.[13] Gosododd sylfaen gadarn i'w ysgolion a'i gryfder pennaf oedd hyfforddi athrawon. Hwn oedd gwendid mawr y mudiadau oedd wedi bodoli yng Nghymru ynghynt er bod Griffith Jones wedi hyfforddi athrawon yn ei 'Hen Goleg'.[14] I Charles roedd dethol athrawon cymwys yn gwbl allweddol a'r cymwysterau angenrheidiol ar gyfer y gwaith oedd duwioldeb, moesoldeb a gwyleidd-dra. Yn ei lythyr cynhwysfawr at Christopher Andrew, gweinidog gyda'r Bedyddwyr yng Nghaeredin, yn Ionawr 1811, meddai:

> My greatest care has been in the appointment of proper teachers. They are all poor persons, as my wages are but small; besides, a poor person can assimulate himself to the habits and mode of living among the poor . . . It is requisite that he should be a person of moderate abilities, but, above all, that he be truly pious, moral, decent, humble and engaging in his whole deportment; not capitious, not disputatious, not conceited, no idle saunterer, no tattler, nor given to the indulgence of any idle habits.[15]

Ar ôl eu sefydlu yn eu cylchoedd, byddai'n arolygu'i athrawon yn rheolaidd. Mynnai Charles fod hyfforddiant mewn swydd yn digwydd yn gyson ac yn bersonol ar lawr y dosbarth.

Mae'n amlwg hefyd y byddai'n mynd â'i athrawon gydag ef ar ei deithiau i sefydlu a hyrwyddo ysgolion newydd. Ceir cofnod ohono'n mynd ag Owen Jones (1787–1828) gydag ef mor bell i'r de a Merthyr Tudful i ailgychwyn ysgolion Sul rywbryd rhwng 1810 ac 1811. Yn ôl pob golwg bu'r ymweliad yn llwyddiannus.[16] Roedd ei bersonoliaeth yn ddeniadol a'i bresenoldeb yn creu argraff fel y gwelwyd yn y cyfarfod misol hwnnw yn Rhyd-bach, Llŷn, pan gyhuddwyd John Humphrey, Dyffryn Ogwen, o dorri'r Saboth trwy gynnal ysgol ar y Sul. Ar ôl trafodaeth, â Charles yn bresennol, ni fu mwy o ddadlau a chafodd y gŵr hwnnw ganiatâd nid yn unig i gynnal ei ysgol ond i fynd ati i godi mwy o ysgolion yn y fro.[17]

Dewisai ei ardaloedd yn ofalus trwy ymweld â'r lleoedd ei hunan cyn dechrau ar y gwaith. Ar ôl trafod â rhai o'r trigolion, byddai'n galw cyfarfod gan nodi'r man a'r lle a chyhoeddi y byddai ef ei hun yn annerch y plwyfolion ar bwysigrwydd dysgu'r plant i ddarllen Gair Duw gan eu sicrhau o gymorth athro. Deuai'r anerchiad i ben gyda her i'r rhieni i anfon eu plant i'r ysgol i ddysgu darllen gan roi addewid o lyfrau os oeddynt yn rhy dlawd i'w prynu. Rhoddai sylw i'r plant hefyd yn y cyfarfodydd hyn a gwyddai i'r dim sut i drin pobl: 'We are kind friends ever after the first interview'.[18]

Yn dilyn ei ymweliad roedd rôl yr athro'n allweddol: 'his time is entirely at my command, and to be devoted wholly to the work'.[19] Nid oedd athro i aflonyddu ar unrhyw deulu y tu allan i oriau dysgu, ond os byddai'n cael gwahoddiad ar aelwyd i esbonio ei dasgau roedd i ymddwyn yn weddaidd ac yn dduwiol. Er gwaethaf ei radlonrwydd a'i garedigrwydd, meistr caled oedd Charles, a gwyddai ei athrawon fod disgwyl iddynt weithio'n eithriadol ddyfal: 'he is engaged in the evening as well as through the day, and that *every* day'.[20] O 1787 ymlaen, bu'n eu hannog i ddysgu ar nosweithiau'r wythnos, yn arbennig ar nosweithiau Sul, er mwyn rhoi cyfle i rai na allent fod yn bresennol yn ystod y dydd. Eithr nid ysgolion Sul oedd y rhain ond yn hytrach ysgolion dyddiol, sef ysgolion cylchynol yn y cyfarfod ar y Sul. O'i fynych ymweliadau â'r ysgolion gwelodd fod y rhai a gynhelid ar y Sul yn dod yn fwy poblogaidd a niferus na'r rhai a gynhelid yn ystod yr wythnos. Ar ddiwedd tymor ysgol ef oedd yn gyfrifol am arholi'r plant yn gyhoeddus ac ef hefyd a benderfynai os oedd ysgol i aros am chwe mis, naw mis neu gyfnod estynedig.

Hyd y gellir olrhain, pwrpas yr ysgolion cylchynol oedd dysgu plant y tlodion a'r ieuenctid i ddarllen y Beibl yn eu mamiaith a'u dysgu yn egwyddorion crefydd trwy eu holwyddori.[21] Yn ei lythyr at Christopher Anderson, mae'n rhestru ei resymau tros ddysgu trwy gyfrwng y famiaith. Roedd dysgu'r plentyn i ddarllen yn ei iaith ei hun yn prysuro'r broses: cymerai chwe mis yn hytrach na dwy neu dair blynedd i ddysgu trwy iaith nad oedd yn iaith gyntaf i'r disgybl. Roedd y famiaith yn cyfleu ystyr ac yn cynorthwyo'r unigolyn i ddeall iaith y Beibl a iaith pregeth. Mynnodd, o'i brofiad â'i blant ei hun, fod hyfforddiant yn y famiaith yn eu galluogi i ddysgu Saesneg yn gynt. Arweiniai hyn at greu diddordeb a chyffro i fynd ati i chwilio am fwy o wybodaeth, a chan fod llyfrau Cymraeg yn brin rhaid oedd troi at lyfrau Saesneg i ddiwallu eu hanghenion. Ond y prif symbyliad oedd achub eneidiau: 'by teaching Welsh *first*, we prove to them that we are principally concerned about their souls'.[22] O'r ysgolion cylchynol hyn y tyfodd yr ysgolion Sul a'r gwaith a wnaed ganddynt a sicrhaodd athrawon i waith yr ysgolion hynny.

Datblygodd addysg yn erfyn dylanwadol yng nghenhadaeth yr efengylwyr, nid fel diben ynddo'i hun ond gyda'r nod sylfaenol o achub eneidiau. Mewn cyfnod pan oedd plant yn marw'n ifanc roedd hi'n fater o frys i gael y plant a'u rhieni i ddwys ystyried eu cyflwr ysbrydol a'r ffordd fwyaf effeithiol o wneud hynny oedd darllen a deall y Beibl yn eu mamiaith a hynny mewn cyn lleied o amser â phosibl.

Pa bryd, felly, y dechreuodd Charles feddwl am ysgolion Sul i Gymru? Ni ddigwyddodd dros nos, yn wir cymerodd beth amser i ddatblygu. Mae G. Wynne Griffith yn mynnu, heb nodi carn, mai tua diwedd 1786 y cychwynnodd ar y gwaith.[23] Mae'r flwyddyn 1787 yn arwyddocaol. Ceir tystiolaeth i William Williams, brodor o Gil-y-cwm, Sir Gaerfyrddin ac yn gurad St Gennys yng Nghernyw,[24] hysbysu Charles ar 1 Mawrth y flwyddyn honno o lwyddiant yr ysgolion Sul yn ei ardal ac yn annog sefydlu trefn debyg yng Nghymru.[25] Hefyd ceir cyfeiriad at Hugh Roberts, Bwlchgwyn, Trawsfynydd, yn cychwyn ysgol Sul yn ei gartref ym 1787. Cynhaliwyd yr ysgol Sul yn Nhrawsfynydd am rai Suliau cyn dyfodiad Charles yno i bregethu ac ofnai Hugh Roberts y byddai'n cael ei geryddu am gynnal ysgol ar y Saboth a thrwy hynny yn torri'r 'sanctaidd ddydd'. Pan glywodd am fwriadau Hugh Roberts, 'eisteddodd yn syn am ennyd, ac yna rhoddodd ei fendith ar eu hymgais ac addewid am ei orau o'u plaid'.[26] Barn D. E. Jenkins yw fod yr hanesyn hwn yn profi na wyddai Hugh Roberts, a oedd yn byw bymtheng milltir o'r Bala, am un ysgol Sul dan ei nawdd ac mae syndod Charles ei hun yn ddadlennol. Oni fyddai wedi rhannu'i brofiad personol â'r ddau petai eisoes wedi sefydlu ysgolion Sul? Mae'n werth cofio, hefyd, fod Cymdeithas yr Ysgolion Sul yn Lloegr wedi cyhoeddi ei hadroddiad blynyddol cyntaf yn y flwyddyn honno, 1787, a hwnnw'n adroddiad canmoladwy iawn yn olrhain dylanwad yr ysgolion ar ymddygiad y disgyblion. Ar ben hynny lledodd diwygiad crefyddol drwy lawer ardal yn y gogledd y flwyddyn honno. Dyna'r digwyddiadau, ond nid oes yr un ffaith yn dynodi mai dyna pryd y dechreuodd Charles ar ei waith. Cytuna Jenkins â Thomas Jones, Dinbych, mai ym 1789 y dechreuodd sefydlu cyfundrefn o ysgolion Sul ac fel arbrawf 'y gosododd ar droed Ysgolion Sul yn rhan olaf 1787 a'r flwyddyn 1788'.[27] Yn ei lythyrau rhwng 1791 ac 1794 nid oes gair am yr ysgolion Sul ond erbyn 1797, mewn llythyr o ddiolch am gyfraniad ariannol tuag at yr ysgolion cylchynol, meddai'n ddigon didaro: 'I set Sunday and night Schools, on foot, for those whose occupations and poverty, prevented their attending the day Schools',[28] a gellir tybio mai ysgolion cylchynol oedd y rhain oedd yn cyfarfod ar nos Sul. Mewn llythyr at 'gyfaill o Wrecsam' yn y flwyddyn honno mae'n mynd rhagddo i ddweud 'we have no Sunday Schools except in a few places.'[29]

Anodd iawn yw cael prawf pendant o'u dechreuadau ond gellir crynhoi fel hyn. Ym 1785 daeth i'r penderfyniad na fyddai ysgolion Sul yn ateb y galw ac felly aeth ymlaen i adfywio cynllun ysgolion cylchynol Griffith Jones. Ym 1787 mynnodd fod yr athrawon i ddysgu ar ddwy noson waith, ac un ohonynt ar nos Sul er mwyn y rhai nad oedd yn gallu elwa ar y ddarpariaeth yn ystod yr wythnos. Ysgolion oedd y rhain yn dilyn yr un patrwm â'r ysgolion cylchynol. Erbyn 1789 daliai i feddwl fod yr ysgolion Sul yn anymarferol oherwydd patrwm daearyddol y wlad. Yn araf rhwng 1789 ac 1798 dechreuodd y niferoedd gynyddu a hynny'n bennaf am fod Cymdeithas yr Ysgolion Sul wedi cynnwys Cymru oddi mewn i'w chylch gorchwyl a Charles ei hun bellach yn asiant swyddogol i'r Gymdeithas. Ond nid oes cofnod manwl o bryd yn union y trodd y llanw. Rhwng 1798 ac 1810 lledodd yr ysgolion Sul ar garlam tra edwinodd yr ysgolion cylchynol ar yr un pryd.

Pam y bu iddo fod mor dawedog ynglŷn â'r blynyddoedd cynnar? I chwilio am ateb mae'n rhaid ystyried yn gyntaf sefyllfa wleidyddol Prydain. Roedd yr ysgol Sul yng Nghymru yn ei babandod pan siglwyd y wlad gan gynyrfiadau'r Chwyldro yn Ffrainc ym 1789 a Lloegr yn mynd i ryfel yn erbyn Ffrainc yn 1793. Fel y dangosir yn fanwl ym mhennod 6, drwgdybid y Methodistiaid oherwydd eu dulliau tybiedig gyfrin a chudd. Edrychid ar bawb, nad oedd yn llwyr gefnogi'r Eglwys Sefydledig, yn gefnogwyr y Jacobiniaid, sef cefnogwyr y Chwyldro Ffrengig. Drwgdybid y seiadau preifat a'r ysgolion Sul yn ddiweddarach fel meithrinfeydd gwrthryfel, er bod y Methodistiaid yn gwbl deyrngar i'r brenin a'r wladwriaeth. Mewn cyfnod mor gythryblus gwell oedd cadw'n ddistaw.

Yn ail, daeth gwrthwynebiad chwyrn o du'r Methodistiaid eu hunain. Ceir cofnod o aelodau tref y Bala yn mynychu oedfaon arbennig ar brynhawniau Sul i wrthdaro'n fwriadol yn erbyn yr ysgolion Sul: 'They made a point of holding a service in the afternoon, walking sulkily by him [Charles] as he and they passed each other on the road.'[30] Ni ellir rhoddi dyddiad pendant ar ddechreuad yr ysgolion Sul ac ofer yw dyfalu. Gellid cytuno hefyd â Beryl Thomas: 'O gofio mai cynyddu'n raddol a wnaeth y mudiad felly nid yw dyddio manwl, cysáct o ddim arwyddocâd arbennig'.[31]

Tyfodd yr ysgolion Sul o'r ysgolion cylchynol yn yr ystyr bod athrawon yr ysgolion hyn yn rhwym i ddysgu gyda'r nosau ac ar y Sul. Unwaith eto roedd Charles yn argyhoeddedig mai'r man cychwyn bob tro oedd hyfforddiant athrawon. Gan ei fod ef ei hun yn chwarae rhan allweddol yn natblygiad yr ysgolion cylchynol disgwylid safon uchel ac yn ôl pob tystiolaeth nodweddid ei athrawon â'r un sêl a brwdfrydedd. 'My teachers in general are as anxious as myself in the success of the work', meddai, 'and the eternal welfare of those they are employed to instruct in (*sic*) [are?] their most important concerns.'[32] Cenhadon oedd yr athrawon hyn ymhob ystyr a llwyddasant yn yr ysgolion cylchynol a'r ysgolion Sul a daeth llawer ohonynt i gynnig eu hunain maes o law i waith y weinidogaeth. Dynion ar dân fel eu harweinydd oedd yr athrawon hyn a doedd dim rhyfedd fod yr ysgolion wedi llwyddo gan eu bod, hefyd, yn bugeilio ac yn ffurfio 'cnewyllyn achos crefydd' yn eu hardaloedd.

Er mai elfen hollbwysig yn y prosiect oedd athrawon ymroddgar roedd angen hefyd gyllid er mwyn cynnal y gwaith. Fel y soniwyd eisoes, ym 1798 penodwyd Charles yn oruchwyliwr Cymdeithas yr Ysgolion Sul dros Gymru a gwnaeth hyn wahaniaeth mawr yn ariannol, ac erbyn 1800 daeth Cymru yn faes penodol ar gyfer gweithgaredd y Gymdeithas. Ym 1799 canmolodd waith y Gymdeithas yn cefnogi'r ysgolion Sul yng Nghymru a rhoddodd ddarlun pur lewyrchus o'r brwdfrydedd yn siroedd y gogledd gan mai yma y bu ef yn llafurio fwyaf. Bu'r ystadegau a nododd yn hwb sylweddol i'r Gymdeithas gefnogi'r gwaith a gweithredu'n fwy egnïol o'i blaid.[33]

Cawn ddarlun cynhwysfawr o ragoriaethau a threfniadaeth yr ysgol Sul yn ei gyfrol *Rheolau i Ffurfiaw a Threfnu yr Ysgolion Sabbothawl* (1813), blwyddyn cyn ei farw.[34] Geiriau sy'n ymddangos byth a hefyd yn y gyfrol yw 'trefn' a 'rheol' a gellir crynhoi'r geiriau hyn fel nodau amgen yr efengylyddiaeth a osodai ganllawiau moesegol i'w disgyblion. Roedd y canllawiau hynny'n cydymffurfio â dealltwriaeth y mudiad o'r Beibl a'r angen i feithrin parch a hunanddisgyblaeth yn ei ddeiliaid. Dyma hefyd oedd canllawiau Raikes yn Lloegr, sef 'to establish notions of discipline and duty'.[35] Yn ôl Charles, roedd angen i ethos ysgol fod yn cydweddu â gofynion addoliad trwy 'agor ysgol trwy weddi a chanu' ac anogwyd y plant i fod yn 'rheolaidd a dyfal yn yr addoliad cyhoeddus' unwaith o leiaf bob Sul. Roedd rheidrwydd ar i'r athrawon fod yn bresennol yn yr addoliad nid yn unig i weld fod y plant yn ymddwyn yn weddus ond i ddangos esiampl ac arfer da. Roedd y disgyblion i ymagweddu'n sobr ac i ymuno yn y canu ar ddiwedd yr addoliad yn 'lle rhedeg allan fel ynfydiau [*sic*]'. Roedd yr ysgol i gael ei chynnal mewn adeilad 'eang, glân a iachus' ac yn yr haf gellid defnyddio ysguboriau eang ond 'eu hysgubo a'u glanhau'. Mae'n rhannu'r ysgol i chwe dosbarth: y dosbarth cyntaf i ddysgu'r wyddor a'r ail ddosbarth i sillafu a darllen gwersi byrion. Byddai'r trydydd dosbarth yn ymgodymu â darllen geiriau un a dau sillaf a'r pedwerydd dosbarth i ymdrechu â gwersi a geiriau o dri neu bedwar sillaf a mwy. Y cam nesaf yn y pumed dosbarth oedd darllen y Testament Newydd ac yn y chweched dosbarth aed ati i ddarllen y Beibl i gyd.[36] Pwysleisiodd mai dosbarthiadau bychain oedd y nod fel y gallai pob plentyn gael chwarae teg: 'gwell yw deuddeg nag ychwaneg o blant ym mhob dosbarth'. I Charles roedd pob unigolyn yn werthfawr yng ngolwg Duw ac achub enaid yr unigolyn oedd ei amcan. 'Er gweddeidd-dra' mynnai fod dynion i hyfforddi'r bechgyn a merched i ddysgu'r genethod, 'os nid mewn gwahanol ystafelloedd, mewn gwahanol bennau o'r ystafelloedd' a'u cadw ar wahân ymhob peth.[37] Fel addysgwr craff gwelodd bwysigrwydd gwobrwyo, a hynny ar sail 'ymddygiad dyfal a rheolaidd . . . yn nhgyd â moesau da,'[38] nodweddion y gallai pob plentyn ymgyrraedd atynt.

Elfen greiddiol o'r hyfforddiant oedd dysgu darllen. Erbyn heddiw mae'r pwyslais ar ddarllen distaw yn enwedig pan fo'r plentyn wedi meistroli'r sgil yn y lle cyntaf, ond cyn yr ugeinfed ganrif roedd bri ar ddarllen uchel neu ddarllen ar goedd. Yng nghyfnod cynnar yr ysgolion Sul roedd yr athrawon yn ymwneud â phlant ac oedolion nad oeddynt yn gyfarwydd â deunyddiau printiedig, gan fod llyfrau mor brin. Dull yr athro cynradd heddiw yw gwrando ar y plant yn mynd drwy'r broses o ddysgu ar goedd. Gan gofio mai rhyngweithiad ydi darllen rhwng y plentyn a'r llyfr, mae'r gallu i ddadansoddi a dehongli'r print yn rhoi boddhad a'r teimlad o lwyddiant a hyder i'r unigolyn.

Mae'n ychwanegu at ei rugldder a'i allu i adnabod geiriau (fel arfer bydd rhai geiriau yn ymddangos fwy nag unwaith ar y dudalen). Mae hyn yn ei dro yn cryfhau a chadarnhau'r sgil o ddeall, mae'n dod i adnabod geiriau penodol, patrymau brawddegau a strwythurau gramadegol. Pan fo'r plentyn yn gyffyrddus â'r darn darllen bydd wedyn yn gallu gwneud darganfyddiadau am wahanol ystyron o safbwynt y cynnwys, yr emosiynau a'r agweddau a ddatgelir yn y darn. Bydd hyn yn ei dro yn arwain at bwyso a mesur yn ofalus, y lle i roi'r pwyslais, goslef wahanol ar gyfer gwahanol amgylchiadau a gwahanol gymeriadau a bydd perthynas agosach yn digwydd rhwng y darllenydd a'r deunydd darllen.

Gan fod yr ysgolion Sul cynnar wedi mabwysiadu'r dull monitoraidd, lle roedd y plant hŷn yn meithrin a dysgu'r plant iau, byddai'r berthynas hon yn esgor ar ddarllenwyr a oedd yn barod i rannu'r sgiliau roeddynt hwy eu hunain wedi eu meistroli gan gofio, hefyd, yr anawsterau roeddynt wedi'u hwynebu. Rhydd Charles bwyslais ar 'ddeall' yn hytrach na dysgu ar dafod leferydd ac yn sicr byddai'r egwyddor hon yn rhoi cyfle i'r plant bwyso a mesur yr hyn a ddarllenwyd.[39]

O ddadansoddi'r geiriau, y brawddegau a'r rhigymau yn *Y Sillydd Cymraeg*, sef llawlyfr Charles ar sut i ddysgu darllen, gwelir yr egwyddorion hyn ar waith. Ar ôl rhestru geiriau syml, o dair llythyren ac un sill fel 'bod', 'cam', 'cân', 'cau', 'Duw', 'dyn', 'tân', 'toc', 'twf' ac yn y blaen, aed ymlaen gyda'r pennill:

Duw da yw ein Duw ni
Duw yw heb ei fath
Duw na bu ei fath
A ni fydd byth fel efe.[40]

Defnyddiodd efengylyddiaeth y deunydd print yn erfyn pwrpasol i'w chenhadaeth a daeth cyhoeddi a dosbarthu'r Beibl a chyfarpar ategol yn ddiwydiant pwerus. Yn yr hinsawdd hon sylweddolodd Thomas Charles, fel Raikes o'i flaen, rym y gair printiedig i addysgu'r bobl. Y Beibl oedd y llyfr gosod ond er mwyn ei ddeall a'i ddehongli roedd rhaid wrth gyfarpar ychwanegol i roi trefn a strwythur ar yr athrawiaeth a'r dull a fabwysiadodd Charles, fel ei ragflaenydd Griffith Jones, oedd y catecism.

Canllaw neu lawlyfr oedd y catecism yn dehongli'r athrawiaeth Gristionogol ac fel arfer, fe'u defnyddid fel hyfforddiant llafar ar athrawiaeth y ffydd Gristionogol i oedolion a phlant cyn eu bedyddio. Mae'r cysyniad o lawlyfr holi ac ateb yn mynd yn ôl i'r Oesoedd Canol pan gyhoeddwyd llyfrau yng Nghyngor Lambeth (1281) yn esbonio'r Pader a'r Credo ynghyd â rhestr o'r pechodau marwol. Yng nghyfnod cynnar y Diwygiad Protestannaidd, gyda'r pwyslais ar hyfforddiant crefyddol, cynhyrchwyd toreth o gatecismau ac ymhlith yr enwocaf ohonynt oedd *Catecism Genefa* (1541) a *Catecism Heidelberg* (1563).[41]

Gwelir cyfraniad Charles yn y llinach fawreddog hon pan oedd yn glerigwr yn Eglwys Loegr a throeon yn ei lythyrau mae'n cyfeirio at ei waith yn cateceisio'r plant. Byddai ef ei hun wrth ymweld â'r ysgolion 'yn eu *cateceisio* ar gyhoedd'.[42] Mae'n annog gweinidogion ac athrawon o bob enwad i 'fod yn ymdrechgar i daenu gwybodaeth o Dduw yn y wlad, trwy *gateceisio*, heblaw trwy bregethu cyhoeddus'.[43] Paratôdd yn helaeth ar gyfer y dasg hon a chafwyd ganddo nifer o gatecismau, rhai wedi'u cyhoeddi ac eraill wedi'u paratoi ar gyfer achlysuron arbennig. Yr enwocaf, o ddigon, oedd yr *Hyfforddwr i'r Grefydd Gristionogol* (1807). Er bod dylanwad Catecism Eglwys Loegr a *Hyfforddiad* Griffith Jones ar yr *Hyfforddwr* mae catecism Charles yn fyrrach a thrwyddo draw yn agosach at fyd y plentyn a gellir priodoli hyn i'w brofiad helaeth yn holi plant.[44] Gellir crynhoi gwerth y catecism yng nghwestiwn Griffith Jones, yn yr *Hyfforddiad*: 'Pa ham y dylech ddysgu'ch Catecism?', a'r ateb: 'Er mwyn adnabod Duw a Christ.'[45] Mae hwn yn crynhoi'r meddylfryd Calfinaidd mai gwaith yr eglwys yw goleuo, hyfforddi ac addysgu ei haelodau. Ni ddaw y wybodaeth hon o eigion ymenyddol dyn, yn hytrach mae'n rhaid iddi gael ei datgelu a'i datguddio a hynny oddi wrth Dduw ei hun. Ffynhonnell y wybodaeth yw'r Beibl sef Gair Duw, a'r Gair sy'n dysgu pobl pa gwestiynau i'w gofyn. Ffurf ar hunanholi yw'r catecism sy'n hyfforddi'r unigolyn i holi ynghylch y cwestiynau cywir: 'Heb i mi gael fy nghateceisio a'm holi pa fodd y medraf holi fy hun, fel y mae Duw'n gorchymyn.'[46] Cyfrwng llafar ydyw sy'n pwysleisio'r gred Galfinaidd mai delweddau i'w clywed yw delweddau'r Beibl ac nid delweddau i'w darlunio. Dadleua Calfin fod pob ymgais i bortreadu Duw mewn celf a cherflun i'w gondemnio. Amddiffynfa yn erbyn eilunaddoliad oedd y catecism sef bod ei gynnwys yn ceisio creu'r ddelwedd a'r syniad fel y gwelir yng nghwestiwn 10 yn *Yr Hyfforddwr*: 'A ydyw Duw yn holl bresennol?' Yr ateb yw: 'Ydyw', sef yr athrawiaeth fod Duw yn hollbresennol. Yna dyfynnir o Salm 139: 7–10 lle cyfeirir at y delweddau.

Nid dysgu am y ddelwedd yn unig a wna'r plentyn ond ei gadarnhau hefyd yn yr athrawiaeth. I Calfin yr athrawiaeth, *doctrina*, yw'r elfen lywodraethol a dyma paham y rhoddwyd lle mor ganolog i'r catecism. Nid digon oedd i'r plentyn dderbyn y wybodaeth am gynnwys y Beibl yn yr ysgol Sul; roedd angen i'r wybodaeth gael ei threfnu fel y byddai'r plentyn yn dod yn gyfarwydd â gweld arwyddocâd delweddau, trosiadau a chymariaethau'r Beibl. Rhoi trefn a strwythur ar ei feddyliau a'i ddysgu i ofyn y cwestiynau perthnasol oedd prif bwrpas y catecism a daw hyn yn glir yng nghatecismau Thomas Charles, yn y *Crynodeb* a gyhoeddwyd yn 1789 a'r *Hyfforddwr yn Egwyddorion y Grefydd Gristionogol* gyhoeddwyd am y tro cyntaf yn 1807 ac yn yr amryfal gatecismau y byddai'n eu paratoi'n fyrfyfyr ar gyfer achlysuron penodol.

Mynnodd Lewis Edwards mai'r 'pennaf o holl weithredoedd Charles o'r Bala' oedd sefydlu ysgolion Sul i bob oedran a hynny yn ei farn ef, 'yn beth anarferol ac annealladwy ym mhob gwlad oddieithr yn unig yn Nghymru'.[47] Mae cyfran helaeth o ormodiaith yn yr haeriad hwn gan fod ysgolion Sul ym Manceinion cyn gynhared ag 1790 yn dysgu oedolion i ddarllen y Beibl, a llafuriai'r chwiorydd More, o 1789 ymlaen, i gyflwyno addysg grefyddol i weision ffermydd a diwydianwyr yng Ngwlad yr Haf.[48] Fodd bynnag, yr hyn a symbylodd Charles i ganolbwyntio ar addysgu'r oedolion oedd eu hanwybodaeth affwysol a lesteiriai ei waith fel pregethwr.[49] Gyda'r blynyddoedd cynyddai'r disgyblion o bob oed ac erbyn haf 1811 agorwyd ysgol benodol ar gyfer oedolion yn y Bala, ffaith a nodwyd gan haneswyr addysg ymhell y tu hwnt i Gymru.[50] Meddai mewn llythyr at Thomas Pole, 'we had no particular school for their instruction exclusively till then, though many attended the Sunday School with the children in different parts of the country previous to that time.'[51] Yn ôl pob golwg byddai'r plant yn cael eu dysgu mewn un rhan o'r ystafell a'r oedolion mewn rhan arall, ac er bod cynnydd y plant a'r oedolion yn hafal i'w gilydd, eto i gyd roedd y gymysgedd yma o wahanol oedrannau yn niweidiol i'r oedolion a dechreuodd y niferoedd leihau.

Gwêl y cyfarwydd, unwaith eto, ddylanwad cyfundrefn addysg Griffith Jones, gan i'r arloeswr hwnnw yn ei dro agor ysgolion gyda'r nos ac ar y Sul ar gyfer oedolion. Bu ysgolion Charles, fel rhai periglor Llanddowror gynt, yn llwyddiant mawr ac aeth sôn amdanynt drwy'r wlad ac mewn sawl ardal galwai'r oedolion am gael eu dysgu a'u hyfforddi. Mewn un sir, yn dilyn anerchiad cyhoeddus ar addysg i oedolion, daeth pobl o bob oed at ei gilydd ac anodd oedd i'r siopwyr gael digon o sbectolau ar eu cyfer.[52] Cynhaliwyd yr ysgolion hyn mewn capeli ac eglwysi ond mewn ardaloedd lle nad oedd mannau addoli cynhaliwyd hwy ar aelwydydd ac yn ystod tymor yr haf mewn ysguboriau. Dwy elfen amlwg yn y maes llafur oedd dysgu darllen a hyfforddi yn egwyddorion y ffydd Gristionogol. Mae'n amlwg fod yr oedolion yn defnyddio llyfrau'r plant i ddysgu darllen gan y cyfeirir at Catherine Griffith o Benrhyndeudraeth 'yn ei llyfr ABC yn dechrau dysgu pan oedd yn 80 mlwydd oed,'[53] a cheir cofnod o ymweliadau Charles â Rhuthun ac fel byddai'r 'crydd ar ei *seat*, a'r teiliwr ar y bwrdd, a'r gof wrth yr engan . . . yn prysur ddysgu yr *Hyfforddwr* neu y Beibl'.[54] Y dull a ddefnyddid i ddysgu egwyddorion y ffydd oedd dewis adran o'r Beibl a gynhwysai'r prif athrawiaethau a'i ailadrodd hyd nes y byddai'r disgyblion yn ei gofio ac yna'r Sul dilynol ei adrodd yn gyhoeddus a chredai Charles y dylid hyfforddi'r oedolion yn egwyddorion y ffydd cyn iddynt ddechrau dysgu darllen.[55]

Wrth i fudiad yr ysgol Sul gynyddu, hollol naturiol oedd i'r ysgolion ddod ynghyd mewn cymanfaoedd. Ni wyddys yn union pa bryd y dechreuwyd cynnal cymanfaoedd ysgolion Sul, ond fe ddywed Charles mewn llythyr ym 1808 fod chwe chymanfa wedi'u cynnal yn ystod y flwyddyn honno, tair yn y gogledd a thair yn y de. Yn ôl cofnod yn *Trysorfa* Mawrth 1809, meddai'r sylwebydd, 'T. R.' o Drefîn: 'Cynnal-iwyd y flwyddyn ddiweddaf wyth ohonynt. Tair yn swydd Pembro, tair yn swydd Ceredigion a dwy yn swydd Caerfyrddin; a miloedd o bobl yn nghyd yn mhob un ohonynt.'[56] Cynhaliwyd y gymanfa gyntaf ym Mlaenannerch ar y Llungwyn 1808 ac yn y gogledd, yn ddiweddarach yr un flwyddyn. Cawn ddisgrifiad manwl gan 'J. R.' am y gymanfa yng Nghaernarfon, Tachwedd 1808 pan ddaeth pedair ysgol ynghyd i gychwyn am naw o'r gloch y bore ar ôl cerdded pum i chwe milltir. Holwyd plant ar gynnwys yr athrawiaethau. 'Y Bod o Dduw' oedd y testun i blant Llanrug, 'Nefoedd ac Uffern' oedd y maes llafur i blant Llanddeiniolen, 'Cwymp Dyn' i blant Caernarfon ac 'Ailenedigaeth' oedd y maes i blant Waunfawr.[57] Nid yn unig yr oedd y cymanfaoedd yn foddion i ysbrydoli plant ac oedolion ond roedd hefyd yn rym cenhadol wrth ymweld ag ardaloedd gwahanol. Doedd ryfedd yn y byd i awduron y *Tadau Methodistaidd* gyhoeddi, 'trwy bob ardal yn y Dywysogaeth yr oedd diwrnod "adrodd y pwnc" yn ddydd o uchel ŵyl; edrychid yn mlaen tuag ato am fisoedd yn mlaen llaw'.[58]

Nid pawb, ysywaeth, oedd o blaid y symudiad newydd. Roedd rhai clerigwyr Anglicanaidd yn gweld twf yr ysgolion yn foddion i ledaenu Methodistiaeth ar draul awdurdod yr Eglwys Wladol. Fel y dengys pennod 6, bu un o glerigwyr Môn, Thomas Ellis Owen, rheithor Llandyfrydog a Llanfihangel Tre'r Beirdd, yn uchel ei gloch yn erbyn yr ysgolion Sul mewn dau bamffledyn gwrth-Fethodistaidd.[59] Ymysg y cyhuddiadau yn erbyn y Methodistiaid dywedwyd bod y pregethwyr yn euog o 'ddysgu egwyddorion chwyldroadol yn yr Ysgolion Sul a sefydlant o dan gochl rhoi addysg rad i blant y tlodion.'[60] Roedd yr ysgolion hefyd yn gweithredu'n gwbl groes i egwyddorion crefyddol rhai o'r Hen Anghydffurfwyr oedd yn credu yng nghadwraeth y Saboth. Ymhlith yr huotlaf o'r rhain oedd y Bedyddiwr, J. R. Jones Ramoth (1765–1822). Mynnai ef 'nad oedd cadw ysgol ar y Sul i ddysgu darllen yn ddim gwell na gwaith dyn yn myned i'r maes ar y dydd hwnnw gyda chaib a rhaw'.[61] Ac ar ran yr Annibynwyr, yn ardal Llanuwchllyn, barn Ap Vychan oedd mae 'rhyw ffordd *respectable* o dori y Saboth oedd cadw Ysgol Sabbothol'.[62] Bu gwrthwynebiad llym o du'r Methodistiaid eu hunain a hynny am ddau reswm, sef y priodoldeb o addysgu ar y Saboth, a'i bod yn rhwystr i bobl fynd i wrando pregethau. Eithr yn ôl cofnod o ardal Penrhyndeudraeth roedd pwrpas llawer mwy ysgeler i'r ysgolion Sabothol sef paratoi'r bechgyn i fod 'yn soldiers, a'u hanfon i ffwrdd i ryfel'![63]

Llwyddodd ysgolion Thomas Charles i hybu twf gwareiddiad a oedd wedi'i sylfaenu ar egwyddorion ac athrawiaethau'r Beibl. Rhoddwyd bri ar addysg a diwylliant a gwnaed y Gymraeg nid yn unig yn iaith carreg yr aelwyd ond hefyd yn iaith hyfforddiant a dysg, ymryson a dadlau, ac ymhen y rhawg yn iaith pwyllgora a threfniadaeth. Gellid honni mai'r ysgol Sul a achubodd y Gymraeg a rhoi hyder a llwyfan i'w defnyddio'n helaeth ac yn ddeheuig. Llwyddodd Charles yr arloeswr, yr ysgogydd, y pregethwr, y diwinydd a'r addysgwr i rannu ei weledigaeth â chenhedlaeth gyfan a llwyddodd i sicrhau undod rhyfeddol i'w fudiad. Edwino a marw fu pob ymdrech addysgol cyn hyn, o ymgyrchoedd Thomas Gouge, ysgolion yr SPCK ac ysgolion cylchynol Griffith Jones, ond wedi marw Thomas Charles yn 1814, cynyddu'n ddirfawr fu hanes yr ysgolion Sul yn neinameg syfrdan y bedwaredd ganrif ganrif ar bymtheg. Ysgolion wedi codi o bridd a daear Cymru oeddent a gwerin Cymru eu hunain oedd y deiliaid.

Nodiadau

1 *Life*, I, t. 577; am y cefndir gw. Stephen Orchard a J. H. Y. Briggs (goln), *The Sunday School Movement: Studies in the Growth and Decline of Sunday Schools* (Milton Keynes: 2007).

2 R. Bennett, 'Llythyrau y Parch. Thomas Charles', *CCH* 5 (1920), 42.

[3] *Cofiant*, t. 157.

[4] Ibid., t. 161.

[5] Am ysgolion Griffith Jones, gw. Gwyn Davies, *Griffith Jones Llanddowror: Athro Cenedl* (Pen-y-bont ar Ogwr: 1984) ac E. Wyn James, 'Griffith Jones (1684–1761) of Llanddowror and his "Striking Experiment in Mass Religious Education" in Wales in the Eighteenth Century', yn Reinhart Siegert (gol.), *Volksbildung durch Lesestoffe im 18. und 19. Jahrhundert / Educating the People through Reading Material in the 18th and 19th Centuries* (Bremen: 2012), tt. 275–89.

[6] Am ddadansoddiad trylwyrach gw. H. J. Hughes, 'Dylanwad Efengyliaeth ar darddiad a datblygiad yr Ysgol Sul yng Nghymru rhwng 1780 ac 1851', traethawd PhD anghyhoeddedig, Prifysgol Bangor: 2011 ac idem, *Coleg y Werin: Hanes yr Ysgol Sul yng Nghymru: 1780–1851* (Chwilog: 2013).

[7] John Locke, *Some Thoughts Concerning Education* (London: 1779), *passim*.

[8] *Life*, II, t. 7.

[9] Gw. Thomas Charles, *Hyfforddwr yn Egwyddorion y Grefydd Gristionogol* (Bala: 1807), pennod 3, 'Am gwymp dyn'.

[10] Cf. D. Densil Morgan, 'Credo ac Athrawiaeth', yn *Twf*, tt. 118–25.

[11] *Cofiant*, t. 177.

[12] Ibid., t. 169.

[13] E. D. Jones, 'Un o ysgolfeistri Thomas Charles', *Y Traethodydd* 91 (1936), 38–49.

[14] Davies, *Griffith Jones Llanddowror: Athro Cenedl*, t. 54.

[15] *Life*, III, t. 365; mae'r llythyr hwn (tt. 365–8) yn ddisgrifiad cyflawn o waith yr ysgolion cylchynol.

[16] G. Wynne Griffiths, *Yr Ysgol Sul: Penodau yn Hanes yr Ysgol Sul yn bennaf ymhlith y Methodistiaid Calfinaidd* (Carnarfon: 1936), t. 43.

[17] William Hobley, *Hanes Methodistiaid Arfon 5: Dosbarth Bethesda* (Caernarfon: 1923), tt. 84–5.

[18] *Life*, III, t. 365.

[19] Ibid., t. 366.

[20] Ibid.

[21] Gw. Derec Llwyd Morgan, '"Ysgolion Sabbothol" Thomas Charles' yn *Pobl Pantycelyn* (Llandysul: 1986), tt. 86–110; Eryn M. White, *The Welsh Bible* (Stroud: 2007), tt. 62–7: 104–5.

[22] *Life*, III, t. 368.

[23] Griffiths, *Yr Ysgol Sul*, t. 34.

[24] Amdano gw. *Life*, II, tt. 115–9.

[25] Ibid., t. 22.

[26] R. Owen, *Hanes Methodistiaeth Gorllewin Meirionydd*, Cyfrol 2 (Dolgellau: 1891), t. 246.

[27] D. E. Jenkins, 'Cychwyn Ysgolion Sul Thomas Charles', *Y Traethodydd* 91 (1936), 105–11 [110].

[28] *Life*, II, t. 163.

[29] Ibid., t. 30.

[30] Ibid., t. 144.

[31] Beryl Thomas, 'Mudiad Addysg Thomas Charles' yn *Cynnydd*, tt.431–55 [441].

[32] *Life*, III, t. 365.

[33] *The Evangelical Magazine* (1799), 306–7; dyfynnwyd yn *Life*, II, t. 278.

[34] Thomas Charles, *Rheolau i Ffurfiaw a Threfnu yr Ysgolion Sabbothawl* (Bala: 1813).

[35] *The Gentleman's Magazine* 54 (1784), 412.

[36] Charles, *Rheolau i Ffurfiaw a Threfnu yr Ysgolion Sabbothawl*, tt. 6–7.

[37] Ibid., t. 6.

[38] Ibid., t. 15.

[39] Ibid., t. 9.

[40] Thomas Charles, *Y Sillydd Cymraeg: neu Arweinydd i'r Frutaniaeth yn cynnwys cyfarwyddiadau hawdd* (Bala: 1807), t. 4.

[41] Gw. T. F. Torrance, *The School of Faith: the Catechisms of the Reformed Church* (London: 1959); Mark A. Noll, *Confessions and Catechisms of the Reformation* (Leicester: 1990); am y cefndir yn Lloegr gw. Ian Green, *The Christian's ABC: Catechisms and Catechizing in England c.1530–1740* (Oxford: 1996).

[42] *Cofiant*, t. 171.

[43] Ibid., t. 177.

[44] Cf. Eryn M. White, 'Addysg ar Iaith Gymraeg', yn *Twf*, tt. 225–8, a D. Densil Morgan, 'Credo ac Athrawiaeth' , tt. 112–18.

[45] Griffith Jones, *Hyfforddiant Gymmwys i Wybodaeth Iachusol o Egwyddorion a Dyletswyddau Crefydd* (Gwrecsam: arg. 1820), t. 1.

[46] Ibid., t. 2.

[47] Lewis Edwards, 'Thomas Charles', *Traethodau Llenyddol* (Wrecsam [1867]), t. 273.

[48] Thomas Kelly, *A History of Adult Education in Great Britain* (Liverpool: 1992), t. 7.

[49] *Life*, III, t. 364.

[50] J. W. Hudson, *The History of Adult Education* (London: 1851), t. 2.

[51] Thomas Pole, *The History of the Origin and Progress of Adult Schools* (Bristol: 1814), t. 7.

[52] Ibid.

[53] John Hughes, *Methodistiaeth Cymru* , Cyfrol 1 (Wrecsam: 1851), t. 525.

[54] Dyfynwyd yn Griffith, *Yr Ysgol Sul*, t. 121.

[55] *Life*, III, t. 397.

[56] *Trysorfa* (1809), 43.

[57] Ibid., 91–2.

[58] J. Morgan Jones a William Morgan, *Y Tadau Methodistaidd*, Cyfrol 2 (Abertawe: 1897), t. 198.

[59] Thomas E. Owen, *Hints to Heads of Families* (London: 1801), idem, *Methodism Unmasked* (London: 1802); am yr ymateb iddynt gw. *Life*, II, tt. 378–86, cf. pennod 6 isod.

[60] J. J. Evans, *Dylanwad y Chwyldro Ffrengig ar Lenyddiaeth Cymru* (Lerpwl: 1928), t. 185.

[61] Dyfynwyd yn R. W. Jones, *Y Ddwy Ganrif Hyn: Trem ar Hanes y Methodistiaid Calfinaidd o 1735 hyd 1935* (Caernarfon: 1935), t. 80.

[62] R. T. Jenkins, *Hanes Cymru yn y Bedwaredd Ganrif ar Bymtheg* (Caerdydd: 1933), t. 45; cf. idem, *Hanes Cynulleidfa Hen Gapel Llanuwchllyn* (Bala: 1937), tt. 125–6 am y cyd–destun.

[63] David Hoskins ac Owen Jones (goln), *Hanes Ysgolion Sabbathol Dosbarth Ffestiniog* (Blaenau Ffestiniog: [1906]), tt. 17–18.

3

Thomas Charles a sefydlu Cymdeithas y Beibl

R. Watcyn James

Braidd yn grintachlyd yw barn Thomas Frederick Trout am Thomas Charles. Er cydnabod iddo gyfrannu at sefydlu Cymdeithas y Beibl, meddai amdano: 'Without any great intellectual qualities, and with all the limitations of the evangelical school, he yet possessed in abundant measure moral worth, strength of character, and capacity for leadership'.[1]

Cyfraniad Thomas Charles yn benodol i ffurfiant y 'British and Foreign Bible Society' a sefydlwyd ym 1804 a drafodwn yma. Roedd yr enw 'The Bible Society' eisoes yn cael ei ddefnyddio gan fudiad arall (wedi sefydlu'r 'British and Foreign Bible Society' newidiodd 'The Bible Society' ei henw i'r 'Naval and Military Bible Society'). Yn wreiddiol bwriad sylfaenwyr Cymdeithas y Beibl Frutanaidd a Thramor oedd creu 'a society for promoting a more extensive circulation of the Scriptures at home and abroad'.[2] I John Owen, a wasanaethodd y Gymdeithas fel ei hysgrifennydd, y perthyn y teitl, 'The British and Foreign Bible Society'.

Pan gyfeirir at Gymdeithas y Beibl yn Gymraeg hyd heddiw, cyfeirir ati fel 'Y Feibl Gymdeithas' neu 'Gymdeithas y Beibl'. Mae'n debyg mai Thomas Charles ei hun fathodd y teitl sy'n dalfyriad o'r enw a ymddangosodd gyntaf ar dudalennau'r *Drysorfa* fel 'Cymdeithas y Biblau Saesneg ac ieithoedd eraill'. Cyfeirir ati weithiau fel 'Cymdeithas y Biblau i Brydain a Pharthau Pellennig' ac yn ddiweddarach setlwyd ar ei ffurf bresennol, sef 'Cymdeithas y Beibl Brutanaidd a Thramor'.

Caed cytundeb ymhlith cofnodwyr Cymraeg mai anallu'r Cymry i feddiannu Beibl yn eu mamiaith a ysgogodd Thomas Charles i sefydlu

Cymdeithas y Beibl Frutanaidd a Thramor. Mae Eryn M. White yn awgrymu i tua 128,500 o Feiblau gael eu cyhoeddi rhwng 1588 a diwedd y ddeunawfed ganrif. Er nad oedd poblogaeth Cymru ond oddeutu 587,245 adeg cyfrifiad 1801, nid oedd y ddarpariaeth o Feiblau yn cyffwrdd â'r galw cynyddol amdanynt.[3]

Deallai Robert Jones Rhos-lan fod y Gymdeithas Genhadol a Chymdeithas y Beibl rhyngddynt wedi gafael yn nychymyg Thomas Charles. Roeddynt, 'fel y ddau udgorn arian . . . yn foddion i ddeffroi llawer; ac yn myned rhagddynt yn llwyddiannus i chwalu y tywyllwch o'u blaen.'[4] Mae'n bur debyg mai gan Charles ei hun y clywodd Robert Jones, a oedd wedi cydweithio â Charles ac a Thomas Jones o Ddinbych ar Feibl cyntaf Cymdeithas y Beibl, am hanes ei sefydlu. Cofiodd Robert Jones hefyd

> [d]osturi Mr Charles, o'r Bala, i ystyried pa fodd i gael Biblau i'r Cymry tlodion: ac wedi methu llwyddo dros amser, gosododd y mater ger bron ei gyfeillion yn Llundain, a llwyddodd yn ei amcan canmoladwy i gael Biblau i'r Cymry.[5]

Erbyn heddiw, ni ellir adrodd hanes sefydlu Cymdeithas y Beibl heb gyfeiriad at Mary Jones a'i thaith i'r Bala ym 1800. Mae D. E. Jenkins yn wfftio hanes Mary Jones braidd fel 'a nucleus of facts which have been clothed with some wealth of fiction, in order to render service to the Truth',[6] ond am Charles, roedd ei gyfraniad ef yn arhosol. Ei gyfraniad at sefydlu'r Gymdeithas a roddodd i

> Mr Charles immortality as a prominent character in the history of Christian Philanthropy. Many and many a time has the story been told, and so absorbingly interesting are the facts, in the light of the marvellous achievements of the Society, that to recount them will be the delight of generations to come.[7]

A dyna stori creu Cymdeithas y Beibl wedi'i chrynhoi. Thomas Charles a Mary Jones, y ddau ohonynt yn cynrychioli syched cenedl i feddiannu'r Beibl yn eu hiaith eu hunain.

Mae'r holl adroddiadau'n gytûn mai mewn cyfarfod o'r Religious Tract Society yn Rhagfyr 1802 codwyd y mater o sefydlu Cymdeithas y Beibl i ddarparu Beiblau i Gymru.[8] Cafodd blynyddoedd o ymdrechu a misoedd o drefnu eu cywasgu yng nghofnod Thomas Jones, Dinbych, am

> waith y Parchedig T. Charles yn ymorol, yn Llundain, ag ewyllyswyr da i grefydd a duwioldeb, pa fodd y gellid cael argraffiad helaeth o'r Bibl, am bris gweddol, yn yr iaith Gymraeg, ac, os byddai bosibl, i drefnu cyllidfa barhaus o honynt, fel na byddai, un amser mwy, brinder o Fiblau i'r Cymry tlodion - rhoddodd yr Arglwydd y meddwl caruaidd ardderchog yn nghalonnau rhai o'r gwŷr duwiol yr oedd yn ymddiddan â hwynt, o ffurfio Cymdeithas i ddosparthu Biblau, nid yn unig yn ein gwlad ein hunain, ond hefyd yn y gwledydd pellennig tramor, pa un bynnag ai Cristionogol, Mahometanaidd, neu Baganaidd; fel na byddai un genedl dan y nefoedd, nac un person neillduol yn y byd, heb y trysor gwerthfawr hwn, a ewyllysiai ei feddiannu. Yn yr olwg gyntaf, ymddangosodd y peth, er mor ddymunol, eto o'r cyfryw faintioli nad oedd gwiw, agos, meddwl am dano, i'r dyben ei gwblhau. Ond trwy law Duw arnynt, fe bwysodd yr achos tra gogoneddus hwn gyd â'r cyfryw ddwysder yn barhaus, ar feddyliau rhai gwŷr duwiol, urddasol, y buwyd yn ymddyddan â hwynt, fel y gorfu arnynt ymwroli i ymgais am ei ddwyn yn mlaen, yn wyneb pob digalondid. Cyfarfu amryw ohonynt â'u gilydd, i ystyried yr achos. Yn y cyfarfod cyntaf yr oedd T. C. yn bresennol; ac wrth ymddyddan am fawredd bendithiol a dymunoldeb y cyfryw sefydliad, effeithiodd y golygiadau ar hynny yn y fath fodd ar eu meddyliau, fel y darfu iddynt gyd-dywallt dagrau o orfoledd, yn y gobaith o lwyddo ynddo.[9]

Yng Nghymru, nid oedd unrhyw amheuaeth nad Charles a roddodd fod i'r weledigaeth a arweiniodd at sefydlu Cymdeithas y Beibl.

Fodd bynnag, pan droir at gofnodion swyddogol y Gymdeithas yn Lloegr, yn ofer y chwilir am gyfeiriadau at Thomas Charles nac am anghenion Cymru ychwaith. Nid oedd yn bresennol ymhlith y tri chant a gyfarfu yn y *London Tavern* ar 7 Mawrth 1804 i sefydlu Cymdeithas y Beibl Brutanaidd a Thramor. Nid enwir mohono yn y trafodaethau cychwynnol o gwbl. Nid oedd yn bresennol yn y trafodaethau i'w sefydlu, cyfnod a ymestynnodd am tua phymtheng mis yn dilyn ei gyfarfod â'i gyfeillion yn y Religious Tract Society. Y tro cyntaf yr enwir Charles yn benodol oedd ym 1808, pan nodir iddo fynd yn gyfrifol am ddosbarthu mil o gopïau o'r Testament Newydd yn Iwerddon tra nodir ei waith yng Nghymru yn rhannu Testamentau i'r 'poor natives of Wales'.[10]

Eto, yn hanes deng mlynedd cyntaf y Gymdeithas gan John Owen, un o sefydlwyr a'i hysgrifennydd cyntaf, adroddir pa mor ganolog oedd anghenion Cymru i sefydlu'r Gymdeithas, a phwysigrwydd Charles ei hun i'r fenter.[11] Bu Charles yn aelod o'r Gymdeithas o'i chychwyn ac o'r herwydd caed yr hawl ganddo i fanteisio 'under the direction of the Committee to purchase Bibles and Testaments at the Society's prices, which shall be as low as possible.'[12] Yn adroddiad 1809 ceir tystiolaeth sy'n cadarnhau, yn groes i dystiolaeth y cofnodion ysgrifenedig, fod Charles wedi chwarae rhan gwbl allweddol yn y gwaith. Dywedir yno iddo gael ei benodi'n 'gyfarwyddwr oes' gan gyfarwyddwyr eraill y gymdeithas yn Llundain.[13] Mewn llythyr gan dri ysgrifennydd y Gymdeithas, Owen, John Hughes a C. F. A. Steinkopf, a ddyfynnir gan Thomas Jones, dywedir

> Y mae eich amryw wasanaeth chwi i'r Gymdeithas mor dra adnabyddus fel nad oes eisieu ei fanwl-adrodd na'i ganmol: Yr oedd y Cyfeisteddwyr yn dymuno ei hynodi trwy ryw arwydd parhao [*sic*] o'u cymeradwyaeth.[14]

Cydnabuwyd felly fod y modd y cyfrannodd Charles ei egni, ei amser a'i ddawn drefniadol yng Nghymru, wedi bod yn hanfodol i ddatblygiad y gwaith. Charles oedd y clerigwr anhysbys 'in North Wales' a gofnododd ym 1805 frwdfrydedd y Cymry:

> There are none of our people willing to live and die without contributing their mites towards forwarding so glorious a design. Their zeal and eagerness and in the good cause surpasses every thing I have ever before witnessed. On several occasions we have been obliged to check their liberality, and take half what they offered, and what we thought they ought to give. The great joy prevails universally at the thought they ought to give. Great joy prevails universally at the thought that poor Heathens are likely soon to be in possession of a Bible; and you will never hear a prayer put up, without a petition for the Bible Society and Heathen Nations.[15]

Yn eu hadroddiad cyntaf ym 1805 roedd y cyfarwyddwyr hefyd wedi sylwi bod y 'prospect of receiving Bibles in their own language had made an astonishing impression on the minds of the people of Wales'.[16] Mewn ymateb i'r fath haelioni cofnodwyd yn ddiolchgar:

> very liberal contributions made in Wales, amounting to nearly nineteen hundred pound . . . made with a zeal and cheerfulness, which manifest the sincerest veneration for the Holy Scriptures, and more than a common anxiety to possess them. The amount of the contributions is more remarkable, when we advert to the poverty of the majority of the subscribers.[17]

Canmolir ymhellach ym 1806, 'the noble zeal of the Welsh'.[18]

Nid oedd y llwyddiant hwn yn newyddion da i gyd i Charles, nac i fudiadau eraill yr oedd yn gefnogol iddynt. Ysgrifennodd George Burder at Charles yn pledio achos y Gymdeithas Genhadol:

> Nid wyf yn rhyfeddu fod eich pobl dda chwi yng Nghymru, yn sylwi cymaint ar Gymdeithas y Biblau. Y mae yn waith arderchawg . . . ond yr wyf yn gobeithiaw na chaiff y Gymdeithas Genadawl ei hesgeuluso; canys ni byddai Bibl o ddim defnydd yn llawer o barthau o'r byd, heb i bregethwr ei ragflaenu i addysgu y trigolion yn yr efengyl. Y mae miliynau yn y byd heb iaith ysgrifenedig, ac heb lyfrau . . . Y mae ein gwaith yn helaethu fwyfwy. . . Gwnewch a allwch drosom yng Nghymru.[19]

Effeithiodd haelioni cefnogaeth y Cymry i'r ymgyrch gartref fod y nawdd o Loegr i waith Charles bron wedi pallu'n llwyr. Erbyn 1808 roedd yn bur bryderus.

> Er pan wnaed y casgliadau helaeth yng Nghymru i'r Bibl Gymdeithas Frutanaidd a Thramor, y mae cynorthwyon blynyddol a'r rhoddion oll o Loegr wedi pallu i ni (oddieithr yn unig ddau Guni o gynnorthwy blynyddol gan y Gwir Anrhydeddus Arglwydd Barham) trwy fod ein cymwynaswyr tirion wedi barnu, mae yn debygol, nad oedd dim angen am gynnorthwy mewn gwlad lle y casglwyd cymaint o arian, yn rhwydd . . . Ond . . . achos tra neillduol oedd hwn; ac fod meddyliau y cyffredin mewn mawr syndod wrth newyddrwydd y gwaith ardderchog, yn gystal a than effeithiad wrth ei bwysigrwydd.[20]

A derbyn bod y Gymdeithas yn ganolog yn gwerthfawrogi cyfraniad neilltuol Charles, a'r ffaith ei fod wedi treulio oriau bwygilydd yn paratoi testun o'r Testament Newydd i'r wasg, erys y cwestiwn pam na roddwyd lle mwy amlwg iddo yng nghofnodion sefydlu'r Gymdeithas? Awgryma E. D. Evans fod y distawrwydd am gyfraniad y Cymry yn nodi gogwydd wrth-Gymreig yn y mudiad.[21] Ond, fe allai bod rhesymau llai negyddol na hynny'n egluro pam nad oedd Charles yn fwy canolog i'r gwaith yn Llundain. Y gwir yw bod Charles yn adnabod holl noddwyr blaenllaw y Religious Tract Society. Nid pobl i daflu'u het yn erbyn y gwynt oedd y dynion busnes llwyddiannus Alers Hankey a Samuel Mills, Joseph Hughes, y gweinidog Lwtheraidd ifanc ac egnïol C. F. A. Steinkopf, na Joseph Tarn. Os na ellid darparu Beiblau digonol trwy law'r Society for the Propagation of Christian

Knowledge (yr SPCK), rhaid oedd canfod ffordd ragorach o gwrdd â'r angen.[22] Felly, heblaw am bwysau gwaith parhaol yng Nghymru, efallai mai'r prif reswm am ei absenoldeb oedd am ei fod wedi ymddiried ei achos i'r 'gwŷr caruaidd' hyn, ac yn benodol i'w gyfaill Joseph Tarn. Cytunai asesiad Thomas Jones o Ddinbych am bwysigrwydd cyfraniad Tarn:

> Mae y gŵr hwn, sydd hyd heddyw yn Ysgrifenydd Cynnorthwyol (Assistant Secretary) y Gymdeithas, wedi bod yn un o gydweithwyr ffyddlonaf Mr. C., yn y gwaith a'r achos tra phwysfawr hwn: Bu yn ymdrechwr llafurus, nid yn unig gyd ag ef, tra yr ydoedd yn Llundain, ond yn ei absenoldeb ef hefyd, at ddwyn y gorchwyl mawr yn mlaen.[23]

Pa raid oedd i Charles dreulio misoedd yn Llundain pan oedd yn ymddiried yn y rhai oedd yn gyrru'r datblygiad? Pobl oeddynt oedd o'r un anian ag ef, yn rhannu'r un brwdfrydedd a'r un ymrwymiad i ddarparu Beiblau a Thestamentau Cymraeg ar gyfer angen ei bobl. Gwelwn, felly, o'r cychwyn, fod gweledigaeth Cymdeithas y Beibl yn ehangach na Chymru ac yn fwy nag ynysoedd Prydain hyd yn oed. Trwy bledio achos Cymru agorodd Charles y ffenestr i adnabod angen y byd. Yn yr ystyr fanwl honno, Charles oedd sefydlydd Cymdeithas y Beibl.

Yn bwysicach i'n dibenion ni, efallai, yw ceisio olrhain sut medrodd clerigwr di-blwyf, mewn tref fechan ddi-nod ymhell o'r brifddinas, ddwyn perswâd ar y bobl i sefydlu cymdeithas i ddarparu Beiblau i gwrdd ag angen siaradwyr iaith leiafrifol nad oedd ganddi statws swyddogol o fath yn y byd.

Nid yn Rhagfyr 1802 y dechreuodd yr ymdrech i sicrhau Beiblau i Gymru. Roedd Charles wedi adnabod yr angen am Feiblau mor gynnar ag 1787.[24] Cynyddodd y syched am Feiblau ar ôl deffroad grymus y Bala ym 1791. Nid damwain oedd bod Charles a Thomas Jones, Creaton, wedi dechrau trafod sut i ddarparu cyflenwad digonol o'r Beibl yn Nhachwedd 1791. Roedd Jones wedi bod yn gohebu'n daer eisoes â'r gymdeithas Anglicanaidd, yr SPCK, ac yn galw am gyhoeddi a lledaenu Beiblau Cymraeg, ond yn methu. Roedd y cynllun, yn ôl E. D. Evans, 'yn rhy afreal i fod yn ymarferol'.[25] Siomodd Jones pan gafodd Charles y clod am fod yn sefydlydd Cymdeithas y Beibl. Ond pam lwyddodd Charles pan fethodd Jones? Mewn gair, am ei fod yn fwy pragmataidd na'i gyd-glerigwr yn Creaton. Anglican ymroddedig oedd Thomas Jones,[26] ac er mai clerigwr trwyadl efengylaidd ydoedd, rhannodd bryderon Eglwysig yr SPCK ac arswydodd rhag sectyddiaeth Anghydffurfiol. Llwyddodd pragmatiaeth ymarferol Charles a'i fodlonrwydd i weithio'n drawsbleidiol yn hytrach nag yn fanwl Anglicanaidd, ddwyn y maen i'r wal. Trwy greu cymdeithas newydd, nid oedd rhaid bellach ddibynnu ar yr SPCK.

Rhwydweithiwr tra effeithiol oedd Thomas Charles. Treuliai wythnosau'n flynyddol yn Llundain gan ymgysylltu ag arweinwyr dylanwadol o bob plaid, Anglicaniaid ac Anghydffurfwyr. Mae'r enwau a restrir ymhlith ei ohebwyr yn rhyfeddol: William Wilberforce, Thomas Scott, Charles Middleton y Barwn Barham, Henry Thornton, George Burder, Henry Boase, Joseph Tarn, Joseph Steinkopf, John Hughes a John Owen, heb anghofio'r Arglwyddes Huntingdon a'i chylch.[27] Golygai'r cysylltiadau hyn nad rhywun dieithr, yn sôn am waith mewn tref ddiarffordd oedd Charles, ond arweinydd brwd, hysbys i lawer. Roedd yn aelod o Gymdeithas yr Ysgolion Sul, y Gymdeithas Traethodau Crefyddol, y Gymdeithas Genhadol a gyda'i frawd, David Charles, yn aelod yng Nghymdeithas y Gweddwon yn ogystal.

Trwy'r cysylltiadau helaeth hyn daeth yn gydnabyddus â datblygiadau mwyaf cyffroes ei ddydd. Trwy ei berthynas gyda sylfaenwyr y London Missionary Society (1795) a'r Religious Tract Society (1799), galluogwyd Charles yn ei dro i fod yn ddolen gyswllt rhwng Cymru a Lloegr, gan sicrhau fod y Methodistiaid Cymraeg yn peidio â bod yn sect gyfyng ei gorwelion, ond yn fudiad a oedd yn cyfrannu o gyffro creadigol eu hoes. Gwyddai Charles fod y Fethodistiaeth Gymreig hithau yn perthyn i fudiad rhyng-genedlaethol a thrawsgyfandirol.[28] Deallai hefyd fod y gwaith o sefydlu Cymdeithas y Beibl yn benllanw llu o ymdrechion blaenorol. Byddai'r Gymdeithas, yn ôl Joseph Tarn, yn 'foundation for circulating the Holy Scriptures more extensively than had hitherto been done'.[29]

Sefydlwyd y gymdeithas Beibl gyntaf gan y Barwn Hildebrand von Canstein (1667–1719), cyfaill i August Herman Franke a Jacob Spener, arweinwyr y mudiad Pietistaidd yn Halle. Roedd y Welsh Trust (1647) wedi sefydlu ysgolion a thrwy gymorth pobl fel Thomas Gouge, Stephen Hughes a Charles Edwards, cyhoeddwyd Beiblau a Thestamentau Newydd Cymraeg. Darparodd mudiadau eraill fel yr SPCK, a ffurfiwyd yn 1698, rywfaint o Feiblau i Gymru ar ôl 1717, ond ymylol i'w gweledigaeth oedd y ddarpariaeth hon. I gwrdd â'r gofyn cynyddol am lenyddiaeth Gristnogol, cyhoeddodd Hannah More hithau gyfres o'r hyn a alwodd yn 'Cheap Repository Tracts'. Yn 1799 ffurfiwyd y Religious Tract Society i barhau â'i gwaith.[30] Cyhoeddi llenyddiaeth foesol Gristnogol ar gyfer darllenwyr addysgedig oedd nod y mudiadau hyn. Nid oedd cyhoeddi Beiblau yn brif amcan yng ngweledigaeth yr un ohonynt.

Serch hynny, roedd y galw am gyhoeddi Beiblau yn cynyddu'n feunyddiol. Sefydlwyd The Bible Society gan ddau leygwr Wesleaidd, George Cussons a John Davies, yn 1779. Mae'n arwyddocaol fod lleygwyr blaenllaw fel John Thornton, cyfarwyddwr Banc Lloegr ac aelod o sect Clapham, ymhlith ei chefnogwyr cyntaf. Daeth ei fab Henry, cyfaill i William Wilberforce, yn drysorydd cyntaf Cymdeithas y Beibl Frutanaidd a Thramor. Ffurfiwyd ail gymdeithas Feibl yn Llundain yn 1792, sef y French Bible Society i ddosbarthu Beiblau mewn Ffrangeg. Roedd a wnelo Morgan John Rhys â'r gymdeithas hon, ac wedi'r Chwyldro Ffrengig treuliodd beth amser yn Ffrainc yn manteisio ar y rhyddid i ddosbarthu'r Testament Newydd yno.[31]

Nid damweiniol oedd i Gymdeithas y Beibl yn ei thro elwa ar gynllun a ddatblygwyd gan y gymdeithas a'i rhagflaenodd ddeuddeng mlynedd ynghynt, sef 'the formation of societies in different parts of the country to assist them in the attainments of their object'.[32] Ymhen amser ffurfiwyd dwsinau o gymdeithasau lleol tebyg yng Nghymru. Ffurfiwyd canghennau lleol o'r Feibl Gymdeithas yn gyntaf yn Llangollen, ac yna ym Machynlleth, Tywyn a'r Bala gan ymestyn yn fuan i bob cwr o Gymru.[33] Roedd y syched am Feiblau yn cydredeg â'r diwygiadau mynych a'r gweithgareddau efengylaidd a oedd fel pe'n cydio yn y genedl gyfan. Tra byddai Iolo Morganwg ym 1799 yn grwgnach bod y 'gogledd bellach mor Fethodistaidd â'r de, a'r de mor Fethodistaidd ag uffern',[34] gorfoleddu a wnâi Charles a Thomas Jones yn y datblygiadau hyn: 'Cawsom y fraint o oesi yn yr amser mwyaf llewyrchus a fu erioed ar Gymru. Hir y parâo y dydd llewyrchus hwn a wawriodd ar ein gwlad'.[35] Tystient mai

> tra chysurus yw gennym weled arwyddion fod cynifer o honnoch yn ddwys-feddwl am yr achos mwyaf ei bwys . . . Pwy ni lawenhâi . . . wrth weld gwybodaeth yn amlhau, miloedd o ieuengctyd ein gwlad yn ymroddi'n awyddus i ddysgu darllain gair Duw, yn gwrando ei bregethu gyd ag awyddfryd a llawenydd, ac yn dangos arwyddion hefyd o'i effeithiau iachusol yn eu bucheddau?[36]

Serch hynny, rhannai Charles bryder ei gyfoedion am y caledu cynyddol rhwng y gwahanol garfannau, yn arbennig rhwng yr efengyleiddwyr Anglicanaidd a'r Anghydffurfwyr.

Felly, i lawer o gyfoedion Thomas Charles yn Lloegr, byddai croeso i unrhyw fudiad traws-ffiniol a alluogai'r gwahanol bleidiau i gydweithio. Chwythwyd ffanffer undod Cristionogol gan yr Annibynnwr David Bogue, gweinidog yn Gosport, Hampshire, yng nghyfarfodydd cyntaf y Gymdeithas Genhadol yn Llundain. Mynnai bod culni unllygeidiog wedi trengi. Roedd yn rhyfeddod i weld Cristnogion o gefndiroedd gwahanol yn uno i ffurfio cymdeithas i daenu'r efengyl ymhlith y paganiaid.[37] Yn ôl yr *Evangelical Magazine*, ni welwyd y fath olygfa erioed yn hanes y byd ac roedd y dorf wedi croesawu'r digwyddiad gyda 'one general shout of joy'.[38]

Llwyddodd mudiad yr ysgolion Sul i gynnig fforwm trawsbleidiol cynnar,[39] a rhannwyd yr un llawenydd gobeithiol pan sefydlwyd y Religious Tract Society.[40] Adleisiwyd y dyhead am undod a chydweithio yng Nghymru gan yr Annibynnwr, George Lewis, Llanuwchllyn:

> Yn hyn ac yn mhob peth arall, da gennyf weled yr arwydd lleiaf o undeb yn ngwaith yr Arglwydd, gan daer ddymuno mawr lwyddiant yn y gwirionedd ar undeb, tangnefedd a chydgordio. [41]

Roedd yr unoliaeth ysbryd a deimlwyd yng nghyfarfod sefydlu'r Gymdeithas Genhadol yn ryw fath o Bentecost newydd yn ôl Charles.[42] Fodd bynnag, ni wireddwyd mo'r freuddwyd am gorff rhyngeglwysig i rannu'r efengyl ar draws y byd. Erbyn 1799 roedd yr Anglicaniaid wedi ffurfio eu Church Missionary Society eu hunain. Byrhoedlog oedd dylanwad y Religious Tract Society fel fforwm trawsbleidiol newydd.[43]

Er na chroesawyd ffurfio Cymdeithas y Beibl gan bawb – ofnai'r Anglicaniaid mwyaf pybyr y byddai Cymdeithas y Beibl yn hybu Anghydffurfiaeth – fe'i croesawyd gan eraill *am* ei bod mor drawsenwadol. Meddai'r *Trysorfa Ysbrydol*: 'Nis dichon geiriau adrodd a gosod allan yn addas yr undeb, y carëugarwch diffuant, a'r boddhâd difrifol, a brofwyd wrth i rai o bob plaid o grefyddwyr, o bob graddau, ac o bob parth o'r deyrnas gyfunol' ddathlu llwyddiant y Gymdeithas.[44] Gwelai Charles fanteision cydweithredu trawsbleidiol ar lefel leol hefyd:

> Galarus gennyf fod eglwyswyr a goreuon ein gwlad hyd yn hyn, yn dra marwaidd a diymdrech yn eu cynorthwyon . . . y mae yr amrywiol bleidiau crefyddol yn ein gwlad yn dra phell oddi wrth ei gilydd; dylent ymunaw yn hyn o orchwyl, yn ôl cynllun y Saeson, lle gallant ymunaw

> a chydgyfarfod, er eu hamrywiol farnau ynghylch pethau eraill. Hwyrach y gwna cyfarfod cyffredin yn yr amrywiol ardaloedd . . . eu nesu, a'u gwneuthur yn fwy rhywiog at eu gilydd, a lleiâu yr ysbryd pleidgar sydd yn anerddaw Cristionogrwydd.[45]

Tybed na welodd Charles gyfle i ddatgan neges o blaid undod wrth i'r pwysau am i'r Methodistiaid ordeinio eu gweinidogion eu hunain ac felly ymwahanu oddi wrth y fam eglwys gynyddu? Nid dibwys chwaith yw iddo danlinellu amcan y Gymdeithas i 'daenu Gair Duw heb na sylwad na chwanegiad ato'.[46] Gwnaed yn fawr o'r egwyddor hon yng nghyhoeddiadau'r Gymdeithas, yn bennaf, mae'n debyg, er mwyn osgoi'r feirniadaeth ei bod yn hybu safbwynt plaid, gogwydd diwinyddol neu enwad. Mynnodd y sylfaenwyr mai testun awdurdodedig y Beibl yn unig a gâi ei ddosbarthu ganddynt. I Charles, a ddygodd greithiau diarddeliad Peter Williams ar hyd ei oes, byddai'r amod hwn wedi bod yn werth ei hybu.

Ni ellir esbonio'r dylanwadau ffurfiannol ar Charles trwy gyfeirio at y cysylltiadau Llundeinig yn unig. Ceir tri dylanwad ffurfiannol pellach ar ei feddwl a'i ddisgwyliadau.

Yn gyntaf, roedd gwerthoedd Pietistiaeth wedi hydreiddio diwylliant efengylaidd y ddeunawfed ganrif nes ei fod yn rhan o gynhysgaeth ddiwinyddol a phrofiadol Charles a'i gyfoedion. Mudiad adnewyddol oddi mewn i Eglwys Lutheraidd yr Almaen oedd Pietistiaeth, a'i chonsyrn oedd galluogi Cristnogion i feithrin duwioldeb dwys neu 'grefydd y galon'. Mynegwyd hynny ganddynt fel *praxis pietatis*. Dylanwadwyd 'tad Pietistiaeth', sef Philip Jacob Spener (1635-1705), gan gyfriniaeth Jacob Boehme, Johan Arndt, Jean de Labadie a duwioldeb ymarferol y Cymro Lewis Bayly, esgob Bangor.[47] Cyfieithwyd cyfrol Bayly *The Practice of Piety* i'r Almaeneg a'i chyhoeddi yn 1629. Roedd yn gyfrol hynod rymus yn ei dydd yn Lloegr ac ar draws cyfandir Ewrop, ac yn ogystal â'i throsi i hanner dwsin o ieithoedd Ewropeaidd fe'i caed yn iaith brodorion Massachusetts hyd yn oed. Ymhlith y llyfrau a ddarllenodd Howell Harris adeg ei dröedigaeth oedd *The Practice of Piety*,[48] mae'n bosibl yng nghyfieithiad Rowland Vaughan, Caer-gai, o dan y teitl *Yr Ymarfer o Dduwioldeb*.

Dylanwadodd Pietistiaeth ar weithgarwch mudiadau mor amrywiol â'r SPCK uchel eglwysig ar y naill law, a'r Morafiaid cenhadol eu hysbryd ar y llaw arall. Ffurf ar Bietistiaeth, wedi ei gyfryngu drwy'r SPCK gan Sir John Philipps, Castell Picton, a foldiodd Griffith Jones Llanddowror. Roedd Sir John, noddwr Jones, yn aelod gweithgar o'r SPCK, a gohebai hefyd ag August Herman Franke (1663–1727), olynydd Spener fel arweinydd y mudiad yn eu canolfan yn ninas Halle yn Saxony. Derbyniai Philips adroddiadau am y gwaith yn Halle. Enwyd adroddiadau cyhoeddedig Halle yn *Pietatis Hallensis*. Nid damweiniol oedd bod Griffith Jones wedi enwi adroddiadau ei ysgolion cylchynol yn *Welch Piety*.

Credai'r Pietistiaid, ar sail eu darlleniad o'r Testament Newydd, bod angen tröedigaeth ysbrydol ar bawb; galwai hynny am feithrin sancteiddrwydd personol; nid cyfrifoldeb clerigwyr yn unig oedd hyn; nodweddid tröedigaeth gan ymlyniad wrth gymdeithas ysbrydol, a disgwylid i'r holl aelodau dystiolaethu i'w ffydd. Roedd y diwygiadau crefyddol grymus a ddaeth yn gyffredin ym Mhrydain, Ewrop a'r trefedigaethau Americanaidd yn arwydd fod ailddyfodiad Crist yn agos, ac y byddai Iddewon a phaganiaid o bob cwr o'r byd yn cael eu dwyn i adnabyddiaeth o Dduw. Yn ymarferol, golygai hynny ymwneud â'r genhadaeth fyd-eang.[49]

Nid cyd-ddigwyddiad ychwaith ydoedd i Brifysgol Halle, ym 1706, gyfrannu dau fyfyriwr at genhadaeth newydd a oedd yn cael ei noddi gan Frederick IV (1671–1730), brenin Denmarc. Bartholomäus Ziegenbalg a Heinrich Plütschau oedd y cenhadon Protestannaidd cyntaf i gyrraedd De'r India. Sefydlwyd y genhadaeth yn Tranquebar, man lle ym 1713, prin saith mlynedd yn ddiweddarach, y cynigiodd Griffith Jones Llanddowror ei hun i wasanaethu'r genhadaeth. Trwy'r genhadaeth fe ymestynnodd dylanwad Pietistiaeth ymhellach fyth. Yn Tranquebar datblygwyd egwyddorion cenhadol a fyddai'n cael eu mabwysiadu gan fudiadau cenhadol Protestannaidd byth oddi ar hynny. Yr egwyddorion rheiny oedd bod gwaith yr ysgol a'r eglwys bob amser yn mynd law yn llaw. Er mwyn i Gristnogion ddarllen Gair Duw roedd yn rhaid i'r Beibl gael ei gyfieithu i ieithoedd brodorol. Dylai pregethiad effeithiol o'r efengyl dyfu allan o adnabyddiaeth drwyadl o'r diwylliant lleol. Bwriad pob ymdrech oedd sicrhau tröedigaeth bersonol a chyfnewidiad moesol cyfatebol. Dylid datblygu arweinwyr lleol mor fuan ag yr oedd modd.[50] Dyma oedd y gwerthoedd a fabwysiadwyd gan Griffith Jones a Thomas Charles yn eu tro. Gwelir dylanwad y gwerthoedd hyn yng ngweithgarwch arweinwyr y mudiadau y perthynai Charles iddynt, boed hynny yn yr ysgolion Sul, y London Missionary Society, neu'r Religious Tract Society heb sôn am Gymdeithas y Beibl.

Yr ail ddylanwad ar Charles oedd y cyfuniad o frwdfrydedd Methodistaidd a diwinyddiaeth y Piwritaniaid. Yn allweddol i'r ffydd

Biwritanaidd oedd y ddiwinyddiaeth ffederal neu 'ddiwinyddiaeth y cyfamodau'. Canolbwynt y cyfamod oedd Iesu Grist fel mechnïydd ac Iawn oddi wrth Dduw trwy'r hwn y prynwyd maddeuant a bywyd tragwyddol i'r etholedigion. Roedd yr etholedigaeth yn gyfan gwbl o ras a chai ei gweinyddu i'r credadun drwy'r Ysbryd Glân.[51] Nid 'grim, sovereign selectivity of Calvinism'[52] oedd hwn i'r saint Methodistaidd, ond testun gorfoledd a symbyliad i hyder anorchfygol am lwyddiant yr efengyl yn y byd. Rhoddwyd i'r Mab addewidion di-syfl y byddai'r ddaear rhyw ddydd yn llawn o wybodaeth yr Arglwydd.[53]

Ar sail y gobaith hwn disgwylid gweld cwymp Anghrist; cyn i hyn gael ei gyflawni byddai'r Iddewon yn troi at y Meseia; byddai tröedigaeth yr Iddewon yn arwain at y mil o flynyddoedd pan fyddai Satan yn cael ei rwymo, byddai gau grefydd yn cael ei gorchfygu, a'r ddaear yn cael ei llenwi ag adnabyddiaeth o'r Arglwydd; yna, byddai Crist yn ymddangos yn derfynol i ddwyn y farn fawr, atgyfodiad y meirw a chyflawni gobaith ei bobl mewn nef newydd a daear newydd. Roedd y diwygiadau crefyddol grymus yn arwydd fod hyn ar fin digwydd.[54] Dyma'r argyhoeddiadau creiddiol i Fethodistiaeth Galfinaidd Gymraeg. A dyma'r symbyliad i bob ymdrech efengylaidd yng Nghymru a thu hwnt.

Felly, pan sefydlwyd y London Missionary Society ym 1795 nid yw'n achos rhyfeddod i Charles ddatgan, 'nis gwyddom am ddim sy o gymaint pwys'.[55] Roedd bodolaeth y Gymdeithas Genhadol '*yn debyg i'r cwmwl bychan, fel cledr llaw gŵr, yn dyrchafu o'r môr* . . . yn arwyddo fod *llawer o wlaw yn agos*'[56] Sefydliad gydag arwyddocâd eschatolegol ydoedd. Am yr un rheswm cynhwysid ar dudalennau Y *Drysorfa* newyddion am sefydlu 'Cymdeithas Llundain er Taeniad Cristionogrwydd yn Mhlith yr Iuddewon' (1809). Gweddïodd Charles:

> Prysured yr amser hyfryd pan byddo Iuddewon a Chenhedloedd yn un gorlan, dan un bugail, ac yn ymunaw mewn un gân orfoleddus i Dduw ac i'r Oen! Bendigedig fyddo yr Arglwydd Dduw, y goleuni i oleuaw y Cenhedloedd, a gogoniant ei bobl Israel! Amen.[57]

I'r Piwritaniaid gobaith i'r dyfodol oedd hwn; i Bantycelyn, gweledigaeth oedd yn dechrau cael ei wireddu ydoedd; i Charles roedd arwyddion clir bod y dydd hyfryd wedi cyrraedd, roedd y mil o flynyddoedd a oedd yn arwain at ddychweliad Crist wedi dechrau gwawrio:

> Those noble institutions, the Missionary, the Sunday School, together with the Bible Society added now to the other two, complete the means for the dispersion of divine knowledge far and near.[58]

A'r hyn a roddodd arwyddocâd mor arbennig i ffurfiant yr ymdrechion cenhadol yn Llundain oedd y diwygiad ysbrydol nerthol a dorrodd allan yn y Bala ym 1791. I Charles roedd y peirianwaith ymarferol i gyflawni'r weledigaeth a'r grymoedd tragwyddol a'i galluogodd i droi gobaith yn weledigaeth, a gweledigaeth yn realiti, bellach yn cael eu hasio. Nid breuddwyd gwag oedd hwn iddo; fel tyst roedd Charles yn brofiadol o'r cyfan. Prin y medrai fynegi ei ryfeddod pan soniai am ddeffroad yn y Bala. Ond nid cyffro'r profiadau, na llwyddiant y gwaith oedd flaenaf yn ei feddwl. I Charles roedd arwyddocâd eschatolegol i ddiwygiad y Bala a oedd yn ei wneud yn fwy na ffenomen leol.

> I bless God for these days, and would not have been without seeing what I now see in the land. No; not for the world. And I am not without hopes, but these are dawnings of the promised milen[n]ium, and showers that precede the storm which will entirely overturn the kingdom of darkness.[59]

Dyma'r gobaith a'r profiad a yrrodd egni ac ymdrech diflino Thomas Charles a'i gyfoedion. Os oedd yn gyffrous am ffurfio'r Gymdeithas Genhadol,[60] roedd ei frwdfrydedd o blaid Cymdeithas y Beibl yn fwyfwy dealladwy. Dyma fudiad a fodolai 'i roddi y Bibl, i'r holl fyd, yn iaith gynhwynol pob cenedl. Pa wrthrych mwy ardderchawg![61]

Trydydd dylanwad ffurfiannol gweledigaeth Charles oedd y syniad o dröedigaeth ei hun. Nid profiad emosiynol yn bennaf oedd tröedigaeth i'r Methodistiaid; golygai yn hytrach 'newid anian'.[62] Gallai Charles sôn am ddwyster ei brofiad ei hun wrth wrando ar Daniel Rowland yn pregethu ar Hebreaid 4:15 ar 20 Ionawr 1773 fel 'y cyfnewidiad a brofai dyn dall wrth dderbyn ei olwg, nid ydyw yn fwy na'r cyfnewidiad a brofais i y pryd hwnnw yn fy meddwl'.[63] Tröedigaeth, meddai, yw'r 'cyfnewidiad mawr cadwedigol y mae yr Ysbryd Glân yn ei effeithio ar y rhai a achubir', ac y mae 'yn gweithredu yn neillduol ar y meddwl i'w adnewyddu'.[64] Gan fod y 'meddwl' yn cynnwys 'galluoedd pennaf' yr unigolyn, does ryfedd i Charles dreulio gymaint o'i amser yn paratoi defnyddiau ar gyfer ei ysgolion ac ar gyfer porthi, hyfforddi a diwyllio meddwl gwerin gwlad. Neges y

Beibl oedd yn creu'r wybodaeth, yn ffurfio'r meddwl a oedd yn ei dro yn creu'r syched am wybodaeth fwy trwyadl o'r Beibl ei hun.

Gan mai'r Beibl i Charles yw y 'rhôl sanctaidd, yn yr hwn y cynnwysir meddwl dadguddiedig Duw y nefoedd', daw gwybodaeth am Dduw, dealltwriaeth o'i fwriadau a bywyd tragwyddol drwyddo. Nid llyfr arallfydol mo'r Beibl chwaith. Argyhoeddiad Charles a'i gyfoedion oedd bod modd creu diwylliant ffyniannus a chymdeithas wâr ar sylfeini Beiblaidd.[65] Roedd esgeuluso'r Ysgrythur yn fater difrifol i unigolion anllythrennog na allent ddarllen ei neges ac yn beth ffiaidd pan esgeulusa'r llythrennog ei neges. Felly, gan fod deall y Gair hwn o dragwyddol bwys tystiai: 'Nid oes dim yn fwy ar fy meddwl, ddydd a nos, na helaethiad gwybodaeth iachusol a defnyddiol ym mhlith fy nghydwladwyr hawddgar ac anwyl.'[66] Ac nid oedd achos mwy gwerthfawr na galluogi pobl i ddeall a'u meddwl a phrofi yn eu calon neges a gwirionedd y Beibl. Am hynny, gallai annog athrawon ysgolion Sul Ceredigion:

> Golygwch yr Arglwydd yn eich gwaith ac nid dynion: bydd golwg arno ef yn y gwaith yn llawer o gysur i chwi ynddo, ac yn eich nerthu i lynu wrtho. Os gwaith da yw, gwaith Duw ydyw; ac os yw dysgu plant i adnabod Duw a'r hwn a anfonodd efe Iesu Grist yn waith da, mae eu dysgu i ddarllen y Bibl yn waith da. Mae hyfforddi plentyn, y tlotaf yn y byd, ym mhen y ffordd i'r bywyd tragwyddol, yn fwy braint na phe byddech byw gan mlynedd yn y byd, ac yn marw y cyfoethocaf ynddo. Nid oes angel yn y nefoedd na chyfrifai yn fraint i wneuthur hyn pe cai orchymyn gan ei Arglwydd; ond nid angelion bïai y fraint hon, ond y gwaelaf o honom a berchen calon i afaelyd ynddo.[67]

Heblaw am amharodrwydd Sally Jones i ymadael â'r Bala, yr argyhoeddiad hwn am y Beibl, ac am statws breintiedig y Cristion mwyaf distadl hyd yn oed, a olygodd mai Cymru oedd maes gweithgarwch Thomas Charles.

Efallai bod cofnodion Cymdeithas y Beibl yn gywir wrth nodi gweithgarwch ymarferol gwŷr blaenllaw Llundain. Efallai yn yr ystyr trefniadol nad Thomas Charles oedd y cynlluniwr ymarferol a gododd y sefydliad ar ei draed. Ond fel clerigwr ordeiniedig, fel prif arweinydd ac athro mudiad y Methodistiaid Calfinaidd Cymreig, fel gŵr a oedd â'r cysylltiadau angenrheidiol y tu hwnt i Glawdd Offa, fel un a gafodd, am ennyd, weld addewid y gobaith gwynfydedig fel pe'n cael ei wireddu o flaen ei lygaid, Thomas Charles oedd yr un mwyaf addas i ddadlau achos Cymru ac angen cenedl am Feibl, ac yn y pen draw, angen y byd.

Mewn llythyr at Charles ar 8 Mawrth 1804, cofiodd Joseph Tarn am ddechreuadau Cymdeithas y Beibl:

> Fy anwyl Frawd, nis gallwn ni lai na chyd-lawenhau, pan ystyriom fod y gorchwyl hwn wedi cael ei ddechreuadau mewn ymddyddan a fu rhyngom ni ein dau, ar foregwaith a fydd i'w gofio byth.[68]

Angen Cymru, meddai Tarn, oedd 'y fflam' a roddodd fod i'r Gymdeithas. Disgrifiodd ymhellach achlysur sefydlu'r Gymdeithas cyn terfynu trwy weddi. Gweddi ydyw sy'n neidio o un darlun i'r llall ac sy'n goferu o ddelweddau ysgrythurol. Byddai wedi cynhesu calon Charles wrth iddo ei darllen yn ei gartref yn y Bala yng ngwanwyn 1804:

> Bellach, ymunwn mewn erfyniadau am i'r garreg sydd megis 'wedi ei thorri o'r mynydd, heb waith llaw' a'r un a welsom heddyw yn myned yn fryn, gynyddu hyd onid elo yn fynydd, ac y bwrio i lawr gestyll pechod a Satan, o'r dwyrain i'r gorllewin, ac o begwn i begwn; ac felly, er na byddwn ni byw i weled y dydd dysglaer, y caffom gyd-lawenhau am i ni gael gosod y maen cyntaf i adeilad a fydd yn barhaus, fel yr ydym yn gobeithio, ac yn llawenydd i'r holl ddaear.[69]

Dyma'r weledigaeth a gydiodd yn nychymyg miloedd yng Nghymru ac a grynhowyd yn englyn enwog Robert Williams, Pandy Isaf, a gladdwyd yn Llanfor ym 1815:

> Llyfr doeth yn gyfoeth i gyd – wych lwyddiant
> A chleddyf yr Ysbryd,
> A gair Duw Nef yw hefyd,
> Beibl i bawb o bobl y byd.[70]

Nodiadau

1. Thomas Frederick Trout, 'Thomas Charles', yn Leslie Stephen (gol.), *Dictionary of National Biography*, cyfrol 10 (1887), t. 113.
2. William Canton, *A History of the British and Foreign Bible Society*, Vol. 1 (London: 1904), t. 12.

[3] Eryn M. White, *The Welsh Bible* (Stroud: 2007), t. 103.

[4] Robert Jones, *Drych yr Amseroedd*, gol. G. M. Ashton (Caerdydd: 1958), t. 192.

[5] Ibid, tt. 38–9; gweler hefyd Thomas Jones, *Talfyriad o hanes Mr. Kicherer, Gweinidog yr Efengyl. Am ei lafur, ei beryglon, a'i lwyddiant yn mysg y Boschemen* (Bala: 1804), tt. 42–4, ynghyd a'r *Cofiant*, tt. 195–6.

[6] *Life*, II, t. 492.

[7] Ibid.

[8] John Owen, *History and Origin of the first ten years of the British and Foreign Bible Society* (London: 1817), tt. 8–9.

[9] *Cofiant*, tt. 193–4.

[10] *The First Five Reports of the British and Foreign Bible Society with Correspondence* (London: 1810), tt. 195–6.

[11] 'The known determination of the Society to furnish, with all possible expedition, a supply of the Welsh Scriptures, had raised the desponding minds of that ardent people, and stimulated them to extraordinary exertion on behalf of its funds. Mr Charles promoted it with persevering activity among those classes to which his itinerant labours gained him access. The Bishop of Bangor (Dr Warren) gave it the advantage of his recommendation; and instructed the Rural Deans throughout his diocese, to distribute its plans, and to solicit benefactions in its favour', Owen, *History and Origin*, tt. 8–9.

[12] Ibid, t. 41.

[13] 'Your Committee have availed themselves of the privilege with which they are invested, of electing Honorary Members and Governors for Life in the instances of Professor Bentley of Aberdeen, the Rev. T. Charles, B. A. of Bala, the Rev. Adam Clarke, LL.D,. William Muir, Esq., Christopher Sundius, Esq., James Gilbert Vandermissen, Esq of Altona, and the Rev. Dr. Hertzog, of Bâsle. The first of these has been appointed an Honorary Member; and the six last Honorary Governors for Life: and all have merited the distinction conferred upon them, by rendering, in their several departments, essential sevices to the Society,' *The First Five Reports*, t. 224.

[14] *Cofiant*, t. 198.

[15] 'Extract of a letter from a Clergyman in North Wales: 22 February: 1805', *The First Five Reports*, t. 48; cf. *Life*, II, t. 573.

[16] *The First Five Reports*, t. 28.

[17] Ibid. tt. 22–3.

[18] Ibid. tt. 85.

[19] Thomas Charles, *Trysorfa yn cynnwys Amrywiaeth o Bethau ar Amcan Crefyddol* (Bala: 1813), tt. 278–9, llythyr dyddiedig: 27 Chwefror 1811.

[20] *Cofiant*, t. 169.

[21] E. D. Evans, 'Y Parchedig Thomas Jones Creaton (1752–1845): arloeswr anghofiedig y Feibl Gymdeithas', *CCH* 32 (2008), 80–7 [83].

[22] 'These people were motivated by dissatisfaction with the publishing services of the Society for the Propagation of Christian Knowlege. An exclusively Anglican organisation, untouched by the evangelical revival, the SPCK had been the primary source of Bibles for Anglicans . . . But a small edition of Bibles in Welsh had been exhausted very quickly, and the SPCK saw no reason to rush any more into print. The tract society evangelicals, with their impatient energy, were unwilling to wait, and they were willing to inaugurate an alternative source of supply', Leslie Howsam, *Nineteenth Century Publishing and the British and Foreign Bible Society* (Cambridge: 1991), t. 4.

[23] *Cofiant*, t. 195.

[24] Charles at Thomas Scott: 15 Mai: 1787, *Life*, I, tt. 569–71.

[25] Evans, 'Thomas Jones Creaton', 82.

[26] Brodor o'r Hafod, Ceredigion, oedd Jones (1752–1845), a addysgwyd yn Ystrad Meurig a'i urddo'n ddiacon ac yn offeiriad yn esgobaeth Tyddewi. Bu'n gurad Llangynfelyn yn ei sir enedigol cyn symud i amryw fannau yn Lloegr. Fe'i penodwyd yn gurad ac yna'n rheithor Creaton, Swydd Northampton, lle arhosodd am 43 blynedd. Gw *Bywg*.

[27] Amdanynt gw. Donald M. Lewis (gol.), 2 gyfrol, *The Blackwell Dictionary of Evangelical Biography*: 1730–1860 (Oxford: 1996).

[28] David Ceri Jones, *A glorious work in the world: Welsh Methodism and the International Evanglical Revival: 1735–1750* (Cardiff: 2004).

[29] *Life*, I, t. 516.

[30] Aileen Fyfe, *Science and Salvation: Evangelical Popular Science Publishing in Victorian Britain* (London: 2004), tt. 4–5.

[31] J. J. Evans, *Morgan John Rhys a'i Amserau* (Caerdydd: 1935), tt. 23–4.

[32] Charles Stokes Dudley, *An Analysis of the System of the Bible Society* (London: 1821), t. 135; gw. hefyd F. K. Prochaska, *Women and Philanthropy in Nineteenth Century England* (New York: 2003), t. 23.

[33] Charles, *Trysorfa*, t. 185.

[34] Iolo Morganwg at Wallter Mechain, dyfynnwyd yn G. J. Williams, 'Llythyrau Llenorion', *Y Llenor* 6 (1927), 39.

[35] Thomas Charles a Thomas Jones (goln), *Trysorfa Ysbrydol, yn cynnwys Amrywiaeth o Bethau ar Amcan Crefyddol* (1813), 231.

[36] *Trysorfa Ysprydol* (1799), iii–iv.

[37] *Sermons Preached in London at the Formation of the London Missionary Society* (London: 1795), t. 425.

[38] *Evangelical Magazine*, 3 (1795), 425.

[39] Roger H Martin, *Evangelicals United: Ecumenical Stirrings in Pre Victorian Britain* (London: 1983), t. 25; gw. hefyd David W. Bebbington, *Evangelicalism in Modern Britain: A History from the 1730s to the 1980s* (London: 1989), t. 66.

[40] William Jones, *The Jubilee Memorial of the Religious Tract Society* (London: 1850), t. vi.

41 *Trysorfa Ysbrydol* (1799), 39, lythyr wedi ei ddyddio 30 Mawrth 1799, Llanuwchllyn.

42 Ibid., 53.

43 Ibid., 148.

44 *Trysorfa Ysbrydol* (1800), 94–5.

45 Ibid., 185–7.

46 *Cofiant*, t. 195.

47 Gweler Edgar Mckenzie, *A Catalogue of British Devotional and Religious books in German Translation From the Reformation to 1750* (Berlin: 1997). tt 70–1; am Bayly (bu f. 1631), brodor o Gaerfyrddin (fe dybir), a benodwyd yn esgob Bangor yn 1616, gw. *Bywg*.

48 Geraint Tudur, *Howell Harris: from Conversion to Separation, 1735–50* (Cardiff: 2000), t. 17.

49 Am Bietistiaeth a'i dylanwad Ewropeaidd gw. W. R. Ward, *The Protestant Evangelical Awakening* (Cambridge: 1992), idem, *Early Evangelicalism: A Global Intellectual History: 1670–1789* (Cambridge: 2006).

50 Stephen Neill, *A History of Christian Missions* (London: 1990), tt. 196–7.

51 *Geiriadur Ysgrythurol*, erthygl 'CYFAMOD'; cf. R. Tudur Jones, 'Athrawiaeth y Cyfamodau', yn D. Densil Morgan (gol.), *Grym y Gair a Fflam y Ffydd: Ysgrifau ar Hanes Crefydd yng Nghymru* (Bangor: 1998), tt. 9–16; Richard A. Muller, *Christ and the Decree: Christology and Predestination in Reformed Theology from Calvin to Perkins* (Grand Rapids: 2008).

52 David Hempton, *The Religion of the People: Methodism and Popular Religion* (London: 2003), t. 14.

53 Arwydd o'r hyder hwn oedd i John Owen osod ar wynebddalen ei gyfrol, 'And I saw another Angel fly in the midst of Heaven, having the everlasting Gospel to preach unto them that dwell on the earth, and to EVERY NATION, AND KINDRED, AND TONGUE, AND PEOPLE' Rev. xiv.6', *History and Origin*, wynebddalen.

54 Derec Llwyd Morgan, *Y Diwygiad Mawr* (Llandysul: 1980), tt. 248–78; E. Wyn James, 'Williams Pantycelyn a gwawr y mudiad cenhadol', yn Geraint H. Jenkins (gol.), *Cof Cenedl* 17 (Llandysul: 2002), tt. 65–101.

55 *Trysorfa Ysprydol* 1 (1799), 52.

56 Ibid., t. 54.

57 *Trysorfa Ysprydol* 2 (1800), 188.

58 *Life*, II, t. 517.

59 Ibid., tt. 88–91.

60 Thomas Charles a Thomas Jones, *Llythyr at Mr. T. Jones, o'r Wyddgrug; yn cynnwys hanes fer o for–daith lwyddianus y llong Duff. Yr hon a anfonwyd i drosglwyddo deg ar hugain o genhadau (Missionaries) i bregethu'r Efengyl i drigolion Paganaidd ynysoedd y Mor Deheuol: ynghyd ag ychydig annogaethau i gynnorthwyo'r gorchwyl pwysfawr a chanmoladwy* (Trefecca: 1799), tt. 11–12.

[61] *Trysorfa Ysprydol* 2 (1800), 94–5.
[62] Cf. Morgan, *Y Diwygiad Mawr*, tt. 139–74.
[63] *Cofiant*, t. 9.
[64] *Geiriadur Ysgrythurol*, gweler erthygl ar y 'MEDDWL'.
[65] *Gwas*, t. 13; cf. R. Tudur Jones, 'Diwylliant Thomas Charles o'r Bala', yn J. E. Caerwyn Williams (gol.), *Ysgrifau Beirniadol* 4 (Dinbych: 1969), tt. 98–120.
[66] *Geiriadur Ysgrythurol*, Rhagymadrodd yr Awdur.
[67] *Trysorfa Ysprydol* 2 (1800), 43.
[68] *Cofiant*, t. 196.
[69] Ibid., tt. 196–7.
[70] *Trysorfa Ysprydol* 2 (1800), 144.

4

Thomas Charles a'r Ysgrythur

Geraint Lloyd

Mae dwy ffordd o drafod perthynas Thomas Charles â'r ysgrythur.[1] Yn gyntaf, gellid cymryd llwybr hanesyddol a disgrifiadol trwy olrhain gweithgarwch Thomas Charles dros yr ysgrythur, gan sylwi ar ei ymdrechion addysgol yn yr ysgolion cylchynol, yr ysgolion Sul, ei gatecism, Cymdeithas y Beibl, a'r mudiad cenhadol.[2] At hyn, ychwaneger meistrolaeth ar destun y Beibl, yn yr ieithoedd gwreiddiol a'r Beibl Cymraeg yn ei holl gyfieithiadau ac argraffiadau, a wnaeth i R. Tudur Jones ddatgan yn hyderus na chododd arbenigwr rhagorach na Thomas Charles ar y Beibl Cymraeg.[3] Fodd bynnag, yn y bennod hon cymerir llwybr arall, trwy ofyn, nid *beth* wnaeth Charles ond *pam*? Amhosibl ateb y cwestiwn hwn heb drafod ei ddiwinyddiaeth, a'r ffynhonnell orau ar gyfer gwneud hynny yw'r *Geiriadur Ysgrythurol*.

Cwestiwn pwysig yw hwn er mwyn deall Thomas Charles ei hun ond hefyd mewn perthynas â'r Diwygiad Methodistaidd yntau. I rai, dau greadur gwahanol iawn yw Methodistiaeth o'r iawn ryw a diwinyddiaeth. Gwyddys am sylwadau R. T. Jenkins am ddiwygiad y ddeunawfed ganrif:

> Nid buchedd . . . na chredo, ond ysbryd a nerth. Gafaelodd y Diwygiad yn y teimlad; ysgydwodd y genedl drwyddi, ag ofn barn i ddechrau, ag ofn pechod a cholli wyneb Duw wedyn. Yna newidiodd y nodyn, a phregethodd faddeuant pechodau, heddwch a Duw, a bywyd tragwyddol o adnabyddiaeth ohono.[4]

O'r safbwynt hwn, 'tân dieithr' a gafwyd yn y Bala genhedlaeth yn ddiweddarach, o dan ddylanwad dyn mwy diwinyddol ei anian a oedd yn 'fath newydd ar Fethodist', chwedl John Roberts.[5] Serch hynny, un o blant y diwygiad oedd Thomas Charles, un o ddychweledigion Daniel Rowland, ac ni phetrusai ef na Williams Pantycelyn rhag ystyried yr arweinydd ifanc yn etifedd iddynt.[6]

Seiliodd R. T. Jenkins ei honiad am natur anniwinyddol y diwygiad ar ddiffyg eglurder yr arweinwyr ynghylch credoau Calfinaidd. A derbyn cywirdeb y ddadl hon,[7] tybed a ddylid cyfyngu diwinyddiaeth i athrawiaethau penodol Galfinaidd? Tybed nad oes posibilrwydd esgeuluso rhywbeth cwbl amlwg, sef bod unrhyw symudiad a roddai'r fath bwyslais ar y Beibl yn rhwym o fod yn un diwinyddol? Yn ei ymdriniaeth ag efengylyddiaeth ym Mhrydain er dechrau'r ddeunawfed ganrif, un o bedair nodwedd y symudiad y sonia'r hanesydd D. W. Bebbington atynt yw'r hyn a eilw'n 'feiblyddiaeth' (*biblicism*).[8] Wrth hyn, golyga barch mawr at y Beibl a'r gred taw yma y ceir pob gwirionedd ysbrydol. Serch hynny, noda fod cryn amrywiaeth o ran manion credoau'r gwahanol arweinwyr efengylaidd am y Beibl, a'u prif nod oedd annog darlleniad defosiynol ohono, ond i agweddau galedu yn ddiweddarach yn y bedwaredd ganrif ar bymtheg. Ac yntau'n blentyn y ddeunawfed ganrif a fu farw ar ddechrau'r bedwaredd ganrif ar bymtheg, gallai syniadau Thomas Charles am y Beibl helpu i bwyso a mesur cywirdeb yr asesiad hwn.

Cylchoedd Diwinyddol Thomas Charles

Y Cylch Catholig

Wrth astudio tystiolaeth y *Geiriadur* a'r hyn a ddywed am syniadau Thomas Charles am y Beibl, un darganfyddiad trawiadol yw pa mor eclectig yw cefndir y syniadau hyn. Siarada Gwilym H. Jones ar ran llawer wrth drafod awdur y *Geiriadur*:

> Yr oedd ei gyfundrefn ddiwinyddol mor glir ac awdurdodol trwy ei holl waith ag oedd ei gred yn awdurdod a dwyfoldeb yr Ysgrythur. Calfiniaeth, wrth gwrs, oedd y gyfundrefn ddiwinyddol honno . . . dyma'r gyfundrefn oedd yn rhoi fframwaith i'w feddwl.[9]

Tybed? A yw'n bosibl i gred Charles 'yn awdurdod a dwyfoldeb yr ysgrythur' dymheru unrhyw ymlyniad unllygeidiog wrth gyfundrefn ddiwinyddol? Ceir lle i gredu hyn ar sail y *Geiriadur*. Byddai pwyslais Bebbington ar le'r Beibl yn efengylyddiaeth yn gamarweiniol pe bai'n awgrymu na phrisid y Beibl ryw lawer cyn y ddeunawfed ganrif. I'r gwrthwyneb, bu'r Beibl yn sylfaenol i Gristionogaeth o'r dechrau, a cheir adlais o hyn yn y cylch cyntaf y mae'n rhaid edrych arno wrth drafod Charles, y cylch allanol a'r mwyaf, sef y cylch catholig, neu Gristionogaeth yr oesoedd.[10]

Trwy'r Beibl gallai Thomas Charles bontio rhwng y Bala ar droad y bedwaredd ganrif ar bymtheg a chanrifoedd cynnar yr eglwys, am ei fod yn darllen yr un llyfr â thadau'r eglwys fore, ac yn gwneud hynny am fod y llyfrau hyn yn wahanol i bob llyfr arall. Trafodir canon yr ysgrythur yn yr erthygl ar yr Apocryffa, ac wrth wadu bod statws canonaidd i'r Apocryffa, seilir y ddadl ar yr ysgrythur ond hefyd ar dystiolaeth yr eglwys:

> Nid oes un o ysgrifenwyr y Testament Newydd yn sôn dim amdanynt. Origen, Athanasius, Hilary, Cyril o Jerusalem, a'r holl ysgrifenwyr uniongred yn y prif oesoedd , y rhai a roddant gofrestrau o'r llyfrau Canonaidd, ydynt yn unfryd yn eu gwrthod.[11]

Ni ddyfynnir y tadau uchod yn uniongyrchol, gan awgrymu taw gwybodaeth ail law sydd gan Charles, eto dangosant ei ymdeimlad o berthyn i draddodiad mawr yr Eglwys. Clywir adlais o'r farn gatholig am y Beibl yn sylwadau Charles am ysbrydoliaeth y Beibl, na roddai lawer o le i ran yr awduron dynol.[12] Ar ôl cyfeirio at 2 Pedr 1:21 a nodi i'r awduron Beiblaidd lefaru 'megis y'u cynhyrfwyd gan yr Ysbryd' ychwanega'r sylw canlynol:

> Nid o ewyllys dyn y daethant [sef geiriau'r Beibl]; ond yr Ysbryd Glân a gynhyrfodd y rhai a ysgrifennodd i hynny. Efe oedd yn gweini y defnydd iddynt, sef y mater am ba un yr oeddent i lefaru ac ysgrifennu; efe oedd yn eu cyfarwyddo a'u cynorthwyo pa fodd i'w osod allan; pa ddull, a pha eiriau i'w defnyddio.[13]

Y Cylch Diwygiedig

Os nad yw dyled Charles i Gristionogaeth gatholig yn taro'r darllenydd yn syth, y rheswm am hynny, fwy na thebyg, yw bod cylch arall amlycach yn brigo yn ei fyfyrdodau, sef y cylch Diwygiedig. Cylch oddi mewn i Gristionogaeth gatholig yw hwn, am nad difetha

Cristionogaeth y gorffennol ond ei 'diwygio' oedd nod Luther a'i olynwyr. Atseinia'r traddodiad hwn trwy'r *Geiriadur*:

> Yn llyfrau yr Hen Destament a'r Newydd y mae Duw wedi rhoddi datguddiad cyflawn o'i feddwl a'i ewyllys i ni, mewn perthynas i bob peth sydd i'w credu a'u gwneuthur er ei ogoniant ef, ac er ein hiechyd-wriaeth, ein cysur, a'n dedwyddwch tragwyddol ninnau.[14]

Trwy'r un gair 'cyflawn', dengys Charles ei ddyled i'r Diwygwyr Protestannaidd, a'u hathrawiaeth ynghylch digonolrwydd yr ys-grythur. Roedd hwn am y pared â dysgeidiaeth Eglwys Rufain, a ffurfiolwyd yng Nghyngor Trent (1546), bod dwy ffynhonnell i ddatguddiad Duw: yr ysgrythur a thraddodiad.[15] Nage, meddai'r Diwygwyr, ni all yr Eglwys ei gosod ei hun yn gydradd â'r ysgrythur ond dylai ymostwng i'w hawdurdod terfynol. Un o egwyddorion creiddiol y *Geiriadur* yw hon ac fe'i ceir ym mharagraff agoriadol y rhagymadrodd:

> Nid oes dim perthynol i'n cyflyrau a'n dedwyddwch mewn byd arall, na dim sydd yn perthyn i'n hamgylchiadau a'n dyletswyddau yn y byd hwn, nad ydyw Duw, yn Ei Air Sanctaidd, wedi rhoddi cyflawn gyf-arwyddiad i ni pa fodd i ymddwyn ym mhob peth, ym mhob sefyllfa, a thuag at bawb.[16]

Nid nad oes datguddiad arall heblaw'r ysgrythur, fel yr eglurir mewn perthynas â'r creu,[17] ond nid datguddiad achubol mo hwn. Nid oes neges o iachawdwriaeth i bechaduriaid yn y creu, ond dyna a geir yn yr ysgrythur:

> Y mae gwybodaeth o drefn y greadigaeth, a naturiaethau pethau yn fuddiol, mor belled ag y mae tragwyddol allu y Duwdod yn cael eu hysbysu trwyddynt; ac hefyd yn fuddiol, mewn amrywiol o ystyriaethau, tuag at hwyluso negeseuon y bywyd hwn; ond nid oes dim hyfforddiad i gael ynddynt a thrwyddynt pa fodd y mae i bechadur gael ei gymodi â Duw, a'i waredu oddi wrth bechod.[18]

Ni ddeuai iachawdwriaeth trwy waith sagrafennol yr eglwys, ond trwy'r efengyl a ddatguddir yn y Beibl. Diddorol yw sylwi, yn y cyswllt hwn, ar ddiffiniad cyntaf Charles o eglwys, heb unrhyw sôn am gymun na bedydd: 'Eglwys Dduw, neu gynulleidfa, neu gymdeithas ddynion wedi eu galw gan Dduw, trwy bregethiad yr efengyl i addoli Duw yng Nghrist, yn ôl rheol y gair'.[19]

Roedd Charles, felly, yn olyniaeth y Diwygiad Protestannaidd yn ei agwedd at yr ysgrythur, wrth nodi gwedd ddatguddiol ac achubol yr ysgrythur, a *Sola Scriptura* law yn llaw â *Sola Fide*. Fodd bynnag, roedd elfen arall i'r dylanwad hwn. Sut y gellir gwybod taw Gair Duw yw'r Beibl? Roedd digon yn amau'r honiad hwn yn nyddiau Charles, ac mae adlais o'r dadleuon â meddylwyr Deistaidd yr ail ganrif ar bymtheg a dechrau'r ddeunawfed ganrif yn y *Geiriadur*. Wrth drafod datguddiad, meddai: 'Y mae y datguddiad dwyfol hwn o feddwl Duw, a roddwyd i ni yn yr ysgrythurau sanctaidd, â phrawf diamheuol iddo, tufewnol ac allanol, o'i sicr wirionedd.'[20]

Yn yr erthygl hon y dystiolaeth allanol a gaiff y sylw: y proffwydoliaethau a wireddir, cymeriad yr awduron, undod y cynnwys. Fodd bynnag, sylwer ar y gair 'tufewnol', sef 'goddrychol', nas datblygir yma ond a gaiff sylw mewn erthygl arall:

> [y] mae yr un gwrthrychau yn cael eu hamlygu i bawb sydd â'r ysgrythurau sanctaidd ganddynt; ond nid ydyw pawb yn eu canfod yn yr un modd, oblegid bod gorchudd ar galonnau y rhan amlaf o ddynion . . . Y mae Duw, gyda rhoddi y gwrthrychau yn amlwg o'u blaen, yn llewyrchu i galonnau ei bobl, i roddi iddynt oleuni gwybodaeth gogoniant Duw, yn wyneb Iesu Grist.[21]

Yma gwelir eto ddylanwad y Diwygiad Protestannaidd ar feddwl Charles. Roedd rhaid i Calfin wynebu honiad Eglwys Rufain fod y Beibl yn ei ffurf ganonaidd yn benderfyniad eglwysig ac, o'r herwydd, yn dangos bod gan yr Eglwys awdurdod ar y Beibl. Ymateb Calfin oedd dadlau nad yr Eglwys a roddai awdurdod i'r Beibl ond Duw ei hun wrth iddo siarad drwyddo.[22] Gwnaeth hynny trwy waith yr Ysbryd Glân a oedd yn gryfach nag unrhyw ddadl resymegol, ac yn rhoi sicrwydd dyfnach.[23] Daeth y gred hon yn un o gonglfeini'r ddysgeidiaeth Ddiwygiedig am y Beibl, a'i mynegi ganrif yn ddiweddarach ym mhennod agoriadol fawr Cyffes Westminster am yr ysgrythur (I.v):

> We may be moved and induced by the testimony of the Church, to an high and reverent esteem of the Holy Scripture. And the heavenliness of the matter . . . are arguments whereby it doth abundantly evidence itself to be the Word of God; yet notwithstanding, our full persuasion

and assurance of the infallible truth, and divine authority thereof, is from the inward work of the Holy Spirit, bearing witness by, and with the Word, in our hearts.

Y rheswm am oedi gyda'r agwedd hon yw ei bod yn arbennig i Charles yng Nghymru ar y pryd. Rhag ofn bod rhywun yn meddwl bod hon yn farn gyffredinol i bawb, sylwer ar bennod George Lewis ar yr ysgrythur ar ddechrau'r *Corph o Dduwinyddiaeth* (1796), lle rhoddir rhestr o resymau dros gredu taw Gair Duw yw'r Beibl heb grybwyll gwaith yr Ysbryd. Felly hefyd ail erthygl *Cyffes Ffydd* Methodistiaid Calfinaidd 1823 sy'n hepgor pob sôn am yr Ysbryd mewn perthynas â'r Beibl , ac eithrio'n anuniongyrchol trwy effeithiau'r ysgrythur ar fywydau pobl.

Y Cylch Methodistaidd

Oddi mewn i'r cylch Diwygiedig rhaid dechrau gyda Methodistiaeth Thomas Charles. Er na chyflwynodd Methodistiaeth unrhyw athrawiaethau newydd, roedd pwysleisiau gwahanol, ac un o'r amlycaf oedd yr argyhoeddiad taw llyfr i bawb oedd y Beibl. Yn wahanol i'r gweithiau diwinyddol a ysgrifennwyd yn Lladin neu Saesneg y cyfeiria atynt mor aml, dewisodd Charles ysgrifennu yn y Gymraeg ac eglura'i reswm dros wneud hyn yn ei ragymadrodd:

> Mae GEIRIADUR YSGRYTHUROL yn dra angenrheidiol yn y Gymraeg, i'r Cymry uniaith, y rhai, trwy ddaioni Duw, sydd, lawer ohonynt, yn newynu ac yn sychedu am wybodaeth o wirioneddau yn Ei Air.[24]

Mudiad Beiblaidd oedd yr adfywiad Methodistaidd i Charles a thrwy'r Beibl yr oedd yn dilyn ac yn coroni gweithgarwch y canrifoedd blaenorol i gyfieithu a chyhoeddi'r Beibl:

> [y]r ydoedd Cymru eto yn aros mewn tywyllwch du, a dygn anwybodaeth, wedi ei gorchuddio ag eilunaddoliaeth a choelgrefydd; eto, am fod gan Dduw fwriad am waredu miloedd yng Nghymru, gofalodd am y moddion gwerthfawr hyn i ninnau, yn iaith ein mamau.[25]

Mudiad Cristganolog hefyd oedd Methodistiaeth Galfinaidd, ond ni wêl Charles unrhyw wrthdaro rhwng trysori'r Beibl ac addoli Crist, gan taw Crist y Beibl yw ei Grist ef. Yn ei erthygl ar 'IESU', eglura oblygiadau defosiynol yr argyhoeddiad hwn:

> Wrth ddarllen hanes yr Efengylwyr amdano, gwelwn ef â llygad y meddwl megis yr oedd yma yn y byd, fel pe buasem gwedi ei weled yn y cnawd, a chyfeillachu ag ef. Mae y drych sydd yn ei ddangos yn ddwyfol, yn gystal â'r gwrthrych a ddatguddir ynddo. Gwyn eu byd y rhai a welsant ei ogoniant ef yn y drych.[26]

Mudiad moesol hefyd oedd Methodistiaeth a anelai at wir dduwioldeb ymarferol ymhlith proffeswyr. Clywir y pwyslais hwn hefyd mewn perthynas â'r Beibl, wrth i Charles geryddu ei ddarllenwyr yn ddi-flewyn-ar-dafod am esgeuluso'r Beibl:

> Y mae holl ddull dygiad plant i fyny ymhlith Cristnogion yn dra beius yn hyn. Dysgir pob peth iddynt yn hytrach na'r Ysgrythurau, yn gyffredin; ac ychydig o ymdrech sydd yn y gorau i ddangos yr angenrheidrwydd anhepgorol iddynt wybod, credu, a gweithredu yr Ysgrythurau, er eu dedwyddwch mewn byd arall.[27]

Yr un yw'r agwedd wrth i Charles drafod cymeriadau'r Beibl; mae'n nodi'r gwersi a oedd yn hawdd eu trosglwyddo i sefyllfa credinwyr o bob math yn ei ddydd: amcanion Duw trwy ragluniaethau anodd yn achos Joseff, gras Duw wrth alw pechaduriaid a natur ffydd yn achos Abraham, peryglon pechod a maint cariad Duw at bechaduriaid yn hanes Dafydd.

Y Cylch Uniongred

Fodd bynnag, ni ellir cyfyngu agwedd Charles at yr ysgrythur i'r diwylliant Methodistaidd. Un arall o nodweddion trawiadol y *Geiriadur* yw'r pwyslais ar ieithoedd gwreiddiol y Beibl. Os oedd yr Ysbryd Glân wedi defnyddio ieithoedd penodol, dylid darllen yr Ysgrythur yn yr ieithoedd hynny, a dysgu'r ieithoedd hynny:

> [n]is gallaf lai nag edrych arno yn fai nid bychan ar y neb a gaffo gyfleustra, iddo esgeuluso dysgu yr ieithoedd ym mha rai yr ysgrifennwyd yr Hen Destament a'r Newydd, ac arfer eu darllen yn yr ieithoedd hynny. Y mae godigowgrwydd a rhagoroldeb hynod iddynt yn iaith yr Ysbryd

> Glân, rhagor un cyfieithiad a ddichon neb ei roddi, mewn unrhyw iaith, ac nid yw y llafur ond bychan i feddiannu yr hyn sydd yn anghymharol werthfawr a defnyddiol.[28]

Gwelir y sylw hwn i eiriau a'u defnydd yn y Beibl droeon, a ddeilliai'n rhannol o'i waith manwl ar destun y Beibl e.e. wrth drafod y gair 'iechydwriaeth':

> Y mae dull *neilltuedig*, yn lle *cyd-gasgledig* (*abstract for the concrete*) yn dra arferedig yn yr ysgrythurau; dull ag sydd yn gosod yr ystyr allan yn y modd cadarnaf ac effeithiolaf; megis *gair iechydwriaeth*, yn lle y gair sydd yn datguddio gwaredigaeth; *gorfoledd iechydwriaeth*, yn lle gorfoledd ynglŷn wrth waredigaeth oddi wrth beryglon mawrion; *craig iechydwriaeth* yn lle craig sydd yn rhoddi noddfa a chysgod; *corn iechydwriaeth*, yn lle gallu ac awdurdod yn gweithredu gwaredigaeth a diogelwch; felly, tŵr iechydwriaeth, tarian iechydwriaeth, &c. Nid oes un dull o ymadroddi yn fwy cyffredin na hwn yn iaith yr Ysgrythurau Sanctaidd.[29]

Er bod modd olrhain yr agwedd hon yn ôl i'r Diwygiad Protestannaidd,[30] ac er ei fod hefyd yn gydnaws ag athrawiaeth ysbrydoliaeth Cristnogaeth gatholig, efallai fod mwy o le i'w phriodoli at y diwinyddion Protestannaidd uniongred yr oedd gan Charles gryn feddwl ohonynt, fel y nododd mewn llythyr at Edward Morgan:

> Some of the old German and Dutch divines I judge preferable; such as Jerome Zanchius, Musculus, Vetringa, Venema, Witsius, Cocceius, &c. I think Turretin's works would be very useful to you. It is an excellent body of divinity.[31]

Diwygwyr yr ail a'r drydedd genhedlaeth ynghyd â'u disgynyddion oedd y rhain, pan oedd newydd-deb y Diwygiad yn dechrau pylu, a'r dadleuon rhwng diwinyddion Protestannaidd ac amddiffynnwr Rhufain yn dwysáu. Ymosodwyd ar *Sola Scriptura* trwy dynnu sylw at ddiffygion yn y testun, e.e. absenoldeb llafariaid yn yr Hen Destament, yr oedd angen arweiniad yr Eglwys i'w goresgyn, neu werth y Fwlgat. Yn y cyswllt hwn, hawdd deall y pwyslais neilltuol a roddwyd ar destun y Beibl. Yn hyn o beth, roedd cyswllt rhwng y diwinyddion uniongred Protestannaidd a'r ddealltwriaeth gatholig am y Beibl, a cheir hyn hefyd yn y *Geiriadur*. Datguddiad dwyfol yw *dysgeidiaeth* yr ysgrythur, a'i *fynegiant* geiriol hefyd. Eglura Charles sut y cyflawnwyd hyn: 'Yr oedd yr athrawiaethau yn cael eu cyflwyno i'w meddyliau, wedi'u gwisgo a'u priodol ymadrodd. Mae y geiriau a'r ymadroddion yn ddwyfol, yn gystal â'r athrawiaethau.'[32] Uniaethir Gair Duw â geiriau'r awduron unigol.

I'r diwinyddion uniongred hyn yr ymddengys fod Charles yn fwyaf dyledus o ran ei ddull diwinyddol. Nid oes angen pori'n hir ym *magnum opus* Herman Witsius, *De oeconomia foederem Dei cum homnibus* ('Gweinyddiad Cyfamodau Duw â'r Ddynoliaeth')[33] cyn deall pam yr oedd Charles mor frwd ei farn amdano. Heblaw am y cynnwys a adleisir yn erthygl y *Geiriadur* ar 'CYFAMOD', gwelir hefyd ddull Witsius o resymu ar sail geiriau'r Beibl yn eu ffurf wreiddiol:

> Gan taw trwy eiriau, yn enwedig yn yr ieithoedd hynny y rhyngodd fodd i Dduw ddatgelu ei ddirgelion sanctaidd i ddynion trwyddynt, y gallwn, yn lled hyderus, ddod i wybod pethau; bydd o fudd i ni ymholi'n fanylach i ystyr y gair Hebraeg *berit* a'r gair Groeg *diathece*, y defnyddia'r Ysbryd Glân ar y pwnc hwn.[34]

Afraid ychwanegu mor ganolog yw'r gred hon i gyfrol Charles. Dewisodd gyflwyno'i wybodaeth Feiblaidd ar ffurf eiriadurol. Am taw'r Ysbryd Glân biau geiriau'r Beibl, rhaid i ddiwinyddiaeth barchu'r ffiniau ieithyddol a bennwyd gan y testun Beiblaidd:

> 'Megis y cynhyrfwyd' sef y cyfarwyddwyd, ac y dysgwyd hwynt, yr oeddynt yn llefaru ym mhob ystyr. Er bod gan bob ysgrifennydd ei ddull priodol ei hun o ymadroddi, eto, yn yr holl amrywiaeth hyn, yr Ysbryd Glân oedd yn dysgu pob un ohonynt, yn y dull hwnnw. Dylem, gan hynny, wylied rhag cyfnewid na gwyrdroi iaith yr ysgrythurau, nac arfer dull o ymadroddi anysgrythurol am wirioneddau dwyfol, neu na arferir yn yr ysgrythurau. Ni ddichon neb byth wisgo y gwirionedd â gwisg mwy addas iddo, ac i'w ddangos yn olau ac yn gywir, nag a wisgwyd amdano gan yr Ysbryd Glân. Ynfydrwydd a rhyfyg yw ymgais at hynny, a pheryglus a niweidiol iawn. Nid bathu a ffurfio ymadroddion newyddion am bethau, ond iawn ddeall yr Ysbryd Glân, weddai fod yn llafur pob Cristion.[35]

Wrth gyflwyno'i ddeunydd, bwriadai Charles y byddai darllenwyr y *Geiriadur* yn astudio'r Beibl mewn modd arbennig gan ddechrau gyda'r geiriau:

> Y mae pawb hyddysg â darllen unrhyw iaith yn gydnabyddus â defnyddioldeb GEIRIADUR. Diben GEIRIADUR YSGRYTHUROL yw egluro geiriau arferedig yn yr Ysgrythurau. Mae hyn yn arwain yn naturiol i agor athrawiaethau – egluro testunau – a rhoddi hanes defodau, personau enwog, neu deyrnasoedd, &c. y sonnir amdanynt yn yr Ysgrythurau Sanctaidd . . . Mae GEIRIADUR yn barod, yn gyfleus, ac yn hawdd i bawb ei ddefnyddio. Os na bydd i'r darllenydd gael yr hyn y mae yn chwilio amdano dan un gair, edryched un arall perthynol i'r un achos – ac y mae yn fuddiol, yn aml i edrych y geiriau sydd ag ystyr gwrthwyneb i'w gilydd; megis CREDINIAETH ac ANGHREDINIAETH – CARIAD ac ANGHARIAD – UFUDD-DOD ac ANUFUDD-DOD – CYFRAITH ac ANGHYFRAITH, &c. Yr wyf yn golygu i'r darllenydd edrych ar yr Ysgrythurau cyfeiriol a roddir i lawr, am eglurhad mwy helaeth o'r mater y traethir amdano.[36]

Dyma fethodoleg ddiwinyddol Thomas Charles, felly: 'egluro geiriau arferedig yn yr ysgrythurau' ac wedyn 'agor athrawiaethau'. Yr enghraifft orau o hynny ar waith yw'r *Geiriadur* ei hun, a phob gair wedi'i roi yn nhrefn yr wyddor a phob gosodiad athrawiaethol wedi'i adeiladu'n gyntaf ar ddiffiniad o'r geiriau. Ategu'r egwyddor hon y mae unwaith eto ar ddiwedd ei ragymadrodd wrth egluro'r hyn yw diwinyddiaeth yn ei olwg ef: '*Bonus Textuarius, est bonus Theologus* – Bod yn Ysgrythurwr da, yw bod yn Ddiwinydd da'.[37]

Y Cylch Anglicanaidd

Gan amlaf, pan ddyfynna Charles ddatganiad cyffesiadol, Erthyglau Eglwys Loegr yw'r gyffes honno.[38] Yn wahanol i'r cylchoedd mewnol eraill, byddai rhaid i hwn groesi'r ffin Ddiwygiedig oherwydd agwedd fwy agored yr Eglwys Anglicanaidd at draddodiad, a gellir dehongli parch Charles at Gristionogaeth gatholig yn y cyswllt hwn. Nodir y dylanwad hwn wrth iddo drafod yr Aprocryffa:

> y llyfrau hynny yn ein Beiblau ni, nad ydynt yn Ganonaidd; sef heb fod o awdurdod dwyfol, a chwedi eu hysgrifennu gan ysbrydoliaeth Duw . . . Oherwydd eu hynafiaeth, y mae gradd o barch wedi ei roddi iddynt ym mhob oes, ac nid fel yr ysgrifeniadau dwyfol, nac yn gydradd mewn awdurdod â'r Ysgrythurau Sanctaidd.[39]

Yr hyn sydd i'w nodi yn yr erthygl hon yw'r cyferbyniadau meddwl. Ar y naill law, dywedir nad oes i'r llyfrau hyn awdurdod am nad ydynt wedi'u hysbrydoli, nac, o'r herwydd, yn perthyn i'r canon. Ar y llaw arall, ni fyn Thomas Charles warafun iddynt le 'yn ein Beiblau ni'. Dylid eu parchu 'oherwydd eu hynafiaeth'. Yn hyn o beth roedd yn bur wahanol i'r Piwritaniaid a luniodd Gyffes Westminster, a anwybyddodd y llyfrau hyn yn llwyr, ond yn nes o lawer at yr hen Ddiwygwyr Anglicanaidd, a hwn yw'r darn dadlennol yn ei erthygl:

> Y mae Eglwys Loegr, yn ei chweched Erthygl, 'yn eu derbyn fel llyfrau (fel y dywed Jerome) i'w darllen er siampl buchedd, ac addysg moesau; eto nid yw yn eu gosod i sicrhau un athrawiaeth.'[40]

Mae'n debyg y gellid olrhain Cymreictod y *Geiriadur* hefyd i'r ffynhonnell Anglicanaidd hon. Oherwydd ei natur diriogaethol, roedd yn haws i'r eglwys sefydledig ddatblygu hunaniaeth genedlaethol, a chryfhawyd hyn gan y ffaith i ddyneiddiaeth y Dadeni a phwyslais y Diwygiad ar y Beibl gyrraedd Cymru ar yr un pryd. Trwy'r Gymraeg a'r Beibl Cymraeg honnid cysylltiad ag oesoedd cynnar y genedl. Yn ei ragymadrodd i Destament William Salesbury, dadleuodd Esgob Tyddewi, Richard Davies, ar sail atgofion personol a thystiolaeth enwau priod ac enwau lleoedd fod darnau o'r Ysgrythur ar gael ers canfrifoedd yn iaith y Cymry. Dyfynna Charles y dadleuon hyn yn eu crynswth yn ei erthygl ar y Beibl, lle edrydd hanes y Beibl Cymraeg o'r Oesoedd Canol hyd ffurfio Cymdeithas y Beibl ym 1804.

Agwedd arall at y Beibl sy'n werth ei nodi yn Charles yw'r modd y mae'n wrthglawdd yn erbyn yr ymgecru diwinyddol a oedd yn wrthun i Charles:

> Dylem ochelyd pob peth a fyddo yn tueddu i fagu ymrysonau ymhlith ein gilydd, (2 Tim. 2:23) megis 'ynfyd ac annysgedig gwestiynau' . . . Ymofynion ymhlith pethau nad ydynt wedi eu datguddio i ni, a phethau nad ydynt yn tueddu er adeiladaeth, ond i borthi ymchwydd meddwl cnawdol dyn. Col. 2:18. Gyda'r cyfryw ymofynion y treulia crefyddwyr gwag y rhan fwyaf o'u meddyliau a'u hamser, gan ddadlau yn boethlyd, yn haerllug, ac yn awdurdodol, ynghylch pethau o ychydig bwys, ac, yn aml, pur annealladwy iddynt eu hunain.[41]

Y drwg yn yr achos hwn yw crwydro rhag y Beibl ('pethau nad ydynt wedi eu datguddio i ni'). Anodd peidio â gweld dylanwad ei arwr mawr a heddychol, John Newton. Er bod hwn yn derbyn athrawiaeth etholedigaeth, roedd hefyd yn ymwybodol y gellid llygru'r ddysgeidiaeth hon, a'i heilunaddoli, gan fygu pwyslais efengylaidd y Beibl sy'n gwahodd pawb i droi at Grist.[42] I Newton, pwyll piau hi, a'r llwybr mwyaf pwyllog oedd glynu'n agos wrth y Beibl heb gwympo i fagl y systemau diwinyddol.[43] Os lluniodd Charles eiriadur, neu ganllaw i'r Beibl yn hytrach na chorff o ddiwinyddiaeth yn y dull clasurol, tybed nad y ffrwd hon yn Anglicaniaeth Lloegr sy'n rhannol gyfrifol am hynny?

Gwelir o'r sylwadau uchod fod angen amodi ychydig ar sylwadau R. T. Jenkins am deimladrwydd di-gredo'r Diwygiad Methodistaidd, ac ychwanegu persbectif eglwysig ehangach at sylwadau Bebbington am 'Beiblyddiaeth' y Diwygiad Efengylaidd, o leiaf yn achos Thomas Charles. Efallai taw'r cymhlethdod hwn yw un o'r rhesymau na fu iddo olynydd diwinyddol. Yn fuan ar ôl ei ddyddiau ef, collwyd yr undod rhwng y gwahanol elfennau y sylwir arnynt uchod. Daeth cyfnod y diwinydda llawdrwm, aeth Methodistiaeth yn fwy teimladol a moesol, a phellhau'n raddol o'r cylch Diwygiedig a wnaeth y cylch Anglicanaidd at ei gilydd. Erbyn diwedd y bedwaredd ganrif ar bymtheg ac i mewn i'r ganrif ddilynol cafwyd gwahanol bwysleisiau: rhai'n fwy diwinyddol, eraill yn fwy ymarferol, eraill yn fwy teimladwy, eraill yn fwy hanesyddol eu bryd, mewn cynulleidfaoedd gwahanol, neu enwadau gwahanol. Dengys Charles nad oedd rhaid iddi fod felly. Gellid bod yn ddysgedig ac yn boblogaidd, yn ddiwinyddol ac yn ddefosiynol, yn draddodiadol ac yn gyfoes, a hynny'n unol â'r datguddiad achubol o Iesu Grist yn y Beibl.

Fodd bynnag, er bod amlochredd diwinyddiaeth Thomas Charles yn rhan o'i athrylith, nid yw heb ei broblemau, gan nad gwaith hawdd yw cysoni pwysleisiau'r gwahanol gylchoedd a nodir. Sut oedd cynnal pwyslais poblogaidd, teimladol Methodistiaeth ynghyd â gogwydd deallusol uniongrededd Protestannaidd, heb sôn am elfennau sefydliadol catholigrwydd? Noda Gwilym H. Jones rai bylchau o safbwynt ysgolheigaidd.[44] A beth wnaeth y Cymry uniaith o'r anogaethau i ddysgu Groeg a Hebraeg? A'r holl ddyfyniadau Lladin? Mewn perthynas ag athrawiaeth yr ysgrythur, gellir nodi'r tyndra rhwng y geiriau a dysgeidiaeth y Beibl. Dadleua Charles na ddylid ond defnyddio'r geiriau a geir yn y Beibl, ac eto, ni all gadw at yr egwyddor hon oherwydd ei ddyled i Gristnogaeth gatholig a oedd yn barod i fathu geirfa newydd i egluro ac amddiffyn athrawiaeth Person Crist. Mabwysiada Charles yr ieithwedd hon heb ddyfynodau:

> . . . cenedledig gan y Tad cyn yr oesoedd, yn gydsylweddol, yn ogyd-dragwyddol, a gogyfuwch â'r Tad o ran ei ddwyfolder; yn llai na'r Tad, ac o sylwedd Mair Forwyn, o ran ei natur ddynol . . .[45]

> Nid person dynol a gymerodd, ond natur ddynol, i undeb personol â'i Berson Dwyfol. Y mae ynddo ddwy natur, ond un Person a hwnnw'n Berson Dwyfol.[46]

Fodd bynnag, y dylanwad Diwygiedig a'i bwyslais ar neges achubol y Beibl yw'r un anoddaf ei gysoni â methodoleg eiriadurol Thomas Charles. Gwelir hyn yn erthygl hwyaf y gyfrol, ar bwnc y Cyfamod.[47] Mae'r erthygl yn enghraifft loyw o ddull diwinyddol Charles ar waith. Mae'n dechrau gyda'r geiriau, gan nodi'r tri gair Hebraeg a'r un gair Groeg a gyfieithir gan y gair Cymraeg 'Cyfamod' a chyflwyno hefyd wahanol fân ystyron y geiriau hyn.[48] Dyna gyflawni gwaith y geiriadurwr, ond gwelir bod Charles yn gwneud mwy na hynny pan â yn ei flaen i roi diffiniad llawnach o ystyr 'Cyfamod':

> Y datguddiad graslawn o ewyllys Duw, mewn perthynas i iechydwriaeth pechaduriaid, trwy y Cyfryngwr mawr, Iesu Grist. Rhoddwyd amrywiol amlygiadau o'r drefn ddwyfol hon i'r eglwys, gyda graddol chwanegiad goleuni, o'r addewid yn Eden, hyd ddyfodiad y Meseia.[49]

Nid diffiniad geiriadur mo hwn; nid tarddiad y geiriau gwreiddiol sy'n arwain i'r fath gasgliad. Yr hyn a wna Charles yw bwrw golwg dros ddysgeidiaeth y Beibl yn ei chyfanrwydd. Amhosibl dyfynnu un adnod sy'n cynnwys yr holl elfennau hyn, gan fod gwahanol elfennau o'r Beibl yn cyfrannu, yn eu tro, at y ddealltwriaeth hon o neges y Beibl. Mae Charles yn pwysleisio natur organig y datguddiad Beiblaidd trwy gyfeirio at 'raddol chwanegiad goleuni' yn y diffiniad uchod. Ni ellir crynhoi'r broses hon trwy lynu wrth yr un geiriau.

Wrth drafod dysgeidiaeth y Beibl yn ei chyfanrwydd, mae Charles yn barod i ddefnyddio dau derm nad ydynt i'w cael yn y Beibl: y cyfamod gweithredoedd a'r cyfamod gras.[50] Wedyn dyma egluro natur a rhinweddau penodol y naill gyfamod a'r llall. Unwaith eto, mae'n dangos na ellir glynu'n rhy gaeth wrth rai termau, gan fod yr ysgrythur hithau yn amrywio'i dull o gyfeirio at yr un peth:

> . . . yr oruchwyliaeth hon o ras a thrugaredd, a elwir yn fynych yn yr Ysgrythurau Sanctaidd, wrth yr enw Cyfamod, ac weithiau Testament – Cyfamod Newydd – Cyfamod Hedd – Cyfamod Sanctaidd – Cyfamod Tragwyddol &c.[51]

Yng ngoleuni'r fath drosolwg o lif y datguddiad Beiblaidd, daw llawer o bethau eraill i'r amlwg. Yn gyntaf, ceir gwell dealltwriaeth o berson a gwaith Crist yn y cyfamod gras, a thrwy hynny, yn y Beibl:

> Wele, y Person rhyfeddol hwn! a synned pawb wrth edrych arno, yn sefyll ei hunan, ac o'r bobl nid oedd neb gydag ef; a thrwy ei rym a'i rinwedd ei hun yn cyflawni y gyfraith, ac yn bodloni cyfiawnder, ar ran miloedd o droseddwyr; yn achub y pechadur, ac yn distrywio Satan o'i holl lywodraeth! Wele, EFE, ym mawredd ei berson, a rhinwedd ei aberth, yn disgyn i ddyfnderoedd y felltith, ac i angau; ac, fel Jona yn y moroedd mawrion, yn tawelu yr ystorm, ac yn esgyn i'r uchelder; gan orchymyn pregethu edifeirwch a maddeuant, yn ei enw ei hun, ymhlith yr holl genhedloedd! Bydd dirgelwch ei Berson, a mawredd ei waith trostynt, yn sail gobaith, ac yn sylwedd cân y gwaredigion byth.[52]

Ond mae'r cyfamod hefyd yn ategu pwysigrwydd athrawiaeth y Drindod:

> Mor anfeidrol bwysfawr yw athrawiaeth y DRINDOD. Sylfaen y cwbl o'n hiechydwriaeth ydyw. Onid oes Bersonau yn yr Hanfod Dwyfol, nis gall fod Cyfamod rhyngddynt, na gwahanol weithrediadau penodol iddynt; yr hyn sydd ar unwaith yn dadymchwelyd holl drefn yr iechydwriaeth yn y sylfaen. Y mae pob cyfeiliornad mewn perthynas i'r athrawiaeth hon yn sylfaenol; ac yn effeithio ar y cwbl o'r adeiladaeth.[53]

Mae'r *Geiriadur* yn fwy na geiriadur, a'i awdur yn fwy nag ieithegydd.

Daw'r tyndra i'r golwg eto mewn perthynas â pharch Thomas Charles at ffurf y testun Beiblaidd, a'i ddiddordeb mewn geiriau. Prin y gall geiriadur ar ei ben ei hun egluro gogoniannau unrhyw waith o lenyddiaeth. Tueddir, wrth bwysleisio'r geiriau, i esgeuluso'r gwahanol ffurfiau llenyddol yn y Beibl, a rhaid cyfaddef na chaiff y rhain nemor ddim sylw yn y *Geiriadur*. Yma, gellid gweld ôl yr agwedd gatholig at y Beibl sydd wedi tueddu i bwysleisio'r wedd ddwyfol ar draul y dynol yn y Beibl, ac un o ganlyniadau'r agwedd hon yw'r alegoreiddio sy'n nodweddu esboniadaeth yr Oesoedd Canol. Nid felly Thomas

Charles, er bod Gwilym H. Jones yn tynnu sylw at ei ddehongliadau alegorïaidd o destun yr Hen Destament,[54] ni ellid ei osod yn yr un categori ag Awstin neu Bernard o Clairvaux. Yn ei erthygl ar y gair 'ALEGORI', cyfynga agweddau alegorïaidd yr Hen Destament i rai adrannau penodol: 'Y mae amryw rannau o'r Beibl yn llefaru fel hyn yn allegawl; megis Caniad Solomon, ei ddarluniad o henaint, &c. Preg. xii, &c.'[55]

Os gwêl Charles arwyddocâd dyfnach i hanesion yr Hen Destament, ni ddibrisia'r hanesion hyn yn eu cyd-destun naturiol, fel y dengys ei ymdriniaeth â gwahanol gymeriadau'r Beibl, e.e. Joseff, Dafydd ac Elias. Wrth wneud hyn, dangosodd Charles unwaith eto ddylanwad y Diwygiad Protestannaidd arno a'i agwedd ofalus at destunau, a etifeddwyd o'r Dadeni. Oherwydd parch Thomas Charles at eiriau ysbrydoledig y Beibl, mae'n awyddus i ddilyn trefn y llyfrau hynny; ar ddechrau ei erthygl ar Joseff, eglura nad yw am ychwanegu at y testun:

> Afreidiol rhoddi hanes y gŵr hynod hwn yma; y mae eisoes wedi'i adrodd gan Moses, mewn dull ac ymadrodd mwyaf hardd, gwych ac effeithiol. Ei anarddurno fyddai ymgais ei fynegi, ond yn y dull a'r iaith y darllenwn ef yn llyfr cyntaf Moses.[56]

* * *

Nid dull geiriadurol Charles yw'r *unig* ddull o astudio'r Beibl, ond mae'n *un* dull pwysig. Crea pwyslais Charles ar eiriau'r Beibl a'i neges dyndra sicr, ond tyndra anorfod oherwydd natur hanesyddol Cristionogaeth sydd i'w chymharu â'i honiad canolog i'r Gair oedd yn Dduw gael ei wneud yn gnawd a thrigo yn ein plith mewn amser a lle ym mherson unigolyn penodol. Pa gyd-fod a all fod rhwng y tragwyddol a'r tymhorol neu'r anfeidrol a'r meidrol? Ystyriaethau felly oedd wrth wraidd y ddeuoliaeth y bu'r eglwys fore'n brwydro yn ei herbyn ac sy'n parhau gennym i ryw fesur.[57] Yn y cyd-destun hwn rhaid deall honiad Cristionogaeth bod ysgrifeniadau pobl benodol mewn ieithoedd a diwylliannau penodol ar gyfnodau hanesyddol penodol, ac a gyfieithwyd wedyn i ieithoedd a diwylliannau newydd, hefyd yn Air y tragwyddol Dduw. Roedd y gred hon yn ganolog i efengylyddiaeth Thomas Charles, ac o'r herwydd ni welai wrthdaro rhwng astudiaeth fanwl ac ieithyddol o'r testun, a budd ysbrydol i'r credadun, yn wir roedd y naill yn anhepgor i'r llall. Nid safbwynt amlwg i bawb yw hwn. Un sydd wedi herio'r cysylltiad rhwng efengylyddiaeth a'r Beibl yw James Barr:

> The basis of evangelicalism is the gospel . . . The gospel, in this evangelical sense, is fully scriptural, in the sense that it is embedded in scripture: it lies within scripture, and scripture supports and witnesses to that gospel of free grace. But it is not identical with scripture . . . No one seriously supposes that books like Ecclesiastes or Proverbs are telling their readers that their only hope is salvation through the blood of Christ . . . In essence evangelicalism is picking out of the mass of biblical material certain themes, passages, contexts and emphases, and saying: this is the material that expresses, as we see it, the core of the Christian message.[58]

Nid oes angen derbyn syniadau Barr am ganon hyblyg[59] i'w ddilyn yn ymarferol, a chanolbwyntio ar rai darnau o'r Beibl yn unig. Ond â hynny'n groes i Gristionogaeth gatholig a Diwygiedig, ynghyd â rhag-dybiaeth fawr y *Geiriadur*, sef bod modd mynd o'r geiriau yn eu holl amrywiaeth i'r Gair yn ei undod neilltuol, ac o wneud hynny gellir darganfod dyfnderoedd helaethach nag a dybid i ddechrau.[60] Nid llwybr hawdd yw hwn, a thystia Charles yn y rhagymadrodd i faint y dasg:

> Nid ydwyf heb gydnabod fy ngwaeledd a'm hamherffeithrwydd mawr: yr wyf yn wael, yn annigonol, ac yn annheilwng iawn, uwchben dyfnion bethau Duw. . . eto, rhaid i mi hefyd gydnabod fod digonedd i'w gael o Dduw: ac nid ewyllysiwn roddi dim i lawr heb gyfeirio fy meddwl at Dduw am ei gyfarwyddyd.

Trwy'r ymdrech hon, cyflawnodd gamp. Mae llawer o lyfrau ar gael mewn ieithoedd eraill nas ceir yn y Gymraeg. Llawer o lyfrau Cymraeg sy'n dilyn llyfrau Saesneg yn slafaidd. Nid oes llyfr tebyg i'r *Geiriadur*. Y clod mwyaf i Charles, o ystyried yr holl lyfrau eraill sydd wedi mynd i ddifancoll dros y ddwy ganrif ddiwethaf, yw'r ffaith fod pobl yn dal i droi at y *Geiriadur* heddiw er mwyn deall y Beibl. Oherwydd ei ffurf eiriadurol, a gogwydd Cymreig y cynnwys, amhosibl fyddai ei gyfieithu; rhaid iddo barhau'n un o drysorau cudd y Gristionogaeth Gymraeg. Ac am drysor! Tra bydd Cymry sy'n ceisio maeth yn y Beibl, bydd lle mawr i ddiolch am *Geiriadur Ysgrythurol* Thomas Charles o'r Bala.

Nodiadau

1 Hoffwn gydnabod fy niolchgarwch i'r canlynol am eu sylwadau gwerthfawr ar fersiynau blaenorol o'r ysgrif hon: Y Parchg Ddr Eifion Evans, yr Athrawon Bobi Jones, Geraint Gruffydd a D. Densil Morgan, Mr Dafydd Ifans a'r Dr Gwyn Davies.

2 *Gwas*.

3 R. Tudur Jones, 'Diwylliant Thomas Charles o'r Bala', yn J. E. Caerwyn Williams (gol.), *Ysgrifau Beirniadol* 4 (Dinbych: 1969), t. 106: 'Nid gormodiaith fyddai honni mai efe yw'r meistr mwyaf a gawsom arno [y Beibl Cymraeg] hyd yn hyn'.

4 R. T. Jenkins, *Hanes Cymru yn y Ddeunawfed Ganrif* (Caerdydd: 1928), t. 75.

5 *Bywg.*, t 69; cf. Derec Llwyd Morgan, 'Thomas Charles: "Math newydd ar Fethodist"', *Pobl Pantycelyn* (Llandysul: 1986), tt. 74–85.

6 Gweler Gomer M. Roberts, *Y Pêr Ganiedydd, Cyfrol I: Trem ar ei Fywyd* (Aberystwyth: 1949), tt. 164–72.

7 Dadleuir dros grebwyll diwinyddol a Chalfinaidd y tadau Methodistaidd yn David Ceri Jones, "'We are of Calvinistical principles': How Calvinist was early Calvinistic Methodism?', *Welsh Journal of Religious History* 4 (2009), 37–54.

8 David W. Bebbington, *Evangelicalism in Modern Britain: A History from the 1730s to the 1980s* (London: 1989), tt. 12–14. Yr elfennau eraill a nodir yw troiyddiaeth (*conversionism*), gweithgaryddiaeth (*activism*) a chroesganolrwydd (*crucicentrism*).

9 Gwilym H. Jones, *Geiriadura'r Gair* (Caernarfon: 1993), t. 20.

10 Cf. y dehongliad o natur ddiwinyddol *Y Geiriadur* ym mhennod D. Densil Morgan, 'Credo ac Athrawiaeth' yn *Twf*, tt. 118–25.

11 Thomas Charles, *Y Geiriadur Ysgrythurol* , 'APOCRYPHA', t. 70. Daw'r dyfyniadau o'r *Geiriadur* o'r argraffiad a gyhoeddwyd gan Hughes a'i Fab, Wrecsam i ddathlu canmlwyddiant Cymdeithas y Beibl ym 1904.

12 Dywedodd Iestyn Ferthyr fod awduron y Beibl yn debyg i gymeriadau mewn llyfr a'r awdur dwyfol yn rhoi geiriau iddynt, *Apol. I.xxxvi*, *www.newadvent.org/fathers/0126* (darllenwyd 27 Ionawr 2011).

13 Charles, *Geiriadur Ysgrythurol*, 'YSGRYTHUR', t. 923 gan ddyfynnu 1 Cor. 2:12,13.

14 Charles, *Geiriadur Ysgrythurol*, 'DADGUDDIAD', t. 245.

15 Y Bedwaredd Sesiwn, gweler *http://history.hanover.edu/texts/trent/trentall.html* (darllenwyd 30 Ebrill 2013).

16 Charles, *Geiriadur Ysgrythurol*, Rhagymadrodd, t. v.

17 Charles, *Geiriadur Ysgrythurol*, 'CREU', t. 188: 'Diben pennaf y greadigaeth oedd gogoniant Duw ei hun . . . er amlygu ei ogoniant ei hun'.

18 Charles, *Geiriadur Ysgrythurol*, 'PHILOSOPHI', t. 761.

[19] Charles, *Geiriadur Ysgrythurol*, 'EGLWYS', t. 344.
[20] Charles, *Geiriadur Ysgrythurol*, 'DADGUDDIAD', t. 245.
[21] Charles, *Geiriadur Ysgrythurol*, 'DADGUDDIO', t. 246.
[22] John Calvin, *a Dei loquentis persona sumitur, Institutio Christianae Religionis*, I.vi.4, *http://www.ccel.org/ccel/calvin/institutio1/Page_57.html* (darllenwyd 30 Ebrill 2013).
[23] Ibid., *testimonium Spiritus omni ratione praestantius esse.* Yn y cyd–destun hwn, ni ddywed Calfin taw rhywbeth afresymol yw ffydd; dywed fod dadleuon rhesymegol i ateb unrhyw wrthwynebydd, pwysleisia'n unig fod tystiolaeth yr Ysbryd yn gryfach.
[24] Charles, *Geiriadur Ysgrythurol*, Rhagymadrodd, t. vi.
[25] Charles, *Geiriadur Ysgrythurol*, 'BIBL', t. 116.
[26] Charles, *Geiriadur Ysgrythurol*, 'IESU', t. 541.
[27] Charles, *Geiridaur Ysgrythurol*, 'YSGRYTHUR', t. 924.
[28] Ibid. Gwneir sylwadau tebyg o dan 'HEBRAEG', t. 497.
[29] Ibid., t. 521.
[30] Gallai Calfin sôn am Dduw yn 'ar–ddweud' y Beibl, gweler John Murray, *Calvin on Scripture and Divine Sovereignty* (Grand Rapids: 1960), tt. 17–18.
[31] Edward Morgan (gol.), *Essays, Letters and Interesting Papers of the Late Rev. Thomas Charles of Bala* (London: 1836), tt. 385–6; cafwyd argraffiad diweddar o'r gyfrol hon dan y teitl, *Thomas Charles' Spiritual Counsels* (Edinburgh: 1993). Yr astudiaeth drylwyraf o ddiwinyddiaeth y cyfnod hwn yw pedair cyfrol Richard A. Muller, *Post–Reformation Dogmatics: The Rise and Development of Reformed Orthodoxy ca. 1725 to ca. 1725* (Grand Rapids: 2003).
[32] Charles, *Geiriadur Ysgrythurol*, 'YSGRYTHUR', t. 923.
[33] *De oeconomia foederem Dei cum homnibus* (1685), a gyfieithwyd i'r Saesneg o dan y teitl, *The Economy of the Covenants Between God and Man.*
[34] *Quia per vocabula, istarum praeprimis linguarum quibus secreta sua homnibus pandere Numini visum est, ad rerum cogitionem non infeliciter contenditur, operae pretium erit, ut vim tam Hebraeae vocis BERIT , quam Graecae DIATHEKE, quibus in hac malteria Spritus Sanctus utitur, enucleatius investigemus.* Lib. I. I.II. *http://books.google.co.uk/books?id=dBQtAAAAYAAJ&pg=PA2&dq=witsi us+ de+oeconomia+foederum+dei+cum+homnibus+liber* (darllenwyd 27 Ebrill 2013).
[35] Charles, *Geiriadur Ysgrythurol*, 'YSGRYTHUR', t. 949.
[36] Ibid., vi.
[37] Ibid.
[38] E.e. 'ETHOLEDIGAETH', lle dyfynnir Erthygl XVII, t. 383.
[39] Charles, *Geiriadur Ysgrythurol*, tt. 69–70.
[40] Ibid., t. 70.
[41] Charles, *Geiriadur Ysgrythurol*, 'YMRYSON', t. 913.
[42] Am Galfiniaeth John Newton, gweler Bebbinton, *Evangelicalism*: 27–30.

[43] Gweler 'More than a "Calvinist"', *dyfynnwyd yn www.thereformedreader.org/mtc.htm* (darllenwyd 27 Ebrill 2013). Am gysylltiad Charles â Newton, gweler *Life*, I, tt. 50–4.

[44] Jones, *Geiriadura'r Gair*, t. 16.

[45] Charles, *Geiriadur Ysgrythurol*, 'CRIST', t. 190, lle cyfieithir *homousios* Credo Nicea (325).

[46] Charles, *Geiriadur Ysgrythurol*, 'IESU', t. 540, gan ategu dysgeidiaeth Cyngor Chalcedon (451) am y gwahaniaeth rhwng 'person' a 'natur'.

[47] Charles, *Geiriadur Ysgrythurol*, 'CYFAMOD', tt. 207–12. Gweler hefyd R. Tudur Jones, 'Athrawiaeth y Cyfamodau', yn D. Densil Morgan (gol.), *Grym y Gair a Fflam y Ffydd: Ysgrifau ar Hanes Crefydd yng Nghymru* (Bangor: 1998), tt. 9–16.

[48] Charles, *Geiriadur Ysgrythurol*, 'CYFAMOD', tt. 207–8.

[49] Ibid.: 208.

[50] Gan ychwanegu 'fel y geilw diwinyddion hwynt', Ibid.

[51] Ibid.: 209.

[52] Ibid.: 210.

[53] Ibid.: 211.

[54] Jones, *Geiriadura'r Gair*, t. 16.

[55] Charles, *Geiriadur Ysgrythurol*, t. 40.

[56] Charles, *Geiriadur Ysgrythurol*, 'JOSEPH', t. 553.

[57] Am ymdriniaeth feistrolgar â deuoliaeth y canrifoedd cynnar a'r byd modern o safbwynt Cristoleg, gweler Colin E. Gunton, *Yesterday and Today: A Study of Continuities in Christology*, ail arg. (London: 1997), tt. 86–138.

[58] James Barr, *Escaping from Fundamentalism* (London: 1984), tt. 157–8.

[59] Idem, *The Bible in the Modern World* (London: 1973), tt. 150–6: 160–2, idem, *Holy Scripture: Canon, Authority, Criticism* (Oxford: 1993), tt. 23–74.

[60] Yn wahanol i Barr, yn yr erthygl ar 'DIARHEBION', nodir 'gwahoddiadau tyner yr efengyl, mewn dull serchog a gwresog', Charles, *Geiriadur Ysgrythurol*, t. 283.

5

'Nid baich ond y baich o bechod': *Geiriadur Ysgrythyrol* Thomas Charles

Dafydd Johnston

Y mae *Geiriadur Ysgrythyrol* Thomas Charles yn un o gyfrolau Cymraeg pwysicaf y bedwaredd ganrif ar bymtheg am ddau brif reswm. Y rheswm cyntaf, a'r unig un y buasai Charles ei hun wedi ei gydnabod, yw am ei fod yn ganllaw anhepgor i filoedd o Gymry i ddeall Gair Duw ac i elwa'n ysbrydol ohono. Am y rheswm hwnnw y cafwyd saith argraffiad o'r *Geiriadur* yn ystod y ganrif, a dau ychwaneg yn yr Unol Daleithiau. Yr ail reswm, nad oedd yn rhan o amcan gwreiddiol y llyfr o gwbl, yw ei bwysigrwydd o ran hanes geiriadura Cymraeg. Amcan y bennod hon fydd archwilio'r berthynas rhwng y ddwy wedd hynny er mwyn dod i ddeall sut y defnyddiodd Thomas Charles ffurf y geiriadur i hyrwyddo achos y Methodistiaid, ac yn sgil hynny sut y bu iddo arloesi ym maes geiriaduron megis er ei waethaf.

Roedd diwydrwydd Thomas Charles yn ddiarhebol, ond serch hynny nid tasg i un dyn oedd llunio geiriadur ysgrythurol cynhwysfawr. Bu iddo ei ragflaenwyr, ac er mwyn iawn werthfawrogi ei gamp yntau mae angen ystyried cyfraniad y rhai a fu'n agor y maes o'i flaen.[1] Y cynnig cyntaf oedd y *Geir-lyfr Ysgrythurol* a gyhoeddwyd yn Nulyn yn 1773 o waith John Roberts (Siôn Robert Lewis, 1731–1806), almanaciwr ac emynydd o Gaergybi (ac awdur y llyfr Cymraeg cyntaf ar rifyddeg). Fel y cydnabu'r awdur, seiliwyd y gwaith ar eiriadur Saesneg safonol, sef *A Christian Dictionarie* gan Thomas Wilson a gyhoeddwyd gyntaf ym 1612 a'i ailargraffu nifer o weithiau yn ystod yr ail ganrif ar bymtheg a'r ddeunawfed. Ond cyfrol ddigon elfennol ac amrwd oedd y *Geir-lyfr*, heb gynnig llawer o esboniad ar eiriau nac ymhelaethu ar eu defnydd na'u harwyddocâd. Soniwyd mewn hysbyseb yn nhrydydd rhifyn y *Cylchgrawn Cynmraeg* ym mis Awst 1793 am gynllun i gyhoeddi fersiwn llawnach, ond erbyn hynny roedd John Roberts wedi gadael y Methodistiaid, ac ni ddaeth dim o'r cynllun nes iddo werthu ei lawysgrif i John Humphreys, Caerwys, ym 1800. Gwaith Humphreys ei hun yw rhan gyntaf y *Geirlyfr Ysgrythyrol* a gyhoeddwyd ym 1801, sef llyfryn 88 tudalen hyd at y gair 'barnu'. Bu Thomas Charles yn cynorthwyo Humphreys o 1802 ymlaen, a gellir gweld ôl ei ddylanwad ar yr ymdriniaethau helaethach a geir yn yr ail ran (hyd 'creu'). Dechreuwyd cyhoeddi argraffiad diwygiedig dan enwau'r ddau ynghyd ym 1804, ond enw Charles yn unig sydd ar yr ail ran a gyhoeddwyd yn y Bala ym 1805, ac erbyn hynny roedd y teitl wedi newid i *Geiriadur*.[2] Gorffennodd Charles ysgrifennu'r gwaith erbyn diwedd 1808, a chyhoeddwyd yr ail gyfrol y flwyddyn honno, y drydedd ym 1810, a'r olaf ym 1811.[3]

Mae'r geiriaduron hyn yn gerrig milltir pwysig yn hanes yr iaith Gymraeg am mai'r rhain yw'r cyntaf i ddiffinio ac esbonio ystyron geiriau trwy gyfrwng y Gymraeg yn unig. Cafwyd digon o eiriaduron cyn hynny, ond roedd pob un yn eiriadur dwyieithog yn egluro geiriau Cymraeg trwy gyfrwng iaith arall yn bennaf. Cymraeg–Saesneg oedd trefn y geiriadur cyntaf un i'w gyhoeddi, gan y dyneiddiwr William Salesbury ym 1546, a'r un patrwm oedd i eiriaduron Thomas Jones (1688), Thomas Richards (1753) a William Owen Pughe (1793–1803). Campwaith y Dadeni Dysg oedd *Dictionarium Duplex* John Davies, Mallwyd (1632), geiriadur a glymodd y Gymraeg wrth brif iaith ddysgedig Ewrop yn y ddau gyfeiriad, Cymraeg–Lladin o waith Davies ei hun a Lladin–Cymraeg yn seiliedig ar waith Thomas Wiliems. Cafwyd cnwd o eiriaduron Saesneg–Cymraeg yn ail hanner y ddeunawfed ganrif, gan William Evans (1771), John Walters (1770–94), William Richards, Lynn (1798) a Thomas Jones o Ddinbych (1800).[4] Er mai prif amcan y rhain oedd cynorthwyo'r Cymry i ddeall y toreth o ddeunydd printiedig Saesneg a geid yn y cyfnod, eu cryfder mawr o ran y Gymraeg oedd y rhesi o gyfystyron a amlygai helaethrwydd (*copiousness*) yr iaith ac sy'n un o nodweddion arbennig *Geiriadur* Charles hefyd.

Go brin mai damwain oedd y ffaith fod Thomas Jones o Ddinbych wedi cyhoeddi ei eiriadur Saesneg-Cymraeg gwta ddwy flynedd cyn i Charles ddechrau cydweithio â John Humphreys. Roedd Charles a Thomas Jones yn gyfeillion agos, ac fel y gwelir mewn mannau eraill yn y gyfrol hon mae lle i gredu iddynt gynllunio eu rhaglenni gwaith er mwyn rhannu baich a gwasanaethu mudiad y Methodistiaid yn y ffordd fwyaf effeithiol. Mae'n amlwg i Charles ddefnyddio geiriadur Thomas Jones fel ffynhonnell cyfystyron Cymraeg, fel y gwelir o ystyried y geiriau 'BAICH' ac 'ADDFWYN' (dau a drafodir isod). Mae'r cyfystyron ar gyfer 'BAICH' yn cyfateb yn union i'r pum gair Cymraeg a roddir gan Jones dan y Saesneg *burden*, ac mae'r pedwar cyfystyr cyntaf ar gyfer 'ADDFWYN' yr un peth â'r rhai a roddir gan Jones dan y Saesneg *meek*. Er nad yw'r gyfatebiaeth mor agos â hyn bob tro, mae'n amlwg bod geiriadur Thomas Jones yn un o'r cyfrolau a oedd gan Charles wrth ei benelin pan gyfansoddai'r *Geiriadur Ysgrythyrol*, ac felly hefyd geiriadur William Owen Pughe, fel y cawn weld.

Yr hyn a welwn yma, ac yn achos y Bedyddiwr William Richards hefyd, yw mudiadau crefyddol yn ceisio meddiannu un o offerynnau dysg hanfodol yr oleuedigaeth, sef y geiriadur neu'r gwyddoniadur, fel modd i ddiwyllio a dyrchafu eu pobl eu hunain. Wrth wraidd y llyfrau hyn roedd yr ysfa sylfaenol i osod trefn ar bethau'r byd trwy ddiffinio a dosbarthu. Yng ngeiriau Charles ei hun yn ei erthygl ar 'DEALL':

> Un o alluoedd neu gyneddfau yr enaid yw y deall, â pha un yr ydym yn canfod gwrthddrychau, yn dirnad eu hansawdd, a'u cymharu â'u gilydd, i'r dyben i farnu yn uniawn mewn perthynas iddynt.

Er bod tuedd weithiau i weld efengyleiddiaeth yn groes i'r oleuedigaeth ac yn nes at ramantiaeth o ran ei phwyslais ar brofiad teimladwy, cyfraniad mawr Thomas Charles fel arweinydd ail genhedlaeth y Methodistiaid oedd cryfhau lle'r meddwl rhesymol yn eu crefydd, ac roedd ei *Eiriadur* yn gyfrwng allweddol i wneud hynny.[5]

Gan mai holl destun y Beibl Cymraeg yw ei faes, mae'r *Geiriadur Ysgrythyrol* yn gyfrol gymysgryw, yn eiriadur ac yn wyddoniadur, ac mae'r cyfuniad hwnnw'n cynnig cyfleoedd i ymhelaethu ar eiriau y tu hwnt i'w hystyron cyfyng. Dim ond geiriau sy'n digwydd yn y cyfieithiadau Cymraeg a roddir fel prifeiriau, ond wrth gwrs mae hynny'n cynnwys y rhan fwyaf o'r iaith lenyddol fel yr oedd ar y pryd (a cheir llawer o eiriau eraill yn y diffiniadau). O ran yr ochr wyddoniadurol, y prif gynnwys yw enwau pobl, lleoedd a phethau a geir yn y Beibl ei hun. Un o'r erthyglau hwyaf yn y *Geiriadur* (ychydig yn hwy na'r rhai ar Moses a Paul) yw'r un ar Dafydd fel cysgod o Grist, fel patrwm o'r pechadur edifeiriol, ac fel moliannydd Duw yn y Salmau. Ond cynigir hefyd gyfoeth o wybodaeth dan eiriau cyffredin fel 'AFON', 'MYNYDD', 'PLANED' a rhannau o'r corff dynol fel 'CALON', 'CLUST' a 'TAFOD'. Mae'r wybodaeth a roddir yn ehangach o lawer na'r hyn sydd angen i ddeall y Beibl fel y cyfryw, ond eto cyflwynir y cwbl fel agweddau ar greadigaeth Duw ac esiamplau o'i ofal rhagluniaethol. Er enghraifft, yn yr erthygl ar 'DINAS' rhestrir prif ddinasoedd y byd yn yr oes bresennol, gan gynnwys 'Caerludd, neu Llundain, yn ynys Brydain', 'Dublin, yn yr Iwerddon' ac 'Edinburgh, yn yr Alban'. Ni nodir yr un ddinas yng Nghymru, wrth reswm, ond gallai'r Cymro o Fethodist ymgysuro ei fod yn un o ddinasyddion y ddinas sanctaidd 'y mae yr Arglwydd Iesu yn Frenin tragywyddol arni'.

Gwedd arall ar ddysg Thomas Charles a amlygir yn y *Geiriadur* yw'r wybodaeth fanwl am y gwahanol gyfieithiadau Cymraeg o'r Beibl a'u perthynas â'r testunau gwreiddiol. Gallasai Charles yn hawdd fod wedi cyfyngu ei sylw i'r Beibl a oedd yn safonol ar y pryd, sef cyfieithiad 1620 yn y bôn. Ond yn ei awydd i gynorthwyo ei ddarllenwyr i ddeall Gair Duw yn llawn aeth ati i gymharu fersiynau, yn enwedig lle mae ansicrwydd am union ystyr y darn dan sylw. Nodir cyfieithiadau William Salesbury a William Morgan yn bur aml, a chyfeirir weithiau at 'Salmau Cân' Edmwnd Prys (1621) hefyd. Er i lawer o bobl gollfarnu iaith astrus cyfieithiad Salesbury o'r Testament Newydd, gwyddai Charles am ei ragoriaethau. Mae cyfieithiad Salesbury yn symlach ac yn fwy uniongyrchol na'r lleill mewn mannau, ac mae Charles yn manteisio arno weithiau i egluro gair. Er enghraifft, wrth drafod 'RHINWEDD' yn Marc 5:30, 'fyned rhinwedd allan ohono', mae'n dyfynnu cyfieithiad Salesbury i ddangos mai 'gallu' oedd ystyr y gair. Yn yr erthygl ar 'FFRWYTH', wrth drafod 2 Tim. 2:6, 'Y llafurwr sydd yn llafurio, sydd raid iddo yn gyntaf dderbyn y ffrwythau', dyfynna Charles gyfieithiadau Salesbury a Morgan ('Rhaid yw i'r llafurwr gan lafurio yn gyntaf dderbyn y ffrwythau') i ddangos bod 'yn gyntaf' yn cyfeirio at gymal cyntaf y frawddeg, ac mai'r ergyd yw bod 'ei lafur yn rhagflaenu ei obrwy'.[6] Ac yn yr erthygl nesaf un, 'FFUG', yr unig enghraifft yn yr holl ysgrythurau yw hon o fersiwn Edmwnd Prys o Salm 5:6: 'Y rhai a dd'wedant ffug a hud, / A phob gwyr gwaedlyd creulon.'

Yn ei ragymadrodd gwelir Thomas Charles yn gwneud honiad sy'n dra chyffredin gan awduron llyfrau addysgol Cymraeg yn y cyfnod modern cynnar, sef ei fod yn darparu ar gyfer y 'Cymry uniaith, y rhai trwy ddaioni Duw sydd, lawer o honynt, yn newynu ac yn sychedu am wybodaeth o wirioneddau Duw yn Ei Air.' Yr awgrym yma, gellid meddwl, yw y gallai'r Cymry a fedrai Saesneg wneud y tro yn iawn gyda'r llyfrau tebyg a fodolai eisoes yn yr iaith honno. Ond mewn gwirionedd roedd y cymhelliad i lunio geiriadur uniaith Gymraeg yn deillio yn y bôn nid o ddiffygion ei gynulleidfa darged, ond yn hytrach o'r angen iddynt fyfyrio ar Air Duw yn eu mamiaith, gan ddefnyddio'r cyfieithiadau a ddarparwyd gan y Diwygiad Protestannaidd, er mwyn iawn amgyffred a llwyr fewnoli'r gras a ddeuai drwyddo. Roedd diffinio ac esbonio geiriau'r Beibl trwy gyfrwng yr un iaith yn fodd i ddyfnhau'r ddealltwriaeth ac i ddarparu geirfa i drafod a dehongli'r ysgrythurau mewn ysgolion Sul, seiadau a phregethau.

Yn ei folawd i'r iaith Gymraeg dan y pennawd 'IAITH', honna Thomas Charles ei bod 'yn odidog, yn bur, yn gyflawn hynod o amrywiaeth geiriau ac ymadroddion; yn bersain, ac yn addurnedig; yn neillduol o addas i ymadroddi am bethau ysbrydol yn fawreddig, yn ddealladwy, ac yn effeithiol.' Ac mae'r *Geiriadur* drwyddo draw yn amlygu'r nodweddion hynny ar waith, yn enwedig felly yr amrywiaeth geiriau a'r ymadroddi urddasol ac effeithiol, fel y ceir gweld yn y man. Ond mae gwerthfawrogiad Charles o iaith fel cyfrwng cyfathrebu dynol yn ehangach nag ymlyniad wrth un iaith neilltuol, fel y gwelir yn yr erthygl ar 'LLEF / LLEFAIN / LLEFARU / LLEFERYDD':

> Llefaru sy ddawn ragorol Duw i ddynion, i gyfrannu ac hysbysu eu meddyliau i'w gilydd. Y mae galluoedd yr ymadrodd, a'r clyw, mewn dyn, yn rhyfeddol iawn: ond fel y mae dyn yn greadur cymdeithasgar, y maent yn angenrheidiol i ddynion er cysur a llesâd i'w gilydd.

Croesgyfeirir wedyn at 'CLUST', 'IAITH' a 'TAFOD'. Mae'r croesgyfeirio o fewn y *Geiriadur*, gan amlaf ar ddiwedd erthyglau ond weithiau yn eu canol fel yn yr achos hwn, yn fodd i gyfoethogi dirnadaeth o'r pynciau dan sylw ac i greu gwe o gysylltiadau thematig sy'n cwmpasu agweddau corfforol, meddyliol ac ysbrydol. O droi at yr erthygl ar 'TAFOD' cawn y gwerthfawrogiad hwn o waith y Creawdwr:

> Aelod go ryfedd yn y corph yw y tafod. Er nad oes ynddo nac asgwrn na chymal, eto nid oes un ystum nas gwna, nac un ffordd nas try. Y mae yn trefnu yr anadl sydd yn dyfod allan o'r ysgyfaint, ac felly yn llefaru, ac yn hysbysu meddwl y naill ddyn i'r llall. Dawn rhyfedd ydyw hwn, eto hyfryd a defnyddiol iawn. Pwy wrth ei ystyried na ryfedda gywreinwaith y Creawdwr doeth, yn rhoddi gallu i ddyn, trwy amrywiol ysgogiadau yr aelod bychan hwn, i hysbysu ei feddwl i eraill trwy y glust.

Y geiriau allweddol yn y ddau ddyfyniad hyn yw 'rhyfedd', 'rhyfeddol' a 'rhyfeddu'; trwy beri i'w ddarllenwyr weld pethau cyfarwydd o'r newydd mae Charles yn eu tywys i werthfawrogi bendithion Duw ac i wneud yn fawr ohonynt yn eu bywydau. Roedd doniau cyfathrebu, ar lafar ac yn ysgrifenedig, yn gwbl hanfodol i holl weithgarwch y mudiad efengylaidd, a diddorol yw gweld ystyriaethau Charles am y ddau ddull yn ei erthygl ar 'YSGRIFEN':

> Y buddioldeb o ysgrifennu rhagor llefaru, yw ei fod yn fwy helaeth ac yn fwy parhaus; geill cyfeillion gyfrinachu â'u gilydd, trwy ysgrifennu, filoedd o filltiroedd oddiwrth eu gilydd; a geill un addysgu eraill, trwy ysgrifennu, gannoedd o flynyddoedd wedi iddo farw. Etto, cydnabyddir mai llefariad sydd fwyaf egnïol ac effeithiol.

Dyma gydnabod rhychwant daearyddol a hanesyddol y mudiad, ac mae'n gwbl briodol bod Charles yn cyfeirio wedyn at waith un o awduron yr oleuedigaeth yn yr Alban, sef *Lectures on Rhetoric and Belles Lettres* (1783) gan y Presbyteriad Hugh Blair o Gaeredin, cyfrol ddylanwadol iawn a gyflwynai ddulliau areithio ac ysgrifennu effeithiol fel allwedd i ddyrchafiad cymdeithasol. Enghraifft yw hyn o'r anogaeth gyson a roddir i ddarllenwyr y *Geiriadur* i'w gwella eu hunain trwy ymgydnabod â dysg safonol yr oes.[7]

Un ffordd amlwg y byddai *Geiriadur* Charles yn gwella doniau cyfathrebu ei ddarllenwyr yw trwy'r cyfystyron niferus a gynigir ar gyfer y prifeiriau. Y cyfystyron weithiau yw'r unig esboniad a roddir ar y gair, er enghraifft 'SOTHACH', gair nad oedd yn cynnig llawer o gyfle ar gyfer adeiladaeth ysbrydol efallai, ond un yr oedd angen ei ddiffinio yr un fath gan ei fod yn digwydd yn Salm 119 a ddwywaith ym mhennod gyntaf Llyfr Eseia. Mae'r cyfystyron yn cyfleu naws ddirmygus y gair trwy dynnu ar yr iaith lafar: 'sorod, ysgarthion, ysprêd, ysbwrial, ffwlach, gwehilion, anmhuredd, sinidr'. Dyma wrthbwynt i'r math o iaith ddyrchafedig a ddefnyddir i drafod materion diwinyddol yn y prif erthyglau, ac mae'n ein hatgoffa mor amrywiol ei chyweiriau yw iaith y Beibl yn ogystal ag iaith Charles ei hun. Ac roedd Charles yn ddigon parod i arfer iaith sathredig liwgar yn ei drafodaethau er mwyn mynegi anghymeradwyaeth. Un o bleserau pori yn y *Geiriadur* yw dod ar draws ambell berl ieithyddol annisgwyl, fel 'ffregodiaith' ('ffiloreg') yn y darn hwn dan 'LLEFARU' lle collfernir y sawl sy'n camarfer iaith: 'yr hwn sydd yn defnyddio geiriau i osod meddwl allan, anarferedig yn gyffredinol, sydd heb briodoldeb addas yn ei iaith, ac yn llefaru ffregodiaith.' Pwy, tybed, oedd ganddo mewn golwg yn y fan honno?

Tebyg mai gair y de oedd 'ffregod', ac mae'n werth pwysleisio bod gan Charles y fantais fawr o allu tynnu ar dafodieithoedd y de a'r gogledd trwy ei fagwraeth yn sir Gaerfyrddin a'i drigiant hir yn y Bala, heb sôn am ddylanwad ei gyfeillgarwch â'r ieithgi Thomas Jones o Ddinbych. Mewn ambell erthygl gellir ei weld yn dehongli cyfieithiadau gogleddol i bobl y de, er enghraifft 'AGORIAD' ('allwydd, allwedd'), gair a allai gael ei gamddeall gan ddeheuwr.

Mae nifer y cyfystyron a gynigir weithiau'n adlewyrchu pwysigrwydd y cysyniad dan sylw (fel y gwelir yn arbennig wrth drafod yr erthygl ar 'GRAS' isod). Ar gyfer 'ADDFWYN', un o nodweddion y gwir Gristion, rhoddir yr ystyron canlynol: 'llariaidd, llednais, hynaws, tirion, rhadlawn, gwâr, arafaidd, tawel, llonydd, didònau'. Ar ôl darllen y rhestr hyfryd honno cawn dipyn o sioc ar ddechrau'r drafodaeth gyda'r disgrifiad o ddyn yn ei gyflwr pechadurus: 'Yn y cwymp collodd dyn yr addurn hardd hwn o eiddo Duw ar ei enaid; ac aeth yn gyndyn, yn ffyrnig, yn waedwyllt, yn greulon, ac yn anhawdd i'w drin.' Dyma wrthwyneb y nodwedd dan sylw, ac mae'r dechneg hon yn rhan hanfodol o strategaeth Thomas Charles yn y *Geiriadur*. Trwy gychwyn gyda'r pechadur truenus llwyddir i amlygu'r angen am ras a'r trawsnewidiad syfrdanol a ddaw yn ei sgil: 'Mae yr Ysbryd Glân, trwy ddwys argyhoeddiad o bechod, yn darostwng, yn plygu, yn ystwytho, ac yn llarieiddio pechaduriaid ystyfnig, ac yn eu dwyn atynt eu hunain, i ymostyngiad i'r Arglwydd, ac ufudd-dod iddo[.]' Daw'r addfwynder hwn yn nodwedd ddiffiniol ar yr etholedigion o ran eu meddylfryd eu hunain a'u hymwneud ag eraill: 'Arwydda yr agwedd rasol hon eu hundeb â Christ addfwyn; a'u bod wedi eu bendithio ynddo â rhadau ei Ysbryd. Y mae yn agwedd addas ar ddyn ger bron Duw; ac yn ei wneuthur yn wynfydedig iddo ei hun, ac i bawb eraill.'

Mae strwythur yr erthygl honno fel petai'n tywys y darllenydd trwy'r broses o dröedigaeth, o'r ymwybyddiaeth ddwys o bechod hyd y cyfnewidiad llwyr a'r hyder tawel a'i dilynai. Mae'r un strwythur sylfaenol i'w weld mewn nifer o erthyglau yn y *Geiriadur* ar eirfa ganolog y profiad Cristionogol, gydag elfen o hyblygrwydd yn dibynnu ar natur y gair dan sylw. Ceir enghraifft dda arall yn yr ymdriniaeth â 'BAICH'. Yn wahanol i 'ADDFWYN' mae hwn yn gysyniad negyddol ynddo'i hun, felly nid oes angen troi i'r gwrthwyneb ar y dechrau. Mae'r gyfres fer o gyfystyron unsill yn gosod naws drom a digalon i gychwyn: 'pwn, llwyth, clud, pwys, bwrn.' (Cyferbynner y cyfystyron ar gyfer 'ADDFWYN' uchod sydd i gyd ond un yn eiriau deusill fel 'addfwyn' ei hun.) Yna rhoddir y dyfyniad hwn:

> Nid *baich* ond y *baich* o bechod. *Diar*.

Ffynhonnell y dyfyniad oedd geiriadur William Owen Pughe lle y'i ceir yn y ffurf 'Nid baich ond baich o bechod' a'i briodoli i Ddafydd ap Maredudd ap Tudur, bardd o'r bymthegfed ganrif.[8] Mae'r ffaith i Charles hepgor enw'r bardd a chyflwyno'r dyfyniad fel dihareb gan ychwanegu'r fannod o flaen 'baich o bechod' yn awgrymu ei fod yn dymuno gweld hyn fel rhan o ddoethineb ysbrydol y genedl yn hytrach nag yn waith bardd o'r Oesoedd Canol Pabyddol. Ond eto mae'n amlwg bod y dyfyniad yn crynhoi gwirionedd gwerthfawr yn ei olwg. Un rheswm am hynny fyddai'r gynghanedd sain sy'n gwneud y llinell yn gofiadwy, ac yn enwedig y gyfatebiaeth rhwng 'baich' a'r ffurf dreigledig 'bechod' sy'n tanlinellu pwynt canolog rhan gyntaf ei erthygl. Roedd hwn wedi bod yn hen drawiad ers yr enghraifft gynharaf o'r gair 'baich' ym Marwysgafn Meilyr Brydydd, bardd llys o Wynedd yn y ddeuddegfed ganrif, 'Baich rhygynullais o bechawd',[9] ac mae'n debyg y byddai'r cyfuniad yn hysbys ar lafar gwlad yn sgil diarhebion cynganeddol fel 'Trymaf baich, baich o bechod'.

Wrth esbonio'r gair mae Charles yn rhifo'r gwahanol ystyron a geir yn y Beibl o 1 i 9, gan gyfeirio at adnodau enghreifftiol ar gyfer pob un. Dechreuir gyda'r ystyr faterol symlaf, 'cymaint ag a all dyn yn hawdd ei gario'. Mae'r ystyr nesaf yn dal i fod yn gorfforol, ond mae'n cynnwys elfen feddyliol hefyd: 'Rhyw beth trwm, a fyddo yn blino dynion o herwydd ei bwysau, a'r gofid sydd yn ei ganlyn; megys llafur a gwasanaeth caled.' Symudir wedyn i feichiau hollol seicolegol, 'gofalon, a gofidiau y meddwl, ofnau, &c.' Achos sylfaenol y gofidiau hynny yw diffygion y natur ddynol: 'Y mae pob pechod yn faich. Ps.38.4. Y mae pwysau pechod yn ein gwasgu i lawr, Heb. 12.1. ac y mae yn faich trwm i eraill, sydd yn ei adnabod ac yn ei gasáu.' Mae pechod yn faich i bawb wrth gwrs, ond fe'i teimlir yn arbennig gan y rhai sydd wedi profi tröedigaeth, fel y gwelir yn y chweched diffiniad: 'Llygredd natur bechadurus: yr hyn y mae pob dyn wedi ei fywhau trwy ras yn teimlo ei bwys.' Defodau a ffurfioldeb dynol sy'n cloi'r adran gyntaf hon lle cyflëir cynodiadau negyddol 'baich' i'r eithaf.

Yna daw trobwynt dramatig gyda dyfyniad o Efengyl Matthew heb unrhyw gyflwyniad o ran ystyr y gair yn y cyd-destun newydd: 'A'm baich sydd ysgafn'. Dyma baradocs sylfaenol y ffydd Gristionogol, bod pethau sy'n drwm ac yn feichus o safbwynt bydol yn ysgafn ac yn rhwydd i'r rhai sydd wedi derbyn gras Duw:

> *Baich* Crist yw ei holl wasanaeth; y gorchymynion a'r athrawiaethau a ddysgodd; pob peth perthynol i ufudd-dod iddo, fel athraw ac fel brenin. Y mae ei faich yn ysgafn ynddo ei hun, ac yn marn pawb sydd yn ei gario. Nid ydyw yn drwm ond i bechaduriaid llygredig, i'r rhai y mae pob peth sanctaidd yn faich, o herwydd halogedigaeth eu meddwl.

Ar ôl gweddnewid ystyr y gair dan sylw yn y modd hwn, gan ei ail-ddiffinio i bob pwrpas fel y gwrthwyneb i'w arwyddocâd materol arferol, cychwynnir ar gyfres newydd o bedwar pwynt rhifedig sy'n dangos mor ysgafn yw gorchmynion Duw. Trwy gyferbynnu y gwneir hyn yn y pedwerydd pwynt, ac nid yw'n syndod gweld Charles yn lladd yn gynnil ar Eglwys Rufain wrth iddo sôn am 'addoli delwau meirwon, a chablu ei enw sanctaidd'. Mwy diddorol yw'r frawddeg hon am bobl sy'n creu helynt ac anhrefn yn y gymdeithas – cyfeiriad efallai at Jacobiniaid Ffrainc a rhai o gyffelyb duedd ym Mhrydain. Mae'n amlwg yn y cyferbyniad fod Charles yn ystyried bod ymarwedd-iad heddychlon Cristionogion efengylaidd yn brawf o'u rhagoriaeth:

> Pe buasai yn gorchymyn i blant ddianrhydeddu eu rhieni – yn gorchymyn i ddynion gasáu, lladd, halogi, a difenwi eu gilydd, a lladrata oddiar eu gilydd, buasai y baich yn drwm: ond yn gwbl groes i hynny, y mae cariad, purdeb, cyfiawnder, a thiriondeb addas i Dduw, yn ymddangos yn ei holl orchymynion. Nid ydynt drymion i neb ond cythreuliaid, a dynion o'r un ysbryd llygredig â hwynt.

Yn ddiweddglo i'r erthygl ceir adran arall o bedwar pwynt rhifedig, y tro hwn yn canolbwyntio ar yr etholedigion a gafodd 'ysbryd perth-ynol i'r gwaith' trwy'r adenedigaeth sy'n peri bod baich Crist yn ysgafn iddynt. Diau y disgwylid y byddai darllenwyr y *Geiriadur* yn ymun-iaethu â'r garfan hon, neu o leiaf yn gosod eu bryd ar eu hefelychu. Fel y gwelwyd o'r blaen, mae adeiladwaith yr erthygl hon hefyd yn tywys y Cristion o'r ymwybyddiaeth o bwysau pechod tuag at y tawelwch meddwl a ddaw trwy undeb â Christ. Mae'r tair cyfres o bwyntiau rhifedig o fewn yr erthygl yn fodd i sicrhau trefn resymegol yn y broses honno ac i ymochel rhag anhrefn emosiwn dilyffethair, ond saif y trobwynt allweddol y tu allan i drefn y rhifau. Er pwysiced yw trefn ffurfiol i gyflwyno'r profiad crefyddol, ni chaiff gaethiwo'r profiad hwnnw.

Erthygl dipyn hwy sydd eto'n dangos gallu Thomas Charles i drefnu ei ymdriniaethau er adeiladaeth ei ddarllenwyr yw'r un ar 'FFYDD'. Sylwer yn gyntaf ar y tarddiad a gynigir mewn cromfachau, sef 'ffy-ydd'. Fel yn achos y rhan fwyaf o'r tarddiadau a roddir gan Charles, geiriadur William Owen Pughe yw'r ffynhonnell, ac nid yw'r cynnig yn goleuo dim oll ar darddiad y gair mewn gwirionedd. Os yw *-ydd* yn derfyniad, beth yn y byd yw *ffy*? Fel y gwyddys yn dda erbyn hyn, benthyciad o'r Lladin *fides* (gair a nodir gan Charles fel esboniad ar *ffydd*) yw'r gair Cymraeg, ond ni ellid disgwyl i Charles wybod hynny, ac nid yw'n syndod ei fod yn derbyn awdurdod Pughe yn hyn o beth. Ond mae'n werth nodi hefyd fod y tarddiad o wreiddyn elfennol tybiedig yn cyd-fynd yn dda â'i gred nad oedd y Gymraeg, 'o ran ei tharddiad, ond un gradd oddiwrth iaith wreiddiol y byd; a'i bod yn hynach, yn burach, ac yn fwy digymysg nag un iaith yn y parthau gorllewinol hyn o'r byd', fel yr honnir yn yr erthygl ar 'IAITH'. Yn wyneb y gred honno, anodd fuasai iddo dderbyn bod term crefyddol mor hanfodol yn fenthyciad o'r iaith Ladin. Felly hefyd yn yr erthygl ar 'YSBRYD' rhoddir y gwreiddyn 'bryd' a geir gan Pughe, yn hytrach na'r tarddiad dilys oddi wrth y Lladin *spiritus*, er nodi'r gair hwnnw fel esboniad.

Yn unol â'r patrwm a welwyd eisoes, man cychwyn yr ymdriniaeth â 'FFYDD' yw esboniad pwrpasol o ystyr sylfaenol y gair mewn cyd-destun bydol (er nad yw'r cynodiadau agos mor negyddol ag yn achos 'BAICH'). Hawdd y gellid dychmygu siopwr, neu ŵr i siopwraig, yn diffinio'r gair fel hyn:

> Ffydd yw credu tystiolaeth, neu addewid, un arall; ac yn ôl ein hadnabyddiaeth, a'n coel am wybodaeth, cywirdeb, a ffyddlondeb, yr hwn sydd yn tystiolaethu, neu yn addaw, y bydd ein ffydd yn ei dystiolaeth, neu ei addewid.

Y cam nesaf yw nodi enghreifftiau Beiblaidd o ddefnydd niwtral neu ymylol, gan gynnwys y 'ffydd hanesiol a marw, tebyg i ffydd y cythreuliaid' y sonnir amdani yn ail bennod Epistol Iago. Ac yna cawn y trobwynt allweddol lle mae'r erthygl yn codi i wastad uwch wrth ddod at y math o ffydd a berthyn i dröedigaeth grefyddol:

> Ond heblaw yr holl bethau eraill mewn perthynas i ffydd, pa rai ydynt yn dra angenrheidiol i'w gwybod a'u deall; mae yn gwbl eglur fod ffydd arall yn cael sôn am dani yn yr ysgrythyrau, yn hollol wahanol i'r golygiadau hyn ar ffydd, o ran ei natur, ei tharddiad, ei gwrthddrych, a'i heffeithiau, priodol yn unig i blant Duw a gedwir i fywyd tragywyddol. Dichon fod ffydd yn yr ystyriaethau blaenorol i gyd gan ddyn, ac etto ei gyflwr, ei anian, a'i fywyd yr un; ond mae yn gysylltiedig â'r ffydd hon, *gyfnewidiad cyflwr*, anian a bywyd. Gelwir hon, 1. Yn 'Ffydd etholedigion Duw;' sef y ffydd y maent hwy oll, a neb ond hwy, yn gyfrannog o honi; ac sydd yn brawf diamheuol o'u hetholedigaeth. Tit. 1.1.

Sylwer, wrth fynd heibio, gan ein bod eisoes wedi nodi ergyd wleidyddol bosibl yn yr erthygl ar 'BAICH', fod 'cyfnewidiad' yn derm a arferid gan rai ar gyfer yr hyn a elwir bellach yn 'chwyldro', sef y cyfnewidiadau gwleidyddol a ddigwyddasai yn America a Ffrainc yn y degawdau blaenorol.[10] Awgrymir weithiau fod tröedigaeth grefyddol efengylaidd yr un mor chwyldroadol o ran ei goblygiadau ag unrhyw gyfnewidiad gwleidyddol, ac nid annichon fod awgrym o'r fath yn ymhlyg yn nefnydd Charles o'r gair yma. Yn sicr mae'r enghraifft hon yn dangos mor hylif oedd geirfa'r iaith yn y cyfnod hwn, a bod yr un gair yn agored i'w ddefnyddio gydag ergyd ideolegol amrywiol iawn.

Roedd Thomas Charles yn amlwg yn ymwybodol iawn o amrywiaeth semantig yn iaith y Beibl; nid bod gair yn newid ei ystyr sylfaenol, ond bod defnydd arbennig yn cael ei wneud ohono. Yn yr erthygl ar 'FFYDD' y pwynt allweddol yw'r defnydd a wneir o'r gair, yn epistolau Paul yn bennaf, i olygu'r ffydd gadwedigol sy'n cyfiawnhau pechadur. Ar ôl i Charles gyflwyno tystiolaeth yr ysgrythurau am nodweddion y ffydd hon, mae'n manylu ar yr elfennau yn y broses feddyliol o ymgyrraedd ati, gyda gofal arbennig dros yr arddodiaid sy'n cyfleu'r berthynas rhwng Crist a'r pechadur. Dyma lais pwyllog yr addysgwr a'r cynghorydd ysbrydol profiadol yn arwain y darllenydd:

> Y mae yn arwyddo gwybodaeth yn y deall o'r dystiolaeth hon; cydsyniad yr ewyllys â'r pethau y tystiolaethir am danynt, sef am Grist, a holl drefn fawr yr iechydwriaeth ynddo; ymddiried ac ymorphwysiad y meddwl ar yr hyn yw Crist yn ôl y dystiolaeth am dano, yn holl gyflawnder ei haeddiant a'i ras, ac yn ei holl swyddau cyfryngol.

Mae rhethreg yn wedd bwysig ar yr erthygl hon, o ran y sylw a roddir i iaith ac arddull y Beibl mewn perthynas â ffydd, a hefyd o ran defnydd Charles ei hun o ddulliau rhethregol i ddysgu ac ysbrydoli ei ddarllenwyr. Gwyddai hefyd fod y cysyniad o sicrwydd ffydd wedi bod yn gynhennus erioed, ac yn destun anghytundeb rhwng Howell Harris a Daniel Rowlands ym more bach y Diwygiad yng Nghymru,[11] felly roedd angen iddo gyfleu'r gwirionedd yn syml ac yn glir. Ceir paragraff hir yn cynnwys naw pwynt rhifedig sy'n manylu ar 'yr amrywiol ddull o ymadroddi a arferir gan yr Ysbryd Glân, yn yr ysgrythyrau, am ffydd.' Ymadroddion ffigurol yw nifer o'r rhain, fel 'ffoi fel y llofrudd i'r noddfa', a 'gwisgo yr Arglwydd Iesu fel ein diogelwch a'n harddwch pennaf'. Ac unwaith eto mae pwyslais arbennig ar arddodiaid: y dystiolaeth sydd gan y credadun 'ynddo ei hun' (1 Ioan 5:10), 'ymddiried ynddo' (sef Crist), ac 'ymborthi arno'.

Fel pob pregethwr da, medrai Charles amrywio tôn a dwyster ei ddeunydd er mwyn creu'r argraff briodol ar ei wrandawyr, ac fe'i gwelir yn arfer yr un ddawn yn aml yn ei *Eiriadur*. Ar ôl y rhes faith o bwyntiau rhifedig yn dadansoddi ymadroddion ysgrythurol ar bwnc ffydd, cawn y paragraff byr a grymus hwn lle gellir ymglywed â llais y pregethwr yn mynd i hwyl:

> Dyma werthfawr ffydd etholedigion Duw; sef, rhodd anhywerth Duw iddynt, cwlwm undeb pechadur â Christ, agoriad arch cyfamod Duw sydd yn agoryd ei thrysorau anchwiliadwy i'r pechadur, ac yn agoryd cymundeb diddarfod rhwng y pechadur â Christ. 2 Petr 1.1. Yr hon y mae eiriolaeth fawr Crist yn y nefoedd o'i phlaid fel na ddiffygio; a gallu dwyfol yn ei nerthu. Luc 22.32. Rhuf. 4.20.

Mae nifer o ddyfeisiau rhethregol y bregeth i'w gweld yma: y defnydd dramatig o 'dyma' i dynnu'r gynulleidfa i mewn i'r profiad, y tair delwedd, 'rhodd', 'cwlwm' ac 'agoriad' sy'n ymhelaethu'n gynyddol, a'r ailadrodd ar y ferf 'agoryd' er mwyn llunio cymal clo estynedig sy'n tawelu rhythm y frawddeg mewn cytgord â'r syniad o gymundeb parhaol. Diau y byddai Charles yn ystyried termau diwinyddol fel 'etholedigion', 'cyfamod', 'cymundeb' ac 'eiriolaeth', ac ansoddeiriau fel 'anhywerth' (*inestimable* yn ôl geiriadur Pughe) ac 'anchwiliadwy' yn enghreifftiau o addasrwydd yr iaith Gymraeg i 'ymadroddi am bethau ysbrydol yn fawreddig, yn ddealladwy, ac yn effeithiol'.

Er bod y paragraff hwnnw'n uchafbwynt emosiynol, ni fyddai'n addas fel diweddglo'r erthygl oherwydd y perygl y gallai mawrygu aruchel o'r fath roi'r argraff fod y ffydd hon yn gyfyngedig i ychydig o etholedigion yn unig. Gan na allai pechadur gael ei achub heb ffydd, mae Charles yn cloi'r erthygl allweddol hon, fel cynghorwr ysbrydol doeth, trwy gynnwys ei holl ddarllenwyr neu'i wrandawyr a chynnig gobaith iddynt: 'Y mae pawb sydd yn gwir feddiannu y ffydd hon, er na bydd ond bechan o ran y gradd o honi, yn heddwch Duw, ac yn gyfranogion o'r holl freintiau sydd yn dyfod trwy Grist, yr un fath a'r rhai mwyaf eu ffydd[.]'

Mae'r math o amrywio tempo a naws, yr ymchwyddo a'r tawelu a welir yn rhai o erthyglau mawr y *Geiriadur* braidd yn debyg i symudiadau darn o gerddoriaeth. Dyna, efallai, oedd ym meddwl R. Tudur Jones pan alwodd yr erthygl ar 'GRAS' yn 'sumffoni osgeiddig'.[12] Fel yr erthygl ar 'FFYDD', mae hon wedi ei strwythuro'n ofalus er mwyn ymdrin ag amrywiol agweddau ar y cysyniad diwinyddol allweddol hwn.

Diddorol yw sylwi'n gyntaf ar yr hyn sydd gan Charles i'w ddweud am darddiad y gair. Ni chynigir gwreiddyn iddo (efallai am nad yw'r gair yng ngeiriadur Pughe), ond fe'i cysylltir â'r ieithoedd clasurol: 'Mae y gair *gras* yn dyfod oddiwrth *gratia*, a hwnnw oddiwrth χαρις, oddiwrth χαιρω *llawenhau*, neu χαρα *llawenydd*[.]' Mae'r cyswllt â'r Lladin yn ddigon dilys, ond mae'n arwyddocaol bod Charles yn hepgor dau gam arall yn y broses fenthyca, sef Hen Ffrangeg a Saesneg Canol. Y gwir amdani yw mai benthyciad o'r Saesneg yw'r gair Cymraeg, a hynny yn y bedwaredd ganrif ar ddeg fe ymddengys, ond ni fyddai cydnabod hynny'n cyd-fynd â'r ddelfryd o hynafiaeth y Gymraeg fel iaith ysbrydol. Di-sail yw'r honiad bod y Lladin *gratia* yn tarddu o'r term Groeg χαρις, ond mae'n ddolen bwysig yn yr ymgais i greu cyswllt agos rhwng y Gymraeg a iaith wreiddiol y Testament Newydd.

Mae'r cyfystyron a gynigir ar gyfer 'GRAS' yn rhestr drawiadol o un ar hugain o eiriau ac ymadroddion sy'n creu cwlwm cyfoethog o ystyron cadarnhaol: 'rhad, llâd, cêd, dawn; rhad-rodd; cyfrif, bri, hoffedd; tegwch, harddwch, hawddgarwch, gweddusrwydd; gollyngdod, rhydd-deb; cennad, caniatâd; heddwch, cymod, cariad; erfyniad bendith, tâl diolch'. Ac mae'r rhestr faith honno'n bell o ddisbyddu'r maes. Trwy gydol yr erthygl ceir rhagor o gyfystyron wrth fanylu ar y defnydd o'r gair yn yr ysgrythurau, megis 'daioni' a 'bendith'. Ac mae'r diffinio'n ehangu i gynnwys effaith gras ar gyflwr meddwl y Cristion: 'Yr holl ddedwyddwch, cysur, a dyddanwch, a'r cyflawnder o fendithion sydd yn Nghrist i'w bobl sydd yn y byd hwn, a'r hwn sydd yn dyfod, a elwir yn ras, yn aml, am mai o rad gariad a haelioni

Duw y mae y cwbl yn tarddu.' Mae'r amrywiadau hyn ar eirfa ganolog yn wedd gerddorol arall ar yr erthygl sumffonig hon.

Un o hoff dechnegau Thomas Charles a welir ar ei mwyaf effeithiol yn yr erthygl hon yw'r modd y mae'n gweu ymadroddion o'r ysgrythur i mewn i'w esboniadau, gan gydblethu'r cwbl yn fawl i ras Duw. Ac yn hynny o beth roedd ei feistrolaeth ar y gwahanol gyfieithiadau'n ychwanegu at yr adnoddau mynegiant a oedd ar gael iddo. Mae'r frawddeg hon yn cydblethu ymadroddion o Effesiaid 2:7 a Rhufeiniaid 5:20 (mewn teip italig) gan ddyfynnu o Destament Newydd William Salesbury megis amrywiadau ar gyfieithiad 1620 i gynorthwyo'r darllenydd i lawn werthfawrogi gair Duw. Dyma ddysg yn gwasanaethu'r cymhelliad efengylaidd i bregethu'r gair:

> Y mae Duw yn ewyllysio dangos i oesoedd y byd y *rhagorol olud hwn*; a'i gymwynasgarwch, neu ei *garedigrwydd* (W.S.) i ni yn Nghrist sydd yn dangos hyn yn *gyflawn* – υπερεπερισευσεν η χαρις, *gras yn rhagor amlhau – yn tra amlhau yn fwy o lawer* (W.S.) yn tra amlhau yn fwy o lawer na phechod, y peth mwyaf sydd yn bod ond gras.

Yng nghanol yr erthygl ar 'GRAS' ceir paragraff angerddol sydd yn amlwg yn mynegi gwrthwynebiad Thomas Charles i'r rhai yn y mudiad Methodistaidd a oedd o blaid ordeinio eu hoffeiriaid eu hunain ac ymadael â'r Eglwys Anglicanaidd (fel y digwyddodd ym mlwyddyn cyhoeddi rhan olaf y *Geiriadur*):[13]

> Wrth sylwi yn fanwl ar yr arferiad o'r gair yn y Testament Newydd, gellir gweled nad oes dim yn perthynu i'r eglwys, fel y cyfryw, neu sydd yn ei gwneyd yn eglwys, nad yw yn cael ei alw yn ras; am fod y cwbl yn tarddu o rad gariad a daioni Duw yn unig, ag sydd yn gwneuthur dim rhagor rhyngddi, a phob aelod o honi, ac eraill. Duw pob gras yw Duw: ac o'i drysorau anchwiliadwy a diddarfod, y mae yn cyfranu i gyfodi eglwys iddo ei hun, a hono yn sanctaidd, yn gyfiawn, ac yn ogoneddus, wedi ei chwbl harddu â doniau ac addurniadau yr Ysbryd Glân. Y mae yn gwbl addas iddi hi, ei holl swyddwyr a'i haelodau, ddywedyd gyd â'r apostol Paul, 'Trwy ras Duw yr ydwyf yr hyn ydwyf.' 1 Cor. 15.10.

Mae undod yr eglwys a'i gwerth fel noddfa i'w haelodau yn thema sy'n codi'n aml yn y *Geiriadur*, er enghraifft yn yr ebychiad hwn yng nghanol yr erthygl faith ar Jacob: 'Duw Jacob yw Duw yr holl eglwys, a phob aelod o honi, byth!'

Yn sicr, nid yw Thomas Charles yn arfer y math o wrthrychedd sy'n ddisgwyliedig mewn geiriadur. Hyrwyddo adeiladaeth grefyddol ei gyd-Fethodistiaid oedd nod cydnabyddedig y llyfr, ac mae'r eiriaduraeth yn gwasanaethu'r nod hwnnw bob tro. Yn sgil y pwyslais efengylaidd ar weddnewidiad ysbrydol y dröedigaeth, mae'r diffinio'n mynd ymhell y tu hwnt i ffiniau semantaidd yr iaith gyffredin. A dyma wir bwysigrwydd *Geiriadur Ysgrythyrol* Thomas Charles yn hanes geiriaduraeth Gymraeg. Nid yn unig y mae'n cofnodi iaith y Beibl Cymraeg ac yn ei hesbonio, ond hefyd y mae'n amlygu holl gyfoeth ysbrydol yr iaith honno ar waith. Ac yn hynny o beth mae rhannau sylweddol ohono'n haeddu cael eu hystyried yn llenyddiaeth grefyddol o bwys.

Nodiadau

1 Mae'r crynodeb a roddir yma, a'r drafodaeth gyfan ar bwysigrwydd y *Geiriadur Ysgrythyrol*, yn ddyledus i ysgrif gampus R. Tudur Jones, 'Diwylliant Thomas Charles o'r Bala', yn J. E. Caerwyn Williams (gol.), *Ysgrifau Beirniadol* 4 (Dinbych: 1969), tt. 98–115. Gw. ymhellach *Life*, II, tt. 466–75 a Gwilym H. Jones, *Geiriadura'r Gair* (Caernarfon: 1993).

2 Newidiwyd y teitl am resymau hawlfraint yn ôl Jenkins, *Life*, II, t. 475.

3 Gw. Eiluned Rees, *Libri Walliae* (Aberystwyth: 1987), t. 139.

4 Rhestrir manylion bywgraffiadol amdanynt yn *Bywg*.

5 Gw. Derec Llwyd Morgan, 'Thomas Charles, "Math newydd ar Fethodist"', *Pobl Pantycelyn* (Llandysul: 1986), tt. 74–85.

6 Ond sylwer mai gwahanol yw dehongliad *Y Beibl Cymraeg Newydd* (1988): 'Y ffermwr sy'n llafurio sydd â'r hawl gyntaf ar y cnwd.'

7 Ar yr awdurdodau diwinyddol y cyfeirir atynt yn y *Geiriadur* gw. D. Densil Morgan, 'Credo ac Athrawiaeth' yn *Twf*, tt. 118–25 a phennod 4 uchod.

8 Mae'n debyg i Pughe gael y llinell o'r *Flores Poetarum Britannicorum* (Amwythig: 1710), t. 35, lle y'i priodolir i 'D.M.T.'.

9 J. E. Caerwyn Williams (gol.), *Gwaith Meilyr Brydydd a'i Ddisgynyddion* (Caerdydd: 1994), cerdd 4, llinell 15.

10 Er enghraifft, yn nheitl pamffled y Methodist John Owen (Machynlleth), *Golygiadau ar Achosion ag Effeithiau'r Cyfnewidiad yn Ffrainc* (1797). Ar y pamffled hwnnw gw. pennod 6.

11 Gw. Eifion Evans, *Daniel Rowland and the Great Evangelical Awakening in Wales* (Edinburgh: 1985), tt. 111–14; Geraint Tudur, *Howell Harris, from Conversion to Separation, 1735–50* (Cardiff: 2000), tt. 155–7.

12 Jones, 'Diwylliant Thomas Charles', t. 114.

13 Ar agwedd Charles tuag at yr ordeinio, gw. penodau 1 ac 11.

6

Thomas Charles a gwleidyddiaeth y Methodistiaid

Marion Löffler

Diffinnir 'gwleidyddiaeth' mor gynnar â 1580 fel y gelfyddyd 'sydd yn dysgu gwladychu a llywyaw tyrnassoedd a gwledydd yn hwyaeth ac yn heddychlon, rannu kyfiownder yn union rrwng y naill a'r llall, gwared ag amddiffin y gwirion rag kam a chosbi enwir er ofni eraill'.[1] Erbyn oes Thomas Charles, fe'i hesboniwyd gan eiriadurwyr Cymraeg yn gyffelyb megis 'celfyddyd llywodraethu gwlad', 'llywodraeth gwlad',[2] neu 'meddyliau ynghylch y mesurau gwladol neu lywodraethol' a'r elfen lywodraethol yn flaenaf.[3] Roedd y rhan fwyaf o bobl yn gytûn â hyn, yn arddel y gred draddodiadol fod i bob unigolyn ei briod le yn nhrefn pethau, boed i lywodraethu neu i ufuddhau. Nid oedd gan y rhan fwyaf ohonynt bleidlais wleidyddol fodd bynnag, sef y dull mwyaf sylfaenol o ddylanwadu ar gwrs gwleidyddol gwlad mewn ffordd gyfreithlon. Cyfyngwyd yr hawl i bleidleisio ac i gynrychioli yn gyfan gwbl bron i'r bonedd a fyddai'n dychwelyd aelodau i'r senedd.[4] Nid yw hi'n syndod, felly, fod dynion a menywod cyffredin yn cadw draw rhag 'gwleidyddiaeth'. 'Canhwyllau gwelw o'u cymharu â'r cefndir mawr tywyll tu ôl iddynt', meddai R. T. Jenkins, oedd y sawl a ymddiddorai mewn gwleidyddiaeth ar y pryd. Rhannodd y gweddill yn dri grŵp: '(1) y werin ddifeddwl, dan arweiniad ei hysweiniaid a'i chlerigwyr a'i swyddogion gwladol; (2) y Methodistiaid; (3) yr Ymneilltuwyr.'[5]

Helaethwyd ar agwedd y Methodistiaid tuag at wleidyddiaeth gan D. O. Thomas ym 1989 ar achlysur daucanmlwyddiant y Chwyldro Ffrengig. Fe'u galwodd yn blaid 'a gadwai draw oddi wrth ymryson gwleidyddol . . . ar sail eu cred nad yw newidiadau gwleidyddol yn berthnasol i ymdrech dyn i sicrhau iachawdwriaeth'.[6] Atebwyd yntau gan R. Watcyn James mewn erthygl ar 'Ymateb y Methodistiaid Calfinaidd Cymraeg i'r Chwyldro Ffrengig', a ofynnodd am y tro cyntaf 'beth oedd safbwynt gwleidyddol arweinwyr y Methodistiaid Cymraeg?'[7] Dangosodd y ffactorau diwylliannol a chymdeithasol a gyfrannodd at ddatblygiad meddwl Methodistiaid blaengar, gan ystyried eu hamgylchiadau materol, 'ceidwadaeth gynhenid' y werin Gymraeg a amlygai ei hun ym maledi, cerddi ac anterliwtiau'r adeg,[8] ofn cyrchoedd y gelyn Ffrainc ar y deyrnas yn ystod rhyfeloedd 1793–1815, a'r ymosodiadau cyhoeddus gan Anglicaniaid blaenllaw a ddioddefodd y mudiad Methodistaidd yn yr un cyfnod.[9] Dyma'r ffactorau, ym marn James, a achosodd i ail genhedlaeth arweinwyr y Methodistiaid Calfinaidd yng Nghymru fynegi barn wleidyddol yn gyhoeddus. Amcan y drafodaeth a ganlyn yw ailasesu'r ffactorau hyn gan eu cymhwyso at fywyd a gyrfa Thomas Charles.

'Though well abreast of the politics of his day, he never busied himself with politics as such,' oedd sylw D. E. Jenkins ar ddechrau ei astudiaeth fawr o fywyd a gwaith Thomas Charles, heb holi ymhellach am y rhesymau.[10] Buddiol, felly, yw asesu'r dylanwadau o wahanol gyfeiriadau a allai fod wedi arwain at ffurfio ei farn wleidyddol. Ganwyd Thomas Charles ym 1755 ym mhlwyf Llanfihangel Abercywyn, Sir Gaerfyrddin, a'i dad, Rees Charles, yn gweithio Pant Dwfn, fferm â 367 o erwau, ffermdy sylweddol (a ddisgrifiwyd ar adegau fel 'plas') a chwech o weision a morynion.[11] Gwasanaethasai'r tad-cu ar ochr y fam, Jael, fel siryf Caerfyrddin neu '[b]eniaeth y sir tan y brenin', yn ôl *Cyfreithiau Plwyf*, yr arweinlyfr gweinyddiaeth cyntaf yn y Gymraeg, a bu'r rhieni'n aelodau parchus o'r eglwys wladol.[12] Yn ôl pob golwg, magwyd Charles mewn teulu â statws cymdeithasol sylweddol yn y sir, felly. Yn blentyn, derbyniodd hyfforddiant crefyddol dwys gan Rhys Hugh a oedd yn warden Eglwys Abercywyn, ond hefyd yn ddisgybl i'r addysgwr efengylaidd Griffith Jones, Llanddowror, gan gyflwyno'r elfen ddeuol o ddylanwadau crefyddol a fyddai'n nodweddu bywyd Charles. Yn ystod y chwe blynedd a dreuliodd yn yr Academi Bresbyteraidd yng Nghaerfyrddin o 1769 ymlaen, lletyodd gyda'i chwaer Elizabeth a'i gŵr Joseph Thomas, masnachwyr parchus yn y dref, ond clywodd hefyd ddadleuon gwleidyddol-grefyddol radicalaidd athrawon a chyd-fyfyrwyr anghydffurfiol, dylanwad a ddiflannodd gyda'i fynediad i Goleg Iesu Rhydychen ym 1775. Yno, hyfforddodd i fod yn offeiriad yn Eglwys Loegr, ond cymysgodd hefyd â myfyrwyr eraill o ogwydd efengylaidd.[13]

Ordeiniwyd Thomas Charles yn ddiacon ym 1778 ac yn offeiriad flwyddyn yn ddiweddarach.[14] O ran statws cymdeithasol a materol cyfforddus ei deulu, ei addysg freintiedig, a'r swydd y'i hyfforddwyd ef iddi, gellid disgwyl i Thomas Charles fod yn deyrngarol i'w wladwriaeth, ond hefyd, o bosib, iddo deimlo ei bod hi'n fraint, neu yn wir yn ddyletswydd arno, i gyfrannu at lywodraethu cymdeithas a mynegi barn wleidyddol.[15]

Bid a fo am hynny, ni chanfyddir diddordeb mewn gwleidyddiaeth yn ei ysgrifeniadau preifat ond amlygir ei ddaliadau gwleidyddol yn glir yn yr ychydig sylwadau sydd gennym. Ar 29 Mehefin 1781 disgrifiodd ei ddarpar wraig Sally Jones sut y rhyddhawyd dyn a ddigwyddai fod yn aelod o'r seiat o'r carchar yn anghyfreithlon, yn dilyn digwyddiad terfysglyd yn ystod y cyfarfod cyhoeddus i benodi aelodau'r militia yn y Bala.[16] Dengys ymateb Charles, ar 11 Gorffennaf 1781, ei agwedd tuag at weithredu'n anghyfreithlon a'r sawl a weithredai felly:

> I am most *sadly* grieved at the riot – *methodistical,* as it is called – which happend with you. The enmity and rage of the world never give me a moment's uneasiness; but when a Brother – true or false one – by his scandalous conduct brings a reproach upon religion itself, and gives an apparent cause for the enemy to triumph and blaspheme, – I feel my heart sinking within me, and a gloom of despondency beclouds my Spirits. – I hope your people as a body will unanimously take the most effectual method to wipe off the Stigma of reproach, by discarding and disowning a person possessed of such unhumbled and rebellious spirit as to fly in the face of Lawful Authority. If our religion hath not that beneficial influence upon us, so as to make us fulfill all the relative Duties we owe as magistrates and subjects, Masters and servants, Parents and children, husbands and wives, better and more conscientiously than we did in our natural state, there is not a doubt remaining but that our religion is *utterly* vain, – is of no real benefit to ourselves, nor honourable to God, whatever high pretensions any one may make of it. I sincerely wish to see this truth more attended to and duely [*sic*] considered.[17]

Yr unig reswm i'r weithred wleidyddol anghyfreithlon wneud iddo deimlo'n anghyfforddus oedd am ei bod yn niweidio crefydd ac yn cynorthwyo'r elfennau cableddus mewn cymdeithas. Ei gyngor ef oedd diarddel y drwgweithredwr o rengoedd y Methodistiaid, er nad oedd ef eto wedi ymuno â'r mudiad yn swyddogol. Rhan o swyddogaeth crefydd oedd peri i'w deiliaid gyflawni eu dyletswyddau yn effeithiolach na phan fuont yn y stad anianol a hyrwyddasid gan athronwyr megis Rousseau. Llais teyrngarwr, llais swyddog y llywodraeth a glywir yn glir yn y llythyr hwn, dyn a oedd yn mwy na pharchu awdurdod cyfreithlon a threfn cymdeithas ond yn hytrach yn ei hamddiffyn i'r carn.

Tua deng mlynedd yn ddiweddarach, ac yntau bellach yn arweinydd y mudiad Methodistaidd yng Nghymru, sonia am wleidyddiaeth eto, ond yn fwy cyffredinol y tro hwn. Ar 15 Awst 1793, yng nghanol berw gwleidyddol Llundain, ysgrifennodd at hen gyfeilles:

> Well, perhaps a little account of what is going on in this miserable world may not be unacceptable to you. Here in London a considerable deadness seems to overspread the world. The empty noise of Politics has its influence in promoting it. A fresh outpouring of the Spirit, another Pentecost, is wanted to revive his drooping cause. But, however, I hope some good is done, and I trust more will be done. In Wales, the prospect I think is as pleasing, if not more so, than ever.[18]

Erbyn hyn, y mae crefydd yn cyfri'n uwch na gwleidyddiaeth. Yn wir, gwleidyddiaeth, meddai, sy'n gyfrifol am farweidd-dra'r byd. Pan oedd cyd-Gymry yn Llundain – dynion megis Jac Glan-y-gors, Thomas Roberts Llwynrhudol ac aelodau Cymdeithas y Gwyneddigion – yn cydgyfranogi ym mwrlwm gwleidyddol y ddinas, roedd y siarad hwnnw yn berffaith ddiflas ganddo. Roedd ei fryd yn hytrach ar chwyldro ysbrydol o anian hollol wahanol.[19] Ei unig ddiddordeb oedd y bwrlwm crefyddol a oedd yn gafael yng nghalonnau'r werin ac eisoes yn gweddnewid natur cenedl y Cymry.[20]

Erbyn canol y 1790au roedd Thomas Charles yn arweinydd mudiad a oedd, er yn ddiffuant yn deyrngar i eglwys y wladwriaeth, yn cael ei ddrwgdybio o ddymchwel y drefn gymdeithasol trwy bwysleisio enthiwsiastiaeth benboeth a chaniatáu i leygwyr dihyfforddiant bregethu mewn mannau anghysegredig. Â'r Chwyldro Ffrengig yn fyw yn y cof, roedd anesmwythyd deiliaid y drefn wrth reswm yn amlwg. Ym 1793, dechreuodd rhyfel a fyddai'n para am ugain mlynedd bron, gyda chaledi digyffelyb yn economi cefn gwlad.[21] Hybid egwyddorion rhyddid a chydraddoldeb gan gymdeithasau megis y London Corresponding Society a'r Society for Constitutional Reform mewn cyfarfodydd torfol a chyhoeddiadau heriol.[22] Er mwyn eu hatal, diddymodd y llywodraeth *habeas corpus* ym 1794 ac erlidiwyd arweinwyr y cymdeithasau hyn am deyrnfradwriaeth.[23] Ym 1795, pasiwyd deddfau yn erbyn siarad a gweithredu'n deyrnfradwrus, a gwaharddwyd trafod gwleidyddiaeth mewn cyfarfodydd.[24] Y cyhuddiad cyffredin oedd bod rhywrai am ddinistrio 'the existing laws and constitution, and for introducing the system of anarchy and confusion which has so fatally prevailed in France', sef Jacobiniaeth.[25] Roedd hi'n gyd-ddigwyddiad anffodus fod y Methodistiaid Calfinaidd yng Nghymru yn dra llwyddiannus ar adeg o fygythiadau mewnol ac allanol dwys i wladwriaeth a brenhiniaeth Prydain Fawr. Daethant dan amheuaeth yn bur fuan. Mor gynnar â Rhagfyr 1792 rhybuddiwyd yr Ysgrifennydd Gwladol fod 'methodist' yn ardal Wrecsam yn pregethu egwyddorion *Rights of Man* gan Thomas Paine.[26] Parodd yr un ofnau i'r foneddiges Hester Piozzi gomisiynu cyfieithiad o waith yr awdures deyrngarol boblogaidd Hannah More ym 1794.[27] Ceisiwyd atal gwaith y Methodistiaid drwy gymhwyso Deddf Gonfentiglau 1664 atynt, gan eu gorfodi i gofrestru fel Ymneilltuwyr, ac, fel y gwelir yn y man, drwy ymgyrch o enllibio cyhoeddus.[28]

O dan yr amgylchiadau, peth call oedd i bob deiliad bledio ffyddlondeb i'r brenin. O ganlyniad, o Hydref 1792, ymlaen cyhoeddwyd datganiadau o deyrngarwch o bob cwr o Gymru mewn papurau newydd, cyfanlenni a phamffledi.[29] Yn ogystal, ym 1793 ac ym 1803 cynhaliodd gweinidogion y Bedyddwyr a'r Annibynwyr gyfarfodydd cyhoeddus, i ganmol Chwyldro Gogoneddus 1688 a chadarnhau eu bod yn glynu wrth frenin a gwlad,[30] a hyn er i rai o'u harweinwyr, megis Morgan John Rhys a William Richards, Lynn, ddatgan gwrthwynebiad croch i bolisïau'r eglwys wladol a'r llywodraeth a galw am ryddfreiniad crefyddol a dinesig yr Ymneilltuwyr.[31] Mae hi'n ddealladwy i'r Methodistiaid Calfinaidd hwythau daro nodyn o deyrngarwch, ond cymerodd eu datganiadau hwy gyfeiriad gwahanol, gan apelio at gydwybod grefyddol aelodau'r mudiad yn hytrach na chanmol digwyddiadau gwleidyddol y gorffennol. Amlygir hyn yng nghofnodion sasiwn chwarterol Machynlleth, 15 a 16 Ebrill 1795:

> IV. A Brief notice was also taken, particularly, of our obligations to obey the powers that be. The command of the Lord is clear, and positive on this subject. 'Let every soul be subject unto the higher powers: the powers that be, are ordained of God.' Rom. xiii. 1. The example of Christ, meekly and readily paying tribute, clearly shews the course which we are to take as his followers. He shewed respect, by a willing obedience, to a government, which he knew would unjustly put him to death. It is not the spirit of a prickly, pecking, and bitter politician who puts down all as fools and offenders except himself, that we observe in our meek Saviour. Our Lord was not a slanderer of dignities: nor does it become any one of his

> followers to be so. This is one of the many ways which Satan has, to bring reproach on the holy ways of God, and to starve and corrupt the souls of men. To settle the affairs of government, without ever being called to such a work, and to neglect things of the greatest moment, which belong to us and our families, is a great folly, and one of the snares of the devil, in which he catches depraved and changeable men at his will.[32]

Yn debyg i Charles yn ei lythyrau preifat, cynghorir pawb i fod yn ufudd i'r awdurdodau gwladol, ond ar yr un pryd dirmygir y gwleidydd, gan rybuddio bod ymyrryd mewn materion llywodraethol yn arwain at esgeulustod o waith pwysicaf, mewnol, teuluoedd y mudiad. Nid datganiad o deyrngarwch pur a geir, ond yn hytrach orchymyn i ddilyn ffyrdd Duw a Iesu Grist yn eu hagwedd hwy tuag at awdurdodau bydol. Erbyn ail hanner y 1790au, o dan straen yr ymosodiadau parhaus, cymerodd y Methodistiaid bob cyfle i hysbysu'r cyhoedd o'u pleidgarwch i Brydain a'i rhyfel. Ceir straeon cadarnhaol ym mhapurau newydd y gororau a wasanaethai Gymru, e.e., ar ôl glaniad y Ffrancod yn Abergwaun, 25 Chwefror 1797:

> The Rev. Mr. Jones of Llangan, was preaching to a crowded congregation in the town of Carmarthen, at the moment when the first intelligence of an invasion arrived. With the greatest presence of mind, he exhorted his audience for the love of God to be firm, to avoid turning their backs on the enemy, assuring them, on these terms, of Divine Protection – finally, he offered to accompany them in person! – Words cannot express the effect produced on the minds of his hearers – the proposition was accepted, and after possessing themselves of whatever arms lay in reach, they augmented the great body, actuated by the same spirit of British loyalty.[33]

Cyhoeddwyd adroddiadau tebyg am wasanaethau o ddiolchgarwch y Methodistiaid yn Abergwaun ym mis Mai 1797 ac ar flwyddiant y glaniad, gan bwysleisio 'all appeared conscious of the excellent government they lived under, and offered fervent prayers for its long continuance'.[34] Drwy gydol y rhyfel bu'r Methodistiaid yn cynnal cyfarfodydd gweddi 'yn holl addoldai y Methodistiaid am naw o'r gloch bob bore dydd Mercher',[35] ac yn cefnogi ymdrech Prydain mewn adroddiadau yn y cylchgrawn *Trysorfa Ysbrydol* a sefydlwyd gan Thomas Charles a Thomas Jones ym 1799.[36] Yno hefyd cyhoeddid atebion cadarnhaol i gwestiynau megis 'Beth yw dyled deiliaid tu ag at eu Brenin?', gan bwysleisio bod 'yr awdurdodau uchel wedi eu hordeinio gan Dduw, a bod pwy bynnag a ymosodo yn erbyn awdurdod yn gwrthwynebu ordinhad Duw, ac yn derbyn barnedigaeth iddynt eu hunain, sydd yn gorchymyn i bob deiliaid ofni, caru, ac anrhydeddu eu Brenin.'[37]

Er eu hymdrechion, pwysai cysgodion amheuaeth yn drwm ar y mudiad, ffaith sydd yn rhannol gyfrifol am y pamffledi gwleidyddol a gynhyrchwyd gan aelodau ac arweinwyr. Cyhoeddwyd *King and Government: A Discourse on Occasion of the Great Ferment about Civil and Religious Liberty Designed as a Check to Infidelity and Licentiousness as well as a Vindication of our Constitution*, gan Thomas Davies, rheithor Coety, mor gynnar â 1793.[38] Cyfeiria'r teitl tuag at gynnwys a gynigiai ddadansoddiadau teyrngarol o eiriau allweddol y cyfnod:

> Kings and governours, judges and magistrates are the guardians and protectors of the rights and liberties of the people, on which account they ought to be feared and had in reverence of all men. We always find the primitive Christians to be a loyal people in every state, and ready on all occasions of emergency to manifest their unfeigned obedience to the government they were under.[39]

Ymateb i siars neb llai na Richard Watson, esgob Llandaf, i'w glerigwyr, a groesawodd 'the emancipation of the French nation from the Tyranny of Regal Despotism', gan awgrymu y byddai rhyddfreinio'r Ymneilltuwyr yn ddefnyddiol, oedd y llith cyntaf hwn.[40] Testun Cymraeg ei iaith wedi ei anelu at y werin gyffredin oedd *Golygiadau ac Effeithiau'r Cyfnewidiad yn Ffraingc* gan John Owen, a gyhoeddwyd nesaf, ym 1797.[41] Egyr yntau â chlod i'r deyrnas Brydeinig, 'sydd mor gyflawn o freintiau ag mor aml o Drygareddau . . . L[l]ywodraeth Dyner, a chyfreithiau daionus, . . . R[h]yddid yn lle Caethiwed, A goleuni'r Efengyl, yn lle Tywyllwch Pabyddiaeth'.[42] Mewn pum tudalen bywiog a theatrig, disgrifia sut y trowyd y drefn draddodiadol wyneb i waered gan ddynion â thrachwant am ryddid 'gwag' a chyfoeth eu meistri, a sut y cosbwyd hwy'n waedlyd am eu bod wedi gwrthryfela yn erbyn trefn Duw. Blwyddyn yn ddiweddarach cyhoeddwyd *Gair yn ei Amser at drigolion Cymru gan Ewyllysiwr da i'w wlad* gan Thomas Jones, Dinbych.[43] Cefnogodd Jones yntau Brydain Fawr, gan amddiffyn ei rhyfel fel un cyfiawn a chondemnio'r Ffrancwyr fel '[g]wrthwynebwyr i Grist, . . . yn tynnu Pabyddiaeth i lawr hyd y gallant; ond yn gosod i fynnu Anghrist'nogaeth waeth o lawer yn ei lle'.[44]

Gorchmynnir i bawb

> gyd-ymgynhyrfu, mewn prysurdeb a ffyddlondeb eithaf, yn yr achos cyffredin . . . i sefyll neu syrthio, gyda â Chrefydd Christ, gyda â'n Brenin a'n dau Dŷ o Barliament, gyda â'n Cyfreithiau a'n rhyddid, a chyd â Gwir Achos ein Gwlad a'n Teyrnas.[45]

Tawelu'r dyfroedd, gwrthod y cyhuddiadau o Jacobiniaeth, a phledio teyrngarwch oedd amcan y tri chyhoeddiad, ond ni roesant derfyn ar ymosodiadau gwrth-Fethodistaidd yr Anglicaniaid traddodiadol. Roedd y mudiad Methodistaidd yn dal i gryfhau, gan ddenu miloedd o addolwyr i sasiynau pregethu awyr agored, addysgu miloedd yn rhagor mewn ysgolion Sul ac adeiladu ymhell dros gant o gapeli newydd mewn degawd.[46] Gyda synnwyr trannoeth, mae hi'n glir pam y teimlai Eglwys Loegr dan fygythiad, gan fod cystadleuydd mewnol yn atynnu aelodau ar raddfa fawr ar ei thraul hi, gan eu haddysgu a'u trefnu ar wahân. Rhaid asesu'r ymgyrch i bardduo'r mudiad Methodistaidd mewn pamffledi, pregethau, llyfrau teithio, papurau newydd, ac yn y *Gentleman's Magazine* a'r *Anti-Jacobin*, yn erbyn cefndir y cyfuniad o ddatblygiadau gwleidyddol a chrefyddol hyn.[47]

Yn sgil disgrifiadau anffafriol o ddull addoli Methodistiaid yng Nghernyw a Chymru gan deithwyr Saesneg, na allent ddilyn y *Grand Tour* oherwydd y rhyfel, ac un disgrifiad ffafriol o'r 'Rowlandists or Calvinistic Methodists' gan y Parchedig John Evans yn ei *Tour throughout Part of North Wales*,[48] llenwyd y ddau gylchgrawn uchod â llythyrau'n cyhuddo'r mudiad o ledu egwyddorion Jacobinaidd ac ymddwyn yn anfoesgar yn eu cyfarfodydd. Dyma gefndir llythyr Thomas Charles at olygydd y *Gentleman's Magazine* o 19 Tachwedd 1799. Derbyniodd Charles y cyhuddiad ar ei ben gan fynnu tystiolaeth i'r honiadau. Nid oedd tystiolaeth i gael ac felly cadarnhaodd, unwaith yn rhagor, fod y mudiad yn 'conscientiously [*sic*] supporters of a regular government and due subordination; and are firmly attached to their lawful and beloved Sovereign and the happy constitution of their country'.[49] Ychwanegodd fod aelodau a fyddai'n siarad yn erbyn y llywodraeth yn cael eu diarddel, pwysleisiodd nad oedd gweithiau Thomas Paine wedi eu cyfieithu i'r Gymraeg a mynegodd fod y gohebydd anhysbys yn 'misinformed when he asserts, that they have been distributed by the Welsh Methodists'.[50] Gwnaeth gamgymeriad Freudaidd braidd ynglŷn â hyn, serch hynny, a allai fod wedi bod yn beryglus, pan ysgrifennodd:

> If your correspondent's information had been more accurate, and his prejudice less, he would have noticed a small pamphlet entitled 'Scren tan gwrnwl [*sic*]' A word in season . . . in which the baneful influence of French principles, and the devastation they produce are contrasted with the superior blessings which we enjoy in our highly-favoured country.[51]

Amlygodd felly i'r Sais fodolaeth *Seren tan Gwmmwl* gan Jac Glan-y-gors, pamffledyn a oedd wir yn cynnwys darnau o waith Thomas Paine,[52] gan ei gyffelybu â *Gair yn ei Amser*, gwaith teyrngarol Thomas Jones, Dinbych! Pe bai beirniaid y Methodistiaid yn fwy craff, fe ellid bod wedi plygu'r frawddeg hon i fantais yr erlidwyr yn hawdd. Fel y mae hi, ymddangosodd ail lythyr gan Charles, a ysgrifennwyd ar 25 Chwefror, i esbonio bod y ddau gyhoeddiad 'of very opposite tendency'.[53] Nid yw'n bosibl canfod bellach beth a achosodd y gwall hwn, ond hwyrach fod gwaith anffyddiwr o Gymro (yn ôl y si) megis Jac Glan-y-gors yn y Gymraeg yn pwyso'r un mor drwm ar feddwl Charles â'r cyhuddiadau o du Eglwys Loegr. [54]

Bid a fo am hynny, ni roes llythyr Thomas Charles derfyn ar yr ymosodiadau enllibus gwleidyddol, gan eu bod yn rhan o ymdrech i beri i weinidogaeth William Pitt ddiddymu Deddf Goddefiad 1689 er mwyn erlyn Methodistiaid ac Ymneilltuwyr Prydain.[55] Yn Lloegr, cwmpasodd yr ymgyrch bamffledi megis un yr Esgob Samuel Horsley a honnai fod Jacobiniaid Prydain yn defnyddio'r grefydd Gristnogol fel ceffyl cynfas:

> In many parts of the Kingdom new conventicles have been opened in great number, and congregations formed of one knows not what denomination. The pastor is often, in appearance at least, an illiterate peasant or mechanic. Sunday schools are opened, in connection with these conventicles . . . It is very remarkable, that these new congregations of non-descripts have been mostly formed, since the Jacobins have been laid under the restraint of those two most salutory statutes commonly known by the names of the Sedition and the Treason Bill. A circumstance which gives much ground for suspicion, that Sedition and Atheism are the real objects of these institutions, rather than religion.[56]

Yng Nghymru, cyhoeddwyd tair llith beryglus o ymosodol ym 1801 a 1802, *Cyngor difrif periglor i'w blwyfolion, i ochelyd anghydfod mewn crefydd* gan Hugh Davies, a chan Thomas Ellis Owen *Hints to Heads of Families*, a *Methodism Unmasked, or the Progress of Puritanism, from the sixteenth to the nineteenth century*.[57] Bu'n rhaid ymateb i wrthbrofi'r cyhuddiadau ac yr oedd arweinwyr eraill y mudiad wedi gwneud eu dyletswydd yn y maes amhleserus hwn eisoes. Penderfyniad y mudiad, felly, oedd i Thomas Charles ymgymryd â'r dasg. 'Ni' a ddefnyddiwyd drwy gydol y testun, a'i lofnodi 'Signed in behalf, and by order of the association, held at Llanrwst, February 25, 1802. Thomas Charles.'[58]

Y mae ei bamffledyn gwleidyddol, *The Welsh Methodists Vindicated; In Answer to the Accusations against them*, felly yn waith llefarydd mudiad, nid llafur o wirfodd unigolyn. Cymerodd y dasg o ddifrif, gan gyfansoddi testun Saesneg o dros wythdeg o dudalennau. Llenwir y rhan fwyaf ag ymwrthod cyhuddiadau gwleidyddol tra pheryglus yr *Hints to Heads of Families*, testun a alwodd am gymhwyso deddfau 1795 at gonfentiglau'r Methodistiaid am eu bod yn cynllunio 'anarchy and rebellion' yn eu cyfarfodydd.[59] Unwaith eto, pwysleisiodd Charles fod y mudiad Methodistaidd:

> positively and solemnly deny that any design inimical to the constitution and government of our country, in church and state, was ever entertained by us for a single moment . . . On the contrary, we feel, with our country-men at large, highly interested in the preservation of both; and that is our incumbent duty, as well as all others his Majesty's subjects, to support the same, and behave in all things as becomes loyal, faithful, and obedient subjects . . . We believe the Bible, and bow implicitly to its divine authority: In that best of books we are enjoined to 'fear God and honour the king;' (Pet. 2, 17).[60]

Ail-edrydd bob ymdrech a datganiad o ffyddlondeb i lywodraeth Prydain a'i rhyfel, gan amddiffyn dull ac athrawiaeth y mudiad Methodistaidd yn fanwl, ond teimlir rhwystredigaeth Charles o orfod gwneud yn ei sylwadau fod, 'so little truth in the whole of this publication, that we are really almost wearied in denying the charges it contains; it is one whole heap of groundless assertions'.[61] Ond brwydro ymlaen a wna, gan droi dadl Eglwys Loegr yn ei herbyn:

> But suppose the Methodists were guilty of drawing the people from the church; is it to the honour of the clergy in this enlightened age, as it is called, that a few ignorant sectarians, men of *weak heads* and *worse principles*, should cause any alarm on this head? In learning, in wealth, in numbers, in favour with the great of the world, and in every outward

> circumstance they have very far the advantage over us. Surely, therefore, if there be any danger on this head, the cause must be somewhere with themselves: whatever it may be, we *most earnestly wish* it removed.[62]

Trwy ddychan ymosodol felly amlyga Charles ffaeleddau eglwys y wlad. Ar y tudalennau a ganlyn profa werthfawrogiad at y mudiad Methodistaidd gan gylchoedd y tu mewn i'r Eglwys drwy ddyfynnu awduron parchus o Anglicaniaid. Cwblheir y sylwadau ar *Hints to Heads of Families* â datganiad arall o deyrngarwch i gyfreithiau'r wlad, cyn symud ymlaen at ymdriniaeth o'r testun Cymraeg, *Cyngor Difrif Periglor i'w Blwyfolion*. Unwaith eto try Charles ddadl yr awdur yn ei erbyn, gan synnu nad oes rhagor o'i blwyfolion wedi troi at 'conventicles' o ystyried ansawdd ei waith ef, a chan wrthbrofi'r cyhuddiadau athrawiaethol yn erbyn y Methodistiaid, cyn barnu bod llith Hugh Davies yn 'pitiful performance, as devoid of sense and learning, as it is of sound doctrine'.[63] Mewn atodiad ymatebodd i *Methodism Unmasked*, y trydydd pamffledyn, a ddefnyddiodd hanes Prydain i brofi bod y Methodistiaid – fel pob Piwritan ledled Ewrop er amser Oliver Cromwell – am ladd brenhinoedd a dymchwel trefn cymdeithas. Syndod unwaith yn rhagor yw arddull bolemig Charles, sy'n awgrymu ei hyder yn llwyddiant ei waith a'i ddirmyg at gynheiliad confensiynol y fam eglwys:

> The Hints, we suppose, the Rev. T. E. O. wish us to consider as a pop-gun discharged to frighten and scare us, and that this last publication is an eighteen-pounder, by which the strong citadel of Methodism is to be forever demolished. However, in perusing the work, full of intemperate zeal, under the pretence of loyalty and defence of religion, we felt very little alarmed of consequences. Surely this gentleman entertains a very high opinion of himself and his literary exertions, as well as a very low opinion of the foundation on which the Established Church is supported . . . We could not avoid indulging a smile.[64]

Drwy gydol y testun, defnyddia Charles arfau ei wrthwynebwyr i'w profi'n anghywir yn grefyddol ar sail ei wybodaeth gadarn ef o'r ysgrythur. Dychana wendidau, ofnau ac arddull teyrngarwyr Eglwys Loegr mewn modd tra hyderus. Serch hynny, cymer ofal i gadarnhau mai dymuniad y Methodistiaid yw glynu at yr 'Established Church, and by no means desire to consider themselves as a separate body.'[65] Heb sôn am ymwahanu, felly, cadarnhaodd safiad ei fudiad ym maes pwysig athrawiaeth grefyddol yn hyderus a digyfaddawd. Yn bwysicaf i berwyl y bennod hon, defnyddiodd destun a gyfansoddodd er mwyn amddiffyn ei fudiad rhag ymosodiadau *gwleidyddol* i egluro a hysbysebu safbwyntiau *crefyddol*. O ran y ddadl wleidyddol, cyflawnodd yr amcan o gadarnhau teyrngarwch y Methodistiaid tuag at wladwriaeth, cyfraith a brenin, dim llai ond dim mwy ychwaith.

Erbyn 1803, yr oedd William Pitt wedi ymddiswyddo a'r rhyfel yn erbyn Gweriniaeth Ffrainc, ar ôl saib Heddwch Amien, wedi troi'n un yn erbyn Ymerodraeth Napoleon. Er i ddadleuon crefyddol ar bynciau diwinyddol ac ambell ymosodiad o ochr Eglwys Loegr barhau drwy gydol y 1800au, roedd y corwynt wedi chwythu ei blwc, a Charles yn troi'n ôl at yr agweddau ar ei waith sydd yn llenwi penodau eraill y gyfrol hon, yn eu plith y gorchwyl o gyfansoddi geiriadur. Nid yw'n syndod i'r gair 'gwleidyddiaeth' fod yr un mor absennol o'i *Eiriadur Ysgrythyrol* ag yr oedd 'politics' o'i lythyrau preifat. Gellir dadlau mai geiriadur *Beiblaidd* yw, wrth gwrs, ond pwysleisodd Charles ei hun ei fod yn ymestyn y gwaith 'i agoryd athrawiaethau, egluro testunau, a rhoddi hanes defodau, seremonïau, . . . &c. a sonir dim amdanynt yn yr Ysgrythyrau Sanctaidd'.[66] Gellid disgwyl i air mor allweddol fod yn gynwysedig, ond o gofio datganiad sasiwn 1795 'to settle the affairs of government, without being ever called to such a work . . . is one of the snares of the devil, in which he catches depraved and changeable men at his will', mae hi'n bosibl iddo geisio osgoi cynnig cysyniad mor beryglus i'r Cymry.

Amlyga ambell un o allweddeiriau'r cyfnod y penderfynodd ef eu cynnwys, megis 'BRAINT', 'CYFIAWNDER' ac 'UFUDD-DOD', ei farn wleidyddol, serch hynny. O dan 'BRAINT', a ddiffiniwyd gan radicaliaid o ryw Iolo Morganwg yn nhermau 'breintiau dyn' a berthynai i bawb yn naturiol, ceir 'rhyddid cyfreithlon mewn teulu, mewn eglwys, mewn dinas, neu wlad; hawl gyfreithlon'.[67] Gwelir yr un pwyslais at gydymffurfio â'r gyfraith yn yr esboniad ar 'ANGHYFIAWNDER', er i Charles fewnosod brawddeg y gellir ei dadansoddi fel maddeuant o bechod (er nad o gosb fydol) i'r sawl sydd yn gwrthod dilyn cyfraith anghyfiawn:

> ANGHYFIAWNDER, (cyfiawn) yr hyn sydd yn wrthwyneb i gyfiawnder ac uniondeb. Y mae pob pechod yn anghyfiawnder. Gan nad ydyw y gyfraith yn gorchymyn dim ond sydd gyfiawn, y mae pob anghydffurfiad â'r gyfraith hon, yn anghyfiawnder. Anghyfraith yw pechod; os ydyw'r gyfraith yn gyfiawn, y mae pob anghyfraith yn anghyfiawnder. Y mae

> pob gorchymyn yn eithaf cyfiawn, yn ei holl ofynion: am hynny, y mae pob trosedd, y'mhob gradd o honno, yn anghyfiawnder.[68]

O ystyried bywyd a gwaith Thomas Charles yn ei gysylltiad â gwleidyddiaeth y cyfnod, gellir dyfarnu iddo ddatgan yn hollol gyson â'i gefndir cymdeithasol a'i grefydd, ei deyrngarwch i gyfreithiau a llywodraeth y wladwriaeth yr oedd yn byw ynddi. Roedd y cysyniad o wleidyddiaeth a gweithredu uniongyrchol wleidyddol yn isel ar ei restr o flaenoriaethau a diddordebau. Ei ddyletswydd i'r 'Fethodistiaeth newydd' y bu'n gyfrifol am ei chreu a'i diffinio yn hytrach nag unrhyw ddiddordeb amgenach a'i gyrrodd i ddatgan barn wleidyddol yn gyhoeddus.[69] Ystyriai ymyrraeth yn y byd gwleidyddol, llywodraethol, fel perygl i eneidiau'r sawl nad oedd wedi eu geni ar gyfer y gwaith hwn, a bu'n fodlon i'w bobl aros yn rhan o'r 'cefndir mawr du', chwedl R. T. Jenkins.[70]

Bid a fo am hynny, ni adawodd gwleidyddiaeth yr oes iddo ef aros yng nghefndir tywyll y cynfas hanesyddol. Ni fwriadai Thomas Charles gyfeirio'r miloedd a fynychai sasiynau i ffwrdd oddi wrth Eglwys Loegr tuag at ymneilltuo oddi wrthi, nac ychwaith i hybu ymwybyddiaeth wleidyddol gwerin gogledd Cymru drwy ddysgu iddynt ddarllen a thrafod yn eu hiaith eu hunain a chyflenwi geiriadur iddynt. Eto i gyd, yr oedd yn arwain eglwys efengylaidd werinol ei haelodaeth a oedd 'wedi'i thrwytho ag ysbryd democrataidd yn ei gweithredoedd mewnol'.[71] Tra bu Charles wrth y llyw caniateid i ddynion o safle gymdeithasol isel heb eu hordeinio bregethu, dysgid i aelodau ddarllen a thrafod yr ysgrythur eu hunain,[72] datgenid bod byw yn gyson â Gair Duw yn blaenori ar bopeth arall (yn cynnwys awdurdod bydol), a threfnid i gymdeithasfeydd y mudiad lywodraethu eu hunain, gan e.e. benderfynu 'pob mater dadleuol . . . yn bwyllog gan y rhif llïosoccaf o'r corph', h.y. drwy bleidlais.[73] Am y rhesymau hyn dadansoddwyd gwaith Charles mewn termau gwleidyddol gan yr eglwys sefydledig ar y pryd a gyda synnwyr trannoeth gwireddwyd rhai o'i hofnau pan ymwahanodd y Methodistiaid oddi wrth y fam eglwys ym 1811, gan ymuno â rhengoedd yr Anghydffurfwyr. O safbwynt yr unfed ganrif ar hugain, gellir ystyried gwaith Thomas Charles yn baratoad ymarferol aelodau'r mudiad tuag at y gwaith o ddemocrateiddio gwleidyddiaeth Cymru yn y bedwaredd ganrif ar bymtheg a'r ymgyrchu dros ddatgysylltiad yr Eglwys Anglicanaidd yng Nghymru, a fu'n rhan bwysig o ddatblygiad cenedlaetholdeb y Cymry. Cywir a ddywedodd D. E. Jenkins: 'Though well abreast of the politics of his day, he never busied himself with politics as such'.[74] Yr eironi, wrth gwrs, oedd i lawer iawn o gryfder gwleidyddiaeth Cymru maes o law ddeillio o waith ymarferol y gŵr ei hun.

Nodiadau

[1] *GPC*, I, d.g. 'GWLEIDYDDIAETH', t. 1684; G. J. Williams ac E. J. Jones (goln), *Gramadegau'r Penceirddiaid* (Caerdydd: 1934), t. 204.

[2] John Walters, *An English-Welsh Dictionary* (London: 1794), d.g. 'Pol'.

[3] William Richards, *Geiriadur Saesneg a Chymraeg. An English and Welsh Dictionary* (Carmarthen: 1798), t. 194.

[4] Peter D. G. Thomas, *Politics in Eighteenth-century Wales* (Cardiff: 1998), tt. 219–20.

[5] R. T. Jenkins, *Hanes Cymru yn y Bedwaredd Ganrif ar Bymtheg* (Caerdydd: 1933), t. 27.

[6] D. O. Thomas, *Ymateb i Chwyldro / Response to Revolution* (Caerdydd: 1989), t. 12.

[7] R. Watcyn James, 'Ymateb y Methodistiaid Calfinaidd Cymraeg i'r Chwyldro Ffrengig', *CCH*, 12 a 13 (1988/89), 35.

[8] Thomas Parry, *Hanes Llenyddiaeth Gymraeg Hyd 1900* (Caerdydd: 1953), tt. 205–12.

[9] James, 'Ymateb y Methodistiaid Calfinaidd Cymraeg', 42.

[10] *Life*, I, t. 1.

[11] Ibid., t. 22.

[12] Edmund Jones, *Cyfreithiau Plwyf; sef Holl Ddyletswydd y Swyddogion* (Llundain: 1794), t. 150.

[13] *Life*, I, tt. 22, 28–33.

[14] Gw. bennod 11 isod.

[15] Cf. *Gwas*, tt. 10–11.

[16] Ibid., I, tt. 278–9.

[17] William Hughes (gol.), *Life and Letters of the Rev. Thos. Charles of Bala* (Rhyl: 1881), t. 73; *Life*, I, t. 287.

[18] Thomas Charles at Miss Ashwell, yn Edward Morgan (gol.), *Essays, Letters, and Interesting Papers of the Late Rev. Thomas Charles of Bala* (London: 1836), t. 376.

[19] Emrys Jones (gol.), *The Welsh in London 1500–2000* (Cardiff: 2001), t. 80; R. T. Jenkins a Helen M. Ramage, *A History of the Honourable Society of Cymmrodorion and of the Gwyneddigion and Cymreigyddion Societies (1751–1951)* (London: 1951), tt. 110–13, 122–3, 125.

[20] David Ceri Jones, Boyd S. Schlenther ac Eryn M. White, *The Elect Methodists: Calvinistic Methodism in England and Wales 1735–1811* (Cardiff: 2012), tt. 213–38.

[21] Emma Vincent Macleod, 'The Crisis of the French Revolution', yn H. T. Dickinson (gol.), *A Companion to Eighteenth-Century Britain* (Oxford: 2006), tt. 112–24; David J. V. Jones, 'The Corn Riots in Wales, 1793–1801', *CHC*, 2/4 (1965), 323–50.

[22] Albert Goodwin, *The Friends of Liberty: The English Democratic Movement in the Age of the French Revolution* (London: 1979).

[23] Habeas Corpus Suspension Act 1794 (34 Geo. III, c. 54).

[24] Treasonable Practices Act 1795 (36 Geo. III, c. 7); Seditious Meetings Act 1795 (36 Geo. III, c. 8).

[25] Habeas Corpus Suspension Act 1794 (34 Geo. III, c. 54).

[26] Alfred Neobald Palmer, 'John Wilkinson and the Old Bersham Iron Works', *THSC* (1899), 46.

[27] Katharine C. Balderston (gol.), *Thraliana: The Diary of Mrs. Hester Lynch Thrale (Later Mrs Piozzi) 1776–1809*, ail arg. (Oxford: 1951), tt. 897–8.

[28] Conventicle Act 1662 (16 Charles II, c. 4).

[29] Marion Löffler, *Welsh Responses to the French Revolution: Press and Public Discourse 1789–1802* (Cardiff: 2012), tt. 90–1, 139–40.

[30] Ibid., tt. 92–3; *Llythyr oddiwrth Gymmanfa o Weinidogion, A gyfarfuasant yn y Bala, yn Sir Feirioneth, Mai, 29, a'r 30, 1793. At Eglwysi yr Ymneullduwyr Protestannaidd yng Nghymru, a elwir yn gyffredin, INDEPENDIAID* (Trefecca: 1793), t. 4; David Peter, *Cyfarchiad i'r corph o Weinidogion yr Ymdeillduwyr Protestanaidd, o'r tri enw, sef y Presbyteriaid, Independiaid, a'r Bedyddwyr, yn Neheubarth Cynmru, ac eraill, yn gynulledig yng Nghappel Heol-Awst, Caerfyrddin, ar Ddydd Iau, y 25 o Fis Awst, 1803* (Caerfyrddin [1803]). Gweler hefyd Hywel M. Davies, 'Loyalism in Wales, 1792–1793', *CHC*, 20/4 (2001), 687–716.

[31] E. Wyn James, '"Seren Wib Olau": Gweledigaeth a Chenhadaeth Morgan John Rhys (1760–1804)', *Trafodion Cymdeithas Hanes Bedyddwyr Cymru* (2007), 5–37; R. T. Jenkins, 'William Richards o Lynn', *Trafodion Cymdeithas Hanes Bedyddwyr Cymru Trafodion* (1930), 17–68.

[32] 'Minutes of an Association at Machynlleth' a gynhaliwyd ar 15 a 16 Ebrill 1795, yn Morgan (gol.), *Essays, Letters and Interesting Papers*, t. 453.

[33] *Shrewsbury Chronicle*, 24 March 1797, yn Löffler, *Welsh Responses*, tt. 120–1.

[34] Ibid., 9 June 1797; ibid., 5 January 1798, yn Löffler, *Welsh Responses*, tt. 120–1.

[35] Morris Davies, *Cofiant Ann Griffiths gynt o Ddolwar Fechan, Llanfihangel yn Ngwynfa, Swydd Drefaldwyn, ynghyd a'i Llythyrau a'i Hymnau* (Dinbych: 1908), t. 42.

[36] *Trysorfa Ysprydol*, 1/1 (Ebrill 1799), 63–3; ibid., 1/4 (Ionawr 1800), 263–4.

[37] Ibid., 1/1 (Ebrill 1799), 47.

[38] Thomas Davies, *King and Government: A Discourse on Occasion of the Great Ferment about Civil and Religious Liberty* (Carmarthen: 1792); R. W. D. Fenn,

'Thomas Davies, Rector of Coity, 1769–1819: Methodist, Tory and Justice of the Peace', *Journal of the Historical Society of the Church in Wales*, 13/18 (1963), 60–1.

[39] Davies, *King and Government*, t. 10.

[40] J. J. Evans, *Dylanwad y Chwyldro Ffrengig ar Lenyddiaeth Cymru* (Lerpwl: 1928), tt. 61–2; Richard Watson, *A Charge delivered to the Clergy of Llandaff, June 1791* (London: 1792), t. 4.

[41] John Owen, *Golygiadau ac Effeithiau'r Cyfnewidiad yn Ffraingc* (Machynlleth [1797]); Evans, *Dylanwad y Chwyldro Ffrengig*, tt. 169–70; James, 'Ymateb y Methodistiaid Calfinaidd', 38, 43.

[42] Owen, *Golygiadau*, t. 2.

[43] Thomas Jones, *Gair yn ei Amser at drigolion Cymru gan Ewyllysiwr da i'w wlad* (Caerlleon [1798]); idem, *A Word in season: or, a few plain admonitions and exhortations on the present state of public affairs. Addressed to the inhabitants of Wales; and translated from the Welsh language, by the author, T.I.* (Holywell: 1798).

[44] Thomas Jones, 'Gair yn Ei Amser &c', *Trafodion Cymdeithas Hanes Sir Ddinbych*, 5 (1956), 54; ailgyhoeddwyd yn Frank Price Jones, *Radicaliaeth a'r Werin Gymreig* (Caerdydd: 1975), tt. 17–40.

[45] Ibid., t. 35.

[46] *Cynnydd*, tt. 536–9.

[47] Gweler hefyd Derec Llwyd Morgan, *Pobl Pantycelyn* (Llandysul: 1986), tt. 80–1, 99–101; Thomas Evans, *The Background of Modern Welsh Politics 1789–1846* (Cardiff: 1936), tt. 47–50.

[48] John Evans, *A Tour throughout Part of North Wales in the Year 1798 and at other times: principally undertaken with a view to Botanical researches in that Alpine Country; interspersed with observations on its Scenery, Agriculture, Manufactures* (London: 1800), tt. 410–16.

[49] *Life*, II, t. 364.

[50] Ibid., t. 365.

[51] Ibid.

[52] Marion Löffler, *Welsh Political Pamphlets and Sermons 1790–1806* (Cardiff: 2014), tt. eto i ymddangos.

[53] *Life*, II, t. 366.

[54] Cf. y drafodaeth yn Jones, *Radicaliaeth a'r Werin Gymreig*, tt. 25–8.

[55] The Toleration Act 1689 (1 Will & Mary, c. 18). Ceir disgrifiad manwl o'r ymgyrch yn *Life*, II, tt. 355–93 ac yn D. E. Jenkins (gol.), *Cyngor Difrifol Periglor i'w Blwyfolion i Ochelyd Anghydfod mewn Crefydd. Serious Advice of a Priest to his Parishioners to Avoid Dissentions in Religion* (Conway: 1906), tt. 3–18; Evans, *The Background of Modern Welsh Politics*, tt. 47–50; Damian Walford Davies, '"Sweet Sylvan Routes" and Grave Methodists: Wales in De Quincey's Confessions of an English Opium-Eater', yn idem a Linda Pratt (goln), *Wales and the Romantic Imagination* (Cardiff: 2007), tt. 199–227.

[56] *Life*, II, tt. 291–2; *Charge of Samuel Lord Bishop of Rochester to the Clergy of his Diocese, delivered at his second Visitation, in the Year 1800* (London: 1800), tt. 19–20.

[57] Hugh Davies, *Cyngor difrif periglor i'w blwyfolion, i ochelyd anghydfod mewn crefydd* (Caernarfon: 1801); Thomas Ellis Owen, *Hints to Heads of Families* (London: 1801); idem, *Methodism Unmasked, or the progress of Puritanism, from the sixteenth to the nineteenth century: intended as an explanatory supplement to 'Hints to heads of families'* (London: 1802). Nid ymdrinir yma ag ymosodiadau difrïol y Cymro Edward Charles ac ymateb hwyr Thomas Roberts ('Arvonius') iddynt, ond gweler *Life*, II, tt. 355–8; Löffler, *Welsh Responses*, tt. 306, 308; eadem, *Welsh Political Pamphlets and Sermons*, eto i ymddangos.

[58] Charles, *The Welsh Methodists Vindicated*, t. 54.

[59] Owen, *Hints to Heads of Families*, t. 24.

[60] Charles, *The Welsh Methodists Vindicated*, t. 4.

[61] Ibid., tt. 24–5.

[62] Ibid., tt. 26–7.

[63] Ibid., t. 45; Raymond B. Davies, 'The Rev. Hugh Davies FLS (1739–1821): An Outline of his Literary Life', *Journal of the Society for the Bibliography of Natural History*, 9/2 (1979), 147–55.

[64] Charles, *The Welsh Methodists Vindicated*, tt. 55–6.

[65] Ibid., t. 69.

[66] *Geiriadur Ysgrythyrol* (Bala: 1805), t. 5.

[67] Ibid., d.g. 'BRAINT'; Cathryn A. Charnell-White, *Welsh Poetry of the French Revolution 1789–1805* (Cardiff: 2012), tt. 154–60.

[68] *Geiriadur Ysgrythyrol*, d.g. 'ANGHYFIAWNDER'.

[69] Cf. Morgan, *Pobl Pantycelyn*, t. 75.

[70] Jenkins, *Hanes Cymru yn y Bedwaredd Ganrif ar Bymtheg*, t. 27.

[71] Peter Lord, *Hugh Hughes: Arlunydd Gwlad 1790–1863* (Llandysul: 1995), t. 21.

[72] Ond gweler beirniadaeth sosialaidd o'r ysgolion Sul yn Morgan, *Pobl Pantycelyn*, t. 105.

[73] 'Cof-nodau o Gymdeithasfa (Association) a gynhaliwyd yn y Bala, Mehefin 9, 1790', *Trysorfa Ysprydol*, 1/1 (Ebrill 1799), 23.

[74] Gw. nodyn 10 uchod.

7

Gwaddol artistig Thomas Charles

Martin O'Kane

Anodd iawn fyddai dadlau bod i Thomas Charles unrhyw 'waddol artistig' penodol o ran diwylliant gweledol Cymru yn y bedwaredd ganrif ar bymtheg. Fodd bynnag, trwy bwysleisio awdurdod pennaf Gair Duw, nid oes amheuaeth na sicrhaodd Charles, ynghyd â'i gyd-arweinwyr Anghydffurfiol, y byddai'r Beibl yn ganolog i bob agwedd ar fywyd diwylliannol y wlad yn ogystal â'i bywyd crefyddol. O ystyried ei awydd angerddol i agor y Beibl i bawb, ni wiw i neb honni mai yn ei esboniadau ysgrifenedig a'i bregethau ysgrifenedig yn unig y gwelir ôl Charles, ac y cefnwyd ar bob agwedd ar ddiwylliant gweledol, gwaith crefft ynghyd â chelfyddyd uchel, fel dulliau poblogaidd o ledu'r neges Feiblaidd.

Chwalwyd y syniad na fu gan Anghydffurfiaeth ddiddordeb mewn diwylliant gweledol yn awdurdodol gan John Harvey[1] a Peter Lord[2] a chymhwyswyd eu theorïau at Fethodistiaid Calfinaidd cyfnod Thomas Charles gan D. Huw Owen.[3] Cadarnhawyd hyn yng nghanfyddiadau'r prosiect ymchwil *Delweddu'r Beibl yng Nghymru* (2005–9).[4] Mae Harvey a Lord wedi egluro â chryn fanylder y darlun cymhleth sy'n dod i'r amlwg pan geisir cyfrif am y prif ddylanwadau ar gelfyddyd yng Nghymru'r bedwaredd ganrif ar bymtheg a dull eclectig artistiaid o weithio. Yn benodol, mae'r prosiect *Delweddu'r Beibl yng Nghymru* wedi dangos bod ystyried i waddol Beiblaidd Charles, o leiaf, ddylanwadu'n drwm ar y modd y gellid – ac na ellid – gweledu'r Beibl ar yr adeg hon. Yn ogystal, nid yw'n golygu ymchwilio'n unig i artistiaid Anghydffurfiol; fel y gobeithiaf ddangos yn y bennod hon, gallai'r dylanwad hwn weithio yn y ddwy ffordd, ac yn wir tybed na fyddai

Thomas Charles yn gwbl siomedig â'r modd yr aethpwyd ati i ddehongli'r Beibl mewn rhai o'r gweithiau celf a hyrwyddwyd mewn rhai enwadau ac eglwysi, gan yn aml byddai'r dehongliadau gweledol hyn yn ategu nifer o'i safbwyntiau athrawiaethol yntau.

Y Beibl oedd yr elfen waelodol yn niwylliant Cymru'r bedwaredd ganrif ar bymtheg. Gan bwyso ar ymchwil Eryn M. White, eglura D. Densil Morgan pa mor ddylanwadol oedd y Beibl, gan nodi, rhwng 1800 a 1850, i hanner cant o wahanol argraffiadau o'r Testament Newydd ymddangos ynghyd â 98 o argraffiadau o'r Beibl, sef cyfanswm o 148.[5] Rhwng 1850 a 1900 cyhoeddwyd 98 o argraffiadau pellach o'r Testament Newydd ynghyd â 105 o'r Beibl cyfan, gan wneud cyfanswm o 203. O'r herwydd, prin nad oedd aelwyd yng Nghymru, nac unigolyn ar yr aelwydydd hynny, heb ei Feibl. Â yn ei flaen i ddweud bod tystiolaeth ddiymwad o wahanol ffynonellau y darllenwyd y Beiblau hyn, y gwrandawyd ac y myfyriwyd arnynt yn hir; dysgwyd adnodau, penodau, salmau ac yn wir lyfrau cyfan ar y cof, esboniwyd eu cynnwys o'r pulpudau, a'u hastudio mewn dosbarthiadau Ysgol Sul, eu defnyddio ar yr allor deuluol a thrwy hynny ddod yn sylfaen nid yn unig ar gyfer duwioldeb personol ond hefyd yn ffordd o fyw.[6] Cydiodd y Beibl yn nychymyg y genedl gyfan a daeth y bobl i feddwl a gweithredu yn nhermau ei gategorïau.[7] Noda R. Tudur Jones y rhan a chwaraeodd Thomas Charles yn y datblygiad hwn:

> Pan drown at waith cyhoeddus Thomas Charles, daw'n amlwg ar unwaith fod ei amrywiol gynlluniau'n canoli ar y Beibl. Perthynai i genhedlaeth o arweinyddion crefyddol a oedd yn rhannu'r un delfrydau ag ef a rhyngddynt buont yn gyfrifol am weu'r Beibl mewn ffordd newydd i batrwm bywyd a diwylliant gwerin Cymru . . . Yr oedd â'i fryd ar adeiladu yng Nghymru wareiddiad wedi ei wreiddio yn yr Ysgrythur.[8]

Yn y fath hinsawdd ddiwylliannol, amhosibl credu na allai, ac na fyddai'r Beibl, yn cael ei ddehongli'n weledol ac na fyddai galw am weithiau celf crefyddol poblogaidd na marchnad ar eu cyfer. Fodd bynnag, oherwydd y categorïau a'r gwerthoedd Beiblaidd a arddelai Thomas Charles, ynghyd â'r ymwahanu ffurfiol oddi wrth Eglwys Loegr yn 1811 ac adfywiad ysbryd y Diwygwyr Protestannaidd, codwyd pwnc anodd dilysrwydd defnyddio delweddau crefyddol yn yr enwad Anghydffurfiol newydd. Cwestiwn pwysig i'r Diwygwyr Protestannaidd megis Luther a Calfin, fu lle delweddau crefyddol mewn addoliad a'r modd y dylid dehongli'r gorchymyn ynghylch 'delwau cerfiedig'.[9] Wynebai Anghydffurfwyr yr un cyfyng-gyngor. A ellid defnyddio celfyddyd yn ddilys at ddibenion addoli? A allai celfyddyd gyfoethogi a bywiogi'r hyn a ddysgid trwy lenyddiaeth yr ysgol Sul ac a oedd iddi swyddogaeth addysgiadol fwy cyffredinol, sef diddordebau a oedd yn agos at galon Charles?

Yn wir, gofynnwyd yn benodol iawn i Thomas Charles am y modd y dylid dehongli'r gorchymyn ynghylch delwau. Mewn ymateb i'r cwestiwn, 'Pa bechodau a waherddir gan y gorchymyn hwn?', ysgrifennodd, 'To make an image or a likeness of God or the likeness of anything else to worship instead of God.'[10] Mae'n amlwg o ateb Charles ei fod yn dehongli mai gwahardd eilunaddoliaeth yn hytrach na gwneud delweddau a wna'r gorchymyn.[11] Er gwaethaf ei ateb, parhâi amwysedd ynghylch celfyddyd ym meddwl yr Anghydffurfwyr. Ychwanegwyd at yr amwysedd gan y ffaith fod yr Anghydffurfwyr yn byw ymhlith grwpiau crefyddol eraill a oedd wrthi'n hyrwyddo a datblygu diwylliant gweledol bywiog. Ynghyd â diwylliant nodedig y capeli, yn sgil rhyddfreinio Catholigion yn 1829 codwyd nifer o eglwysi a oedd yn gofyn am lawer o waith celf ac felly nodweddwyd y cyfnod â nawdd dyfeisgarwch a chreadigrwydd artistig – fel y gwelwyd yn wir yn yr Eglwys Sefydledig yng Nghymru yn ystod y cyfnod hwn. Wrth i Gaerdydd ddatblygu'n borthladd bwysig ar gyfer y diwydiant glo byd-eang yn y bedwaredd ganrif ar bymtheg, ymsefydlodd nifer o gymunedau lleiafrifol yno, er enghraifft cymuned Roegaidd fawr ynghyd â grwpiau ethnig eraill a feddai eisoes ar dreftadaeth weledol gyfoethog ac a ddaeth â'r dreftadaeth gyfoethog hon gyda hwy, yn ogystal ag artistiaid a chrefftwyr dawnus a gyflwynodd arddulliau artistig newydd. Roedd adeiladu synagogau yng ngogledd a de Cymru yn ystod y cyfnod hwn yn dystiolaeth o bresenoldeb Iddewig cynyddol a hyderus a feddai ar gryn gydymdeimlad â'r pwyslais Anghydffurfiol ar awdurdod yr Ysgrythur yn unig.[12] Arddangosai eu synagogau a'u ffenestri lliw yn aml arddull bensaernïol nodedig, a hynod ddeniadol. Bu datblygiadau o bwys ym myd celfyddyd hefyd. Fel yn Lloegr, y bedwaredd ganrif ar bymtheg oedd cyfnod yr adfywiad Gothig a greodd ramantiaeth yr Oesoedd Canol. Yn ystod y cyfnod hwn bu traddodiad gwaith crefft llewyrchus ac, wrth gwrs, roedd galw mawr am gelfyddyd gyn-Raffaelaidd gan noddwyr preifat yng Nghymru,[13] ynghyd â'r eglwysi cadeiriol mawr megis Llandaf. Yn amlwg, ni allai Anghydffurfwyr eu hynysu eu hun rhag dylanwad y fath ddatblygiadau diwylliannol a oedd i'w gweld ymhobman.

Fodd bynnag, wrth wraidd llawer o'r gelfyddyd grefyddol gywrain hon roedd safbwyntiau athrawiaethol a dehongliadau Beiblaidd na fyddai wrth fodd Charles. Sut, felly, y gellid sicrhau pwyslais penodol ac unigryw Charles ar y Beibl pe caniateid delweddau gweledol? Er i'r Diwygwyr Protestannaidd ymwrthod â llawer o'r delweddau Catholig, noda'r hanesydd celf John Harvey fod angen o hyd iddynt feddwl am ffurfiau newydd ar ddelweddau gweledol a oedd yn gyson â'u categorïau athrawiaethol Diwygiedig.[14] Felly'r oedd hi, mae'n bur debyg, yng Nghymru yn dilyn Sasiwn hollbwysig 1811 yn y Bala. Mae'n amlwg i'r artist Hugh Hughes, a oedd yn bresennol, roi cryn ystyriaeth i'r pwnc wrth iddo feddwl am sut y dylid cyflwyno'n weledol yr enwad newydd ar ôl 1811, ac yn bennaf ei arweinwyr carismataidd – a thrwy hynny eu coffáu – i'r dyfodol.[15] Yn ogystal, noda Harvey i arddull nodedig ddatblygu ymhlith artistiaid Anghydffurfiol – yr hyn a eilw'n *eicon llafar* – lle'r gair Beiblaidd ei hun yw testun a chanolbwynt y gwaith celf.[16] Trafodir hyn eto'n ddiweddarach yn y bennod hon ond, cyn hynny, hoffwn amlinellu'r farn gyffredin am y modd y dylid cyflwyno Thomas Charles ei hun yn weledol a'i goffáu i'r dyfodol.

Delweddau o Thomas Charles

Enghraifft o'r amwysedd ymhlith Anghydffurfwyr y bedwaredd ganrif ar bymtheg ynghylch defnyddio delweddau yw'r dadlau ynghylch codi cerflun i Thomas Charles yn y Bala yn 1875 [Ffigwr 1]. O ystyried ei bwysigrwydd a'r parch mawr a fu ato, efallai ei bod yn syndod bod cymaint o oedi cyn ei godi. Noda John Harvey y gallai hyn ynddo'i hun fod yn arwydd bod amheuon cyffredinol ynghylch unrhyw ddelwedd ymhlith yr Anghydffurfwyr.[17] Awgryma prif gofiannydd Charles, D. E. Jenkins, mai'r rheswm am yr oedi oedd pryder y byddai'r fath ddelw rymus o'r pregethwr yn enyn edmygedd gormodol:

> The Welsh people never had any enthusiasm for statues, except in their state of animation – when even they can become dangerously near to being idolaters. A long time elapsed before anyone seemed to have sufficient courage to suggest a monument even for Mr. Charles's grave.[18]

Gwnaed cerflun Thomas Charles gan yr artist Anghydffurfiol, William Davies (1826–1901), a hynny ar ôl dewis ei waith ef o blith dyluniadau

Ffigwr 1. *Thomas Charles* (1875).
William Davies, Capel Tegid, Bala. Hawlfraint y llun: Martin Crampin.

a gyflwynwyd gan nifer o gerflunwyr. Mae'n amlwg y dyluniwyd y cerflun i ddangos nid yn unig y ffaith fod Charles yn arweinydd crefyddol mawr ond hefyd i fynegi'n weledol genhadaeth Charles ei hun.[19] Dangosir ef yn estyn Beibl mewn agwedd a geisiai fel y noda D. E. Jenkins fynegi'r teimlad a oedd yn gwbl ganolog i weinidogaeth Charles, 'I heartily desire that every living man shall have a Bible.'[20] Wrth ei draed ceir pentwr o lyfrau yr oedd Charles yn awdur arnynt, sy'n dangos nid yn unig ddysg y dyn ond hefyd ei rôl yn addysgwr mawr.[21]

Noda John Harvey mai un o'r pedwar Efengylydd fyddai'n estyn y Beibl fel rheol mewn eiconograffeg draddodiadol ond yng nghyd-destun Anghydffurfiaeth dynodai efengylydd ar ystyr ehangach, sef unrhyw un a oedd yn bregethwr. Noda i'r artist a'r cerflunydd William Goscombe John (1860–1953) ddefnyddio'r un ddyfais yn ei gerflun efydd o Thomas Charles Edwards (1837–1900) ym Mhrifysgol Aberystwyth.[22] Ond â Peter Lord ymhellach o lawer na hyn. Awgryma fod yr osgo hon yn arwydd o rywbeth mwy radicalaidd o lawer. Ar ôl 1811, newidiodd y Beibl o fod yn symbol confensiynol i fod yn ddatganiad athronyddol heriol: ategwyd natur hollbwysig y Beibl fel Gair Duw a'i awdurdod pennaf a therfynol yn y delweddau a'r diwylliant gweledol yn yr un modd ag a wnaed yn ysgrifeniadau athrawiaethol ac esboniadau Charles. Bellach, yn hytrach nag arwyddo gyrfa hierarchaidd a chlerigol fel y gwnaeth cyn 1811, aeth y Beibl i symboleiddio'r ffaith fod yr efengylydd wedi'i ddemocrateiddio. Mae cerflun Thomas Charles yn estyn ei Feibl yn enghraifft o'r modd yr addasodd Anghydffurfiaeth y confensiwn eiconograffig arferol at ei dibenion ei hun.[23]

Portreadau, Printiau a Thorluniau Pren Anghydffurfiol

Mae Peter Lord wedi dangos trwy enghreifftiau lu bwysigrwydd y portread fel ffurf gelfyddydol a oedd yn dderbyniol i Anghydffurfwyr. Meddai:

> Er gwaethaf ymdrechion dygn awduron crefyddol y bedwaredd ganrif ar bymtheg i greu delwedd o werin Gymreig Ymneilltuol a oedd wedi ymwrthod â darluniau crefyddol 'eilunaddolgar' y mae'r dystiolaeth helaeth a gynigir gan y printiau torlun pren a'r diddordeb brwd mewn portreadau engrafedig o bregethwyr yn cynnig dehongliad gwahanol.[24]

Priodola John Harvey y diffyg ymatal rhag defnyddio portreadau i'r ffaith fod y Diwygwyr Protestannaidd hwythau wedi dilysu'r portread fel cyfrwng derbyniol ar gyfer cynrychioli a choffáu. Er enghraifft, paentiwyd Martin Luther nifer o weithiau gan Lucas Cranach (1472–1553) ac Erasmus gan Albrecht Dürer (1471–1528).[25]

I Hugh Hughes, wedi'i ysbrydoli a'i gymell gan ei brofiad personol yn Sasiwn 1811 yn y Bala, roedd yn bwysig paentio arweinwyr yr enwad newydd mewn cyfres o bortreadau bach. O 1812 ymlaen, aeth

Ffigwr 2. *Y Parch. Thomas Charles* (*c.*1838).
Bailey yn ôl Hugh Hughes. Engrafiad a gyhoeddwyd gan Robert Saunderson, y Bala. Hawlfraint Llyfrgell Genedlaethol Cymru.

ati'n systematig i gyflawni'i dasg, gan baentio ar ffurf miniatur hoelion wyth y mudiad gan gynnwys y menywod, er enghraifft Mary Lloyd, gwraig Thomas Jones o Ddinbych, y plediwr pennaf dros ymwahanu. Ailgynhyrchodd hefyd engrafiadau o'r arweinwyr cynnar megis Thomas Jones a John Evans o'r Bala.[26] Dosbarthwyd y delweddau hyn yn eang gyda'r cylchgrawn enwadol *Y Drysorfa* yn 1819. Tynn Peter Lord sylw at awydd Hughes i weledu'r arweinwyr mewn modd a fyddai'n pwysleisio'u cenhadaeth a'u harweinyddiaeth. Roedd y rhan fwyaf o gyfres Hughes wedi'i chwblhau erbyn 1814 ond yn 1816, gwnaeth engrafiad o Sasiwn y Bala lle pwysleisiodd y niferoedd uchel a oedd yn bresennol, a thrwy hynny dynnu sylw at ddylanwad arwyddocaol a gâi'r arweinwyr ar y genedl gyfan.

Thomas Charles oedd testun portread cynharaf a mwyaf cyntefig Hughes a hon fu wedyn y ddelwedd fwyaf cyfarwydd a dylanwadol ohono; daeth yn ffynhonnell i ddelweddau diweddarach o Charles ac fe'u hail-grewyd a'u haddasu o bryd i'w gilydd gydol y bedwaredd ganrif ar bymtheg. Dengys Peter Lord y modd y bu rhaid meithrin cwlt personoliaeth y pregethwyr mewn modd bwriadol a phwrpasol a gwyddys yn 1838 i Robert Saunderson, argraffydd y Bala, roi cyfarwyddiadau i'r engrafydd Bailey addasu portread Hughes o Thomas Charles ar gyfer print newydd yn y modd hwn [Ffigwr 2]:

> I have . . . directed him to place a Pen in the hand, as if in the act of writing a Letter . . . it has occurred to me, that Mr. C. is to appear in his Black Gown, it will be better to alter that part of the Portrait, and instead of a pen, he had better appear in the act of preaching – and to have the Bible before him, and a Reading Glass in his right hand. You will also please to tell him to put as much benevolence as he can in Mr. Charles's countenance – for he certainly had a most benign smile when animated by his subject.[27]

Roedd portreadau o bregethwyr Anghydffurfiol ar ffurf engrafiadau yn aml i'w gweld ar gloriau'r llyfrau a ysgrifennwyd ganddynt. Er enghraifft delwedd Thomas Charles, ar flaen y *Geiriadur Ysgrythyrawl*, lle'i gwelir mewn gŵn Genefa a'i sbectol yn ei law yn darllen uwch Beibl agored a osodwyd ar glustog.[28] Roedd y Beibl agored yn symbol o awdurdod yr Ysgrythur a'r glustog yn symbol o fawredd megis y glustog frenhinol lle cyflwynir y goron i'r Brenin neu'r Frenhines adeg eu coroni. Fodd bynnag, ymddangosodd y ddelwedd, ar sail llun a wnaed gan Hugh Hughes, ar argraffiad cyntaf 1819 yn unig ac fe'i hepgorwyd mewn argraffiadau diweddarach. Awgryma Harvey mai'r rheswm am hyn oedd amharodrwydd Hughes i ddilyn polisi ei enwad yn 1829 pan lofnododd ddeiseb o blaid pasio Mesur Rhyddfreinio Catholigion a chael ei ddiarddel o blith y Methodistiaid Cymreig o'r herwydd.[29] Erbyn canol y 1830au, mor gyfarwydd oedd delweddau o Thomas Charles nes i farchnad fach ddatblygu ymhlith pobl gefnog am gopïau o baentiadau olew a honnai fod yn weithiau gwreiddiol. Er enghraifft, seiliodd Wiliam Roos bortread olew o Charles yn agos iawn ar engrafiad 1812 gan Collyer.[30]

Ymddangosodd delw o Thomas Charles hefyd yn *Enwogion y Ffydd* (1878). Cyfres o engrafiadau ffotograff oedd hon a gyhoeddwyd mewn pedair cyfrol yn anterth Oes Victoria.[31] Yn y ddelw hon rhoddir heibio

Ffigwr 3. *Mam a'i Dwy Ferch* (1848).
Olew ar gynfas. Hawlfraint Casgliad Preifat.

fformat hirgrwn wynebddalen y *Geiriadur Ysgrythyrawl* i ddangos y glustog ar y bwrdd lle gorffwysa'r Beibl, a'r rheswm am hynny, o bosibl, yw bod y delweddau hyn wedi'u creu i'w hongian mewn cartrefi Anghydffurfiol ac felly ychwanegwyd atynt gelfi a welid ar yr aelwyd.

Yn ogystal â'r arweinwyr Anghydffurfiol, paentiodd Hugh Hughes hefyd y dosbarth canol Anghydffurfiol a oedd yn cynyddu mewn statws, unigolion o bwys a lynai eto wrth werthoedd Beiblaidd er gwaethaf eu cynnydd cymdeithasol cyflym. Yn y portreadau a baentiwyd yn y cyfnod hwn, roedd y Beibl Cymraeg yn eitem gwbl anhepgor, yn llawn arwyddocâd i wrthrych y paentiad a'i wylwyr disgwyliedig.[32] Roedd yn symbol o dduwioldeb personol ynghyd â hunaniaeth genedlaethol ac yn atgoffa'r gwyliwr o'r berthynas agos rhwng llwyddiant ysbrydol a materol. Mae nifer o bortreadau o'r math hwn i'w gweld ledled Cymru a nodir dwy enghraifft gan Lord.[33] Yn1848 paentiodd Hugh Hughes dair menyw ifanc dosbarth canol, sef mam a'i dwy ferch fwy na thebyg [Ffigwr 3]. Tri symbol sy'n cyfleu hoff werthoedd y gwrthrychau: rhosyn am ddiniweidrwydd, siswrn ac edafedd am fywyd cartref ac ar y bwrdd o dan bentwr o lyfrau, mae Hughes wedi rhoi Beibl Cymraeg a llawer o ôl darllen arno. Mae Hughes wedi nodi tudalen anhysbys i ni, ond a oedd yn amlwg yn gyfarwydd, ac yn ffefryn, i un o'r gwrthrychau. Cyflea'r paentiad y neges glir fod cynnydd ysbrydol a chymdeithasol yn cyd-fynd.

Yr ail enghraifft yw John Evans, aelod blaenllaw o'r Hen Gorff ac adeiladwr festri Capel Tabernacl Aberaeron. Yr hyn sy'n drawiadol yma yw i John Evans beidio â dewis cael ei baentio â symbol ei grefft, y secstant neu'r telesgop yn yr achos hwn, ond â chopi o'r Beibl dan ei law.[34] Roedd portreadau, felly, yn gwbl dderbyniol mewn cylchoedd Anghydffurfiol am eu bod yn mynegi ar ffurfiau printiau a phaentiadau olew hanfod neges Thomas Charles – y dylid seilio bywyd ar y Beibl a'i ddysgeidiaeth.

Yn groes i Anghydffurfiaeth, roedd yr Eglwys Sefydledig yng Nghymru yn ei helfen â chelfyddyd ffigurol. Mwynhaodd Anglicaniaeth Gymreig nawdd teuluoedd cefnog a oedd mewn sefyllfa i dalu am ffenestri lliw crand a ddangosai bron pob golygfa y gellid ei dychmygu o'r Beibl. Yn wahanol i bortreadau syber yr Anghydffurfwyr, roedd nifer o'r noddwyr hyn yn fwy rhwysgfawr a llai gostyngedig wrth ofyn am gynnwys delwedd ohonynt yn amlwg yn y ffenestri y talent amdanynt. Mynnodd yr Arglwydd Cawdor, a dalodd am adfer nifer o eglwysi yn ne Sir Benfro ynghanol y bedwaredd ganrif ar bymtheg, y dylid ei bortreadu'n Solomon wrthi'n cyfarwyddo'r gwaith o adeiladu'r Deml yn 1 Brenhinoedd yn yr eglwys yn Y Stagbwll. Ym Machynlleth, mynnodd y Fonesig Londonderry y dylid ei chyflwyno ar ffurf gwraig rinweddol Diarhebion 31, sef cysylltiad haeddiannol yn ei golwg hi oherwydd ei holl waith elusennol. Cynhwysir rhyw chwe adnod o Ddiarhebion 31 yn y ffenestr hon, ac mae'n amlwg y bu cryn feddwl am ddewisiad a chyferbyniad yr adnodau er mwyn pwysleisio'r tebygrwydd rhwng y Fonesig Londonderry a'r testun. Pan bortreadodd yr artist Theodor Salusbury addoliad y Doethion yn Eglwys San Pedr yn yr Eglwys Newydd ar y Cefn, yn y 1930au, mynnodd y noddwr, Syr John Curre, y dylai fod yn un o'r doethion ac y dylid cynnwys ei hoff gi hela yn yr olygfa. Amhosibl fyddai dychmygu'r fath rodres mewn cylchoedd Anghydffurfiol.

Yn yr un modd â cherflun Thomas Charles, efallai na fu delweddaeth grefyddol yn gwbl dderbyniol chwaith i Anghydffurfwyr i ddechrau. Trafoda Peter Lord achos y cylchgrawn darluniadol cyntaf i blant, *Yr Addysgydd*, a aeth yn batrwm i nifer o lyfrau enwadol i blant yn y Gymraeg maes o law. Nai Thomas Charles, David Charles, oedd y

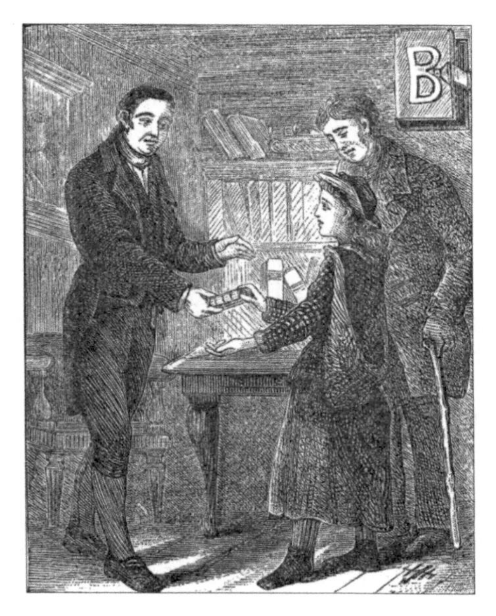

Ffigwr 4. *Thomas Charles yn trosglwyddo'i Feibl i Mari Jones.*
T. H. Thomas, o'r gyfrol *Echoes from the Welsh Hills* (1883).
Hawlfraint Llyfrgell Genedlaethol Cymru.

golygydd a chomisiynwyd Hugh Hughes i ddarlunio golygfeydd Beiblaidd o'r Hen Destament a'r Newydd i ategu'r hanesion sef Y Dilyw, Jona a'r Morfil ac Iacháu'r Dyn Cloff. Y rhain oedd y delweddau engrafedig cyntaf o destunau Beiblaidd a wnaed yn arbennig ar gyfer cyhoeddiad Cymraeg. Ymddengys na fu Beibl Cymraeg darluniadol cyn hyn.[35]

Teimlai Hughes yr angen i gyhoeddi apologia dros gynnwys y delweddau yn *Yr Addysgydd:*

> We have three objectives in view by including pictures in *Yr Addysgydd*: entertainment for all; to aid the understanding of the event portrayed, and its circumstance and to have occasion to talk of the extraordinary things contained in the scriptures.[36]

Ymddangosodd y datganiad hwn yn rhifyn olaf ond un y cylchgrawn a ddaeth i ben yn 1823. Er gwaetha'r petruster hwn gwelwyd printiau dirifedi ledled y wlad tua diwedd y ganrif. Yn wir, roedd yr argraffydd a oedd yn gyfrifol am greu llawer o'r delweddau ar sail torlun pren,

Isaac Thomas, yn un o aelodau amlwg cymuned Bedyddwyr Ceredigion. Un o wneuthurwyr mwyaf toreithiog torluniau pren oedd James Cope a weithiodd o ddechrau'r 1830au tan 1842; cwblhaodd dros ddeg ar hugain sy'n parhau hyd heddiw. Roeddent yn ymwneud â thestunau Beiblaidd a chrefyddol ac fe'u hargraffwyd gyda chaneuon priodol ar daflenni baled a'u dosbarthu mewn ffeiriau a marchnadoedd gan faledwyr. Ei engrafiad Beiblaidd mwyaf uchelgeisiol oedd *Adda ac Efa yng Ngardd Eden* sy'n cyfeirio at Genesis 1–3 yn ogystal ag Eseia 11.[37] Roedd darlun eiconig Mari Jones yn bymtheg oed yn cael Beibl gan y pregethwr Thomas Charles yn 1799, stori a ddaeth yn rhan o chwedloniaeth Feiblaidd Cymru, yn un o'r miloedd o brintiau o'r hanes a ddosbarthwyd gydol y bedwaredd ganrif ar bymtheg ac a ddefnyddiwyd yn helaeth mewn llenyddiaeth plant.[38] Yn y print hwn, gosodir y Beibl ynghanol y llun a'r cymeriadau wedi'u casglu o gwmpas iddo [Ffigwr 4].

Yn ôl y consensws Anghydffurfiol newydd, roedd Cymru wedi'i gweddnewid a'r bobl gyffredin wedi'u dyrchafu o'u hanwybodaeth trwy ras Duw. Bellach roeddent wedi tyfu'n bobl oleuedig, y werin Gymreig.[39] Sylwa Peter Lord erbyn 1880, fod y syniad am urddas gwaith a gwerthoedd y werin Gymreig wedi ymdoddi i'r ethos Anghydffurfiol a dathlodd Hugh Hughes eu hunan welliant trwy gyfrwng delweddau alegorïaidd, yn bennaf trwy gyfrwng engrafiadau torlun pren.[40] Yn *Echoes from the Welsh Hills: Reminiscences of the Preachers and Wales*, a gyhoeddwyd yn 1883, tynnodd y Parchg David Davies sylw'r Saeson at rinweddau'r Gymru wledig Anghydffurfiol. Cysylltodd yr engrafydd T. H. Thomas werthoedd y bobl â'r wlad a oedd yn gynefin iddynt [Ffigwr 5]. Cyfunwyd crefyddoldeb a chymedroldeb yr Anghydffurfwyr a gostyngeiddrwydd ag agosrwydd trosiadol at Dduw a phurdeb y dirwedd fynyddig lle fynnai'r rhinweddau hyn. Yn y rhan fwyaf o'r argraffiadau, hwn yw'r geiriad sy'n cyd-fynd â'r print:

> It is the Protestant Christianity of the Welsh people as lived and taught by their religious teachers during the last two centuries, that has preserved them from ignorance, lawlessness and irreligion, and made of them one of the most scripturally enlightened nations on the face of the earth.[41]

Ffigwr 5. Wynebddalen cyfrol David Davies, *Echoes from the Welsh Hills* (1883). T. H. Thomas. Hawlfraint Llyfrgell Genedlaethol Cymru.

Ffigwr 6. *John Elias yn pregethu yn Sasiwn y Bala.*
Lithograff Lliw (1892). Hawlfraint Llyfrgell Genedlaethol Cymru

Yn aml mewn printiau Anghydffurfiol, felly, yn ogystal â'r Beibl gwelir symbol pwysig arall, sef delwedd y tir; mae'n ddiddorol sylwi bod printiau a delweddau diweddarach o'r Sasiwn yn y Bala yn pwysleisio'r bryniau a'r dyffrynnoedd yn y cefndir yn fwy na phrintiau cynharach, er enghraifft yn y ddelwedd o John Elias yn pregethu a wnaed yn 1882. [Ffigwr 6].

Y Gair yn Eicon Geiriol

Lle defnyddid delweddau mewn cylchoedd Anghydffurfiol, roedd rhaid iddynt fod yn hollol ddarostyngedig i awdurdod y Beibl ac roedd rhaid dehongli eu neges bob amser yn unol â dealltwriaeth o'r Beibl. O'r herwydd, prin y gwelwyd delweddau heb ryw adnod neu gyfeiriad o'r Beibl, neu esboniad deongliadol pregethwr wedi'u hychwanegu atynt.[42] Bathodd Harvey y term 'eicon geiriol' i ddisgrifio'r modd y cyflwynwyd llythrennau'r gair yntau ar ffurf y ddelwedd wirioneddol. Y gair, mewn gwirionedd, oedd y ddelwedd. Er y gallai rhai o'r ffenestri lliw yn rhai o gapeli mwy cefnog de Cymru fod yn lled soffistigedig, anaml iawn oedd y themâu a'r syniadau'n rhai ffigurol. Yn niwylliant gweledol y capel, yn aml disodlodd geiriau ffigurau i'r Anghydffurfiwr, a gwelwyd bod y gair yntau'n eicon geiriol. Ceir enghraifft yn y ffenestr goffa a osodwyd yn Eglwys Sant Ioan y Methodistiaid Calfinaidd ym Mae Colwyn yn 1888. Ar gefndir blodau ac anifeiliaid y cyfeirir atynt yn y Beibl, uwchosodir y llythrennau Groeg *alpha* ac *omega*, sef cyfeiriad at Ddatguddiad 1:8 lle datgana Crist mai ef yw'r Alffa a'r Omega. Ynghanol y ffenestr ceir geiriau o Efengyl Luc (2:14) lle cyhoedda'r angel i'r bugail 'ac ar y ddaear dangnefedd, i ddynion ewyllys da'.[43] Yn yr un eglwys, mae'r ffenestr fawr pum lliw'n portreadu dameg y talentau (Mathew 25) yn anffugurol. O dan seren fawr Dafydd, darllenir geiriau'r ddameg yn llinellau o destun ysgrifenedig ar gefndir o flodau sy'n dringo. Cyfunir datguddiad naturiol Duw ym myd y creu â geiriau datguddiedig y Beibl. Yn wir, o ran y modd y gweledwyd geiriau a thestunau, yn aml roedd mwy'n gyffredin rhwng ffenestri capel a ffenestri lliw rhai synagogau yn ne Cymru nag â'u cyd-enwadau Cristnogol. Er enghraifft yn Synagog Diwygiedig Caerdydd engrafir y deg gorchymyn mewn llythrennau Hebraeg mewn modd sy'n debyg iawn i'r modd yr uwcholeuwyd geiriau a llythrennau Beiblaidd mewn ffenestri a chelfi capel.

Gellid estyn cysyniad John Harvey o'r gair yn eicon geiriol i gynnwys enghreifftiau o'r modd y gellid defnyddio'r cloc a'i rifau yn weledol yn y diwylliant Anghydffurfiol. Y cloc oedd un o'r ychydig ddelweddau gweledol ym mhensaernïaeth y capel[44] ac wrth gwrs i unrhyw un sy'n darllen y Beibl, mae rhifau'n hollbwysig wrth gyfeirio at benodau ac adnodau. Roedd y cloc yn symbol o dreigl amser (ac awr arswydus canol nos awr y farn ar fin canu) yn symbol hynod bwysig mewn torluniau pren. Cerdd gan Azariah Shadrach, a oedd yn boblogaidd ar y taflenni balediyn y bedwaredd ganrif ar bymtheg, oedd

Ffigwr 7. *Cloc Capel* (*c.*1898).
Amgueddfa Ceredigion, Aberystwyth. Llun: Hawlfraint Martin Crampin.

Myfyrdod ar y Cloc yn Taro. Mae pob awr yn ysgogi ystyriaeth dduwiol gysylltiedig (un Duw, dau Destament, tri Pherson y Drindod, pedwar Efengylydd ac ati) neu'r atgof am adnod Feiblaidd. Yn y cloc a wnaed yn 1845 yn Eglwys y Bedyddwyr Seion Newydd yn Nhreforus, yn lle'r rhifau gosodwyd llythrennau cyntaf yr adnodau priodol, y byddai aelodau'r gynulleidfa'n eu gwybod ar eu cof. Sillafa'r llythrennau *Cred ac Ufuddha*.[45] Gellir gweld enghraifft arall sy'n dyddio o tua 1898 yn Amgueddfa Ceredigion yn Aberystwyth. Yn yr achos hwn, sillafa llythrennau *Mae Duw Gyda Ni* un o enwau Beiblaidd y Meseia, Duw gyda ni, Emanuel [Ffigwr 7]. Yn yr un modd ag yr aeth geiriau'r Ysgrythur yn eiconau geiriol, felly gallai digidau a ffigurau (cloc yn yr achos hwn) gynnig dull gweledol o adeiladu'r saint.

Gweledu Gwlad y Beibl

Er mwyn astudio'r Beibl yn fanwl, rhaid wrth wybodaeth am ei gyfeiriadau daearyddol a thopograffaidd; heb y wybodaeth hon, byddai nifer o ddarnau o'r Beibl yn gwbl ddiystyr am fod yr awduron yn defnyddio enwau lleoedd yn drosiadol ac yn symbolaidd. Hyn sydd wrth wraidd diddordeb mawr Cymru'r bedwaredd ganrif ar bymtheg yn edrychiad Gwlad Israel a'r syniad o debygrwydd rhwng tirweddau'r Beibl a Chymru ei hun. Mewn cylchoedd Anghydffurfiol, credid bod tirweddau Cymru'n adlewyrchu topograffeg cysegredig y Beibl ac y dylid ystyried tirweddau'r wlad mewn perthynas â'r Hen Destament a'r Newydd, lle rhodiai proffwydi'r Hen Destament a lle pregethai Iesu Grist. Trwy'r cysylltiad hwn y sancteiddiwyd Cymru a'i hystyried yn wlad gysegredig. Yn sgil hyn, wrth i'r werin ddarllen neu glywed geiriau'r Ysgrythur, daeth enwau lleoedd pell i ffwrdd yn nes atynt, yn fwy ystyrlon a haws uniaethu â hwy. Ond sut oedd gweledu hyn? Yn ôl John Harvey:

> Before the arrival of illustrated literature from far beyond the boundaries of Wales, Nonconformists had imagined the biblical world by casting it into the mould of their own, substituting the scenery and fabric of their everyday life in Wales for what lay beyond their sight. The biblical imagery of shepherds, flocks, green pastures, and still waters, and of sowers broadcasting seed would have been vividly and effortlessly comprehensible.
>
> In the mid-nineteenth century, however, images of the biblical lands and stories entered the chapel culture and the imagination of Nonconformists in the form of steel-plate engravings, in pulpit and family Bibles, Bible dictionaries, commentaries, devotional books, coloured lithographs and Sunday-school-banners. No longer could the Bible and the biblical world be one of words alone. Henceforth, when Nonconformists read the Scriptures, the chambers of their minds were already decked with pre-cast pictures.[46]

Enghraifft o'r tueddiadau hyn yw'r faner a ddyluniwyd gan G. Tuthill ar gyfer Capel Salem Newydd yng Nglyn Rhedynog ym Morgannwg (*c.*1887). Mae'n portreadu'r heuwr sy'n bwrw'r had ar led, sef dameg a oedd yn agos at galon Charles, ond mewn modd a oedd yn boblogaidd ymhlith artistiaid dwyreinyddol yn ystod yr un cyfnod.

Roedd peth llenyddiaeth ddarluniadol o'r bedwaredd ganrif ar bymtheg yn arbennig o berthnasol i Gymru a gellid tybio iddi gyrraedd cylch eang o ddarllenwyr.[47] Er enghraifft cyfieithwyd clasur John Fleetwood, *The Life of Christ* (1811) i'r Gymraeg fel *Bywyd ein Harglwydd a'n Hiachawdwr Iesu Grist* tua diwedd y bedwaredd ganrif ar bymtheg. Roedd darluniau coeth yn rhan o'r argraffiad Cymraeg ac ar bob tudalen roedd engrafiadau, rhai ohonynt yn seiliedig ar baentiadau'r Hen Feistri, o olygfeydd cyfoes o Israel, o flodau ac anifeiliaid, ynghyd â mapiau o ranbarthau penodol. Un peth nodedig a gynhwyswyd oedd cyfres o engrafiadau o ffotograffau gan Francis Frith a deithiodd i'r Dwyrain Canol tua diwedd y 1850au. Gwaith arall o ddiddordeb i ddarllenwyr yng Nghymru oedd y pedair cyfrol swmpus a olygwyd gan Syr Charles Wilson, *Picturesque Palestine, Sinai and Egypt*, ac a gyhoeddwyd yn Llundain. Treuliodd Wilson ddwy flynedd yn syrfeio Jerwsalem a'r wlad oddi amgylch ar gyfer Cronfa Archwilio Palestina, ac roedd ei waith yn gyforiog o ddarluniau cain ar sail engrafiadau dur a phren. Roedd gan Wilson gysylltiadau Cymreig cryf a chyrhaeddodd cyfrolau tebyg i'r rhain nid yn unig aelwydydd y dosbarth canol ffyniannus, ond hefyd lyfrgelloedd cartrefi Anghydffurfiol mwy eu maint yn y trefi.

Uniaethwyd yn ddwysach dirwedd Cymru â Gwlad yr Addewid trwy gysylltiad hunanymwybodol a wnaed, unwaith eto yn arbennig mewn Anghydffurfiaeth, rhwng pobl Cymru a'r genedl etholedig, yr Iddewon. Yn 1901, gallai Ernest Rhys ysgrifennu:

> It is not a mere ingenious idea that the Welsh people have felt at times in their history that it had a very strange parallel in the history of the Jews. There is even a spiritual affinity between the two races that lie deeper than we know; and when a Welshman thinks of the Holy Land he is very apt to think of it as another Wales over in the East.[48]

Tua'r un pryd mynegwyd cysyniad Rhys o Wlad Israel ar ffurf weledol mewn map a gyhoeddwyd gan Undeb Ysgolion Sul Prydain Fawr o dan y teitl *Gwlad Canaan: Ar Gynllun Gogledd a Deheudir Cymru i Blant*. Roedd y map, fel llawer o fapiau eraill o'r un cyfnod yn peri i ddaearyddiaeth Cymru ac Israel gyfateb yn union: er enghraifft 'gefeilliwyd' tiriogaethau'r deuddeg llwyth â'r deuddeg sir a oedd yn rhan o dir mawr Cymru, wrth i ddinasoedd a threfi Gwlad Israel gyfateb i'r rheini oedd yng Nghymru: felly cydleolwyd Jerwsalem a Llandeilo Fawr, Nasareth a Dolgellau, Hebron ac Abertawe ac ati.[49] Roedd mapiau o'r fath yn ddelweddau gweledol grymus ac fe'u defnyddiwyd mewn gwersi ysgol Sul ym mhob cwr o Gymru.

Casgliadau

O ystyried ystod yr enwadau ac amrywiaeth y dylanwadau artistig enwadol a bwysai ar draddodiad Anghydffurfiol Cymru yn y bedwaredd ganrif ar bymtheg, ai cywir dweud i ddysgeidiaeth ac athrawiaethau Beiblaidd Thomas Charles helpu i ddatblygu celfyddyd ac artistiaid ymhlith ei ddilynwyr mewn unrhyw gyfeiriad arbennig? Mae Harvey a Lord wedi dangos yn glir fod hwn yn bwnc cymhleth a bod hyd yn oed yr argraffwyr, engrafwyr ac artistiaid hynny a oedd ag argyhoeddiadau Anghydffurfiol yn agored i lawer o ddylanwadau allanol. Noda Peter Lord, er enghraifft (a hynny er syndod efallai), i lawer o brintiau Anghydffurfiol adlewyrchu gwerthoedd y traddodiad Catholig.[50] Er enghraifft, daw symbolau'r pedwar Efengylydd ym *Myfyrdod ar y Cloc yn Taro* yn syth o'r traddodiad cyn-Brotestannaidd. Gwelwyd y Fadona'n aml yn y printiau amryliw a werthwyd yn helaeth o ddrws i ddrws yng Nghymru ar ddiwedd y bedwaredd ganrif ar bymtheg. Dyfynna Lord y peintiwr Carey Morris wrth iddo gofio'i blentyndod yn Llandeilo:

> The vendors were invariably sons of Israel and the pictures were obviously Roman Catholic in sentiment; the subjects were the Madonna and Child and the Crucifixion, very gaudily coloured and the general effect considerably heightened and made more attractive to the people by a liberal supply of gold and silver tinsel decoration. As a boy these pictures and itinerant visitors fascinated me. Some years later it struck me as a most remarkable sight – Jewish vendors selling Roman Catholic pictures to Nonconformists.[51]

Mae enghreifftiau trawiadol o gelfyddyd Feiblaidd yn y bedwaredd ganrif ar bymtheg yng Nghymru, a ddeilliai o wahanol draddodiadau, a fyddai wedi bod wrth fodd calon Thomas Charles a'i afael ar yr ieithoedd Beiblaidd a'i barch dwfn at gywair y testun. Un enghraifft o'r fath yw'r casgliad gwych o baentiadau a wnaed i ardd y to yng Nghastell Caerdydd gan yr artist a'r pensaer William Burgess a gomisiynwyd gan drydydd Ardalydd Bute, ieithydd ac ysgolhaig o fri. Byddai Charles wedi cymeradwyo hwn am nifer o resymau: yn gyntaf, mae'r testun a ddewiswyd, sef golygfeydd o'r proffwyd Elias, yn crisialu rôl awdurdodol y proffwyd ac yn fwy arwyddocaol, prif awdurdod a gallu gair Duw; yn ail, copïwyd yr adnodau Hebraeg sy'n cyd-fynd â'r testunau ac sy'n benawdau arnynt, yn ofalus iawn, ac â pharch mawr mae'n amlwg, at y Beibl Hebraeg. Roedd hyn yn arwydd bod yr artist (neu ei gynghorwr) yn ymwybodol o ystyr fanwl y testun yw'r modd y cyflwynir y pennawd is yr olygfa sy'n portreadu'r siars i Obadiah gan Ahab (1 Brenin 18:3–5). Yma mae'r artist yn hepgor ychwanegiad golygyddol diweddarach at y testun gwreiddiol, a thrwy hynny'n sicrhau bod y stori wreiddiol yn llifo'n rhwydd.

Rhanna dwy enghraifft arall o waith celf penodol Gymreig ysbryd blaenoriaethau athrawiaethol Thomas Charles. Yng ngwaith John Petts, yn aml mae llythrennau unigol geiriau Beiblaidd yn elfen strwythurol a chymerodd ofal i bwysleisio arwyddocâd testun penodol mewn unrhyw ddarn penodol.[52] Yn nwy o'i ffenestri lliw (Eglwys Dewi Sant Castell-nedd ac Eglwys y Santes Fair Abergwaun) cyflwyna Petts y testunau Beiblaidd ar ffurf eiconau geiriol, a thrwy hynny dynnu sylw at ganolrwydd ac awdurdod y geiriau Beiblaidd yn y ffenestri. Yr ail enghraifft yw gwaith Evan Walters, ac yn bennaf y paentiad o'i fam oedrannus wrth iddi ymgolli yn ei myfyrdod defosiynol ar y Beibl. Noda Peter Lord fod y paentiad hwn yn dystiolaeth o'r modd y cysylltid delwedd y Beibl yn agos â'r bobl gyffredin i awgrymu rhinwedd genedlaethol hyd at ddiwedd tridegau'r ugeinfed ganrif.[53]

Wrth goffáu Thomas Charles, priodol o bosibl yw cyfeirio at sôn am ddathliad arall o 1988, sef pedwar canmlwyddiant cyfieithiad William Morgan o'r Beibl yn 1588. I ddathlu'r achlysur, comisiynodd cwmni theatr arbrofol *Brith Gof* ddeugain baner enfawr i fod yn gefndir i berfformiadau dramatig, a phob llyfr wedi'i ysbrydoli gan lyfr o'r Hen Destament a phob un yn cynnwys teitl llyfr ynghyd â thestun neu ddelwedd a oedd yn cyfleu'r pwnc dan sylw. Cynhwysai Exodus, er enghraifft, y llafrwyn lle daethpwyd o hyd i Moses a muriau Jerico yn syrthio yn llyfr Josua tra'r oedd dyluniadau haniaethol neu hanner haniaethol ar eraill. Byddai'r dyluniadau hyn wedi bod yn unol ag ysbryd artistiaid Anghydffurfiol y bedwaredd ganrif ar bymtheg. Yn wir, daeth dyfyniadau Cymraeg i'w defnyddio ar faneri capeli neu mewn llenyddiaeth ddarluniadol Gymraeg gan amlaf o 'r Bibl Cyssegr-lan yn 1620, sef fersiwn ddiwygiedig o gyfieithiad 1588 William Morgan.

Anghyflawn, felly, fyddai trafod gwaddol Thomas Charles, a goffeir yn y gyfrol hon, heb air am yr artistiaid a'r gwneuthurwyr printiau hynny yn y bedwaredd ganrif ar bymtheg a fyfyriodd ar y modd y gellid cadarnhau awdurdod gair y Beibl mewn celfyddyd yn yr un modd ag y'i cadarnhawyd gan Charles yn ei ddysgeidiaeth a'i bregethau. Wrth ddathlu eleni, amserol yw rhoi sylw eto i bwyslais Charles ar awdurdod yr Ysgrythur a'r gelfyddyd anffigurol a ddewisai Anghydffurfwyr yng nghyd-destun Cymru sydd bellach yn wahanol iawn i'r hyn ydoedd yn 1814. Yn wir, efallai y câi teimladau Charles wrandawiad syfrdanol o wresog a chydymdeimladol heddiw gan 'grefyddau'r llyfr' sef Iddewiaeth ac Islam, oherwydd y parch dwfn at awdurdod traddodiadau testunol a'u treftadaeth hynod gyfoethog mewn celfyddyd anffigurol.

Nodiadau

1 John Harvey, *The Art of Piety: The Visual Culture of Welsh Nonconformity* (Cardiff: 1995); idem, *Image of the Invisible: the Visualization of Religion in the Welsh Nonconformist Tradition* (Cardiff: 1999).
2 Peter Lord, *Hugh Hughes, Arlunydd Gwlad* (Llandysul: 1995); idem, *Diwylliant Gweledol Cymru: Delweddu'r Genedl* (Caerdydd: 2000).
3 D. Huw Owen, 'Diwylliant gweledol' yn *Twf*, tt. 305–50.
4 Martin O'Kane a John Morgan-Guy (goln), *Biblical Art from Wales* (Sheffield: 2010). Gellir gweld y rhan fwyaf o'r delweddau y cyfeirir atynt yn y bennod hon ar gronfa ddata ar-lein y prosiect: *http://imagingthebible.llgc.org.uk/*.
5 D. Densil Morgan, 'The Bible and Wales in the Nineteenth and Twentieth Centuries' yn O'Kane a Morgan-Guy, *Biblical Art from Wales*, tt. 2–10 [4]; Eryn M. White, *The Welsh Bible* (Stroud: 2007), tt. 101–3.
6 Morgan, 'The Bible and Wales in the Nineteenth and Twentieth Centuries', t. 10.
7 Cf. R. Tudur Jones, 'Dylanwad y Beibl ar feddwl Cymru', yn R. Geraint Gruffydd (gol.), *Y Gair ar Waith: Ysgrifau ar yr Etifeddiaeth Feiblaidd yng Nghymru* (Caerdydd: 1988), tt. 113–34.
8 *Gwas*, tt. 21, 38.
9 Gw. C. M. N. Eire, *War Against the Idols: The Reformation of Worship from Erasmus to Calvin* (Cambridge: 1986); S. Michalski, *The Reformation and the Visual Arts: The Protestant Image Question in Western and Eastern Europe* (London: 1993).
10 Thomas Charles, *An Exposition of the Ten Commandments by Way of Question and Answer* (Bala: 1805), t. 19, dyfynnwyd yn Harvey, *The Art of Piety*, t. 45.
11 Harvey, *The Art of Piety*, t. 46.
12 Gweler Sharman Kadish, 'The Jewish Presence in Wales: Image and Material Reality', yn O'Kane a Morgan-Guy, *Biblical Art from Wales*, tt. 271–90.
13 Awgryma Peter Lord fod rhywfaint o empathi yn bod rhwng Burne-Jones ac artistiad fel T. H. Thomas a fynnent gysylltu gwerthoedd y werin ag eiddo'r tir a oedd yn eu cynnal. Gweler Lord, *Biblical Art from Wales*, tt. 71–90.

[14] Harvey, *The Art of Piety*, t. 45.
[15] Gw. Lord, *Hugh Hughes Arlunydd Gwlad*, passim.
[16] Gweler John Harvey, 'The Bible and Art in Wales: A Nonconformist Perspective', yn O'Kane a Morgan-Guy, tt. 71–90.
[17] Awgryma Peter Lord y gallai fod oherwydd diffyg brwdfrydedd i godi'r arian angenrheidiol; Lord, *Delweddu'r Genedl*, t. 278.
[18] *Life*, III, t. 398, dyfynnwyd yn Harvey, *The Art of Piety*, t. 43.
[19] Harvey, *The Art of Piety*, p. 44.
[20] *Life*, III, 600, dyfynnwyd yn Harvey, *The Art of Piety*, t. 44.
[21] Harvey, *The Art of Piety*, t. 44.
[22] Edwards oedd prifathro Coleg Prifysgol Cymru, Aberystwyth fel y'i gelwid ar y pryd rhwng 1872 a 1891 ac wedyn Coleg Diwinyddol y Bala tan ei farwolaeth; gw. D. Densil Morgan, '"Y Prins": agweddau ar fywyd a gwaith Thomas Charles Edwards (1837–1900)', *Y Traethodydd* 704 (2013), 30–9 a phennod 11 isod.
[23] Disgrifia John Harvey y modd yr ymddangosodd penddelw o Thomas Charles ar gefn medal yn coffáu canmlwyddiant Ysgolion Sul Cymru yn 1885. Cyflwynwyd y fedal hon, a wnaed mewn tun ac efydd, i aelodau'r Ysgol Sul yn Nolgellau, o ble yr oedd Mari Jones wedi cerdded i'r Bala i ofyn am Feibl Cymraeg, *The Art of Piety*, t. 45.
[24] Lord, *Delweddu'r Genedl*, tt. 222–3.
[25] Harvey, *The Art of Piety*, t. 45.
[26] Lord, *Delweddu'r Genedl*, t. 205.
[27] R. Saunderson, *MS 9031E* Llyfrgell Genedlaethol Cymru, dyfynnwyd yn Peter Lord, 'The Bible in the Artisan Tradition of Welsh Visual Culture', yn O'Kane a Morgan-Guy, *Biblical Art from Wales*, tt. 92– 119 [101].
[28] Harvey, *The Art of Piety*, t. 47.
[29] Ibid., t. 47; am yr hanes gw. Lord, *Hugh Hughes Arlunydd Gwlad*, tt. 156–72, a D. Densil Morgan, *Lewis Edwards* (Caerdydd: 2009), tt. 25–33.
[30] Gweler disgrifiad llawn o'r paentiad hwn yn Lord, *Delweddu'r Genedl*, t. 214.
[31] Harvey, *The Art of Piety*, t. 48.
[32] Parhaodd y confensiwn artistig hwn hyd ganol yr ugeinfed ganrif gyda phortread Evan Walters yn 1937 o'i fam wedi ymgolli mewn astudiaeth Feiblaidd dduwiol, a'r fam oedrannus yn symbol o draddodiad di–dor o ddarllen y Beibl a drosglwyddwyd o'r naill genhedlaeth i'r llall.
[33] Lord, 'The Bible in the Artisan Tradition of Welsh Visual Culture', yn O'Kane a Morgan-Guy, *Biblical Art from Wales*, tt. 104–5
[34] Lord, 'The Bible in the Artisan Tradition of Welsh Visual Culture', t. 105.
[35] Ibid., t. 103.
[36] Hugh Hughes a David Charles, *Yr Addysgydd* (Caerfyrddin: 1823) wedi'i ddyfynnu gan Lord, 'The Bible in the Artisan Tradition of Welsh Visual Culture', t. 103.
[37] Lord, 'The Bible in the Artisan Tradition of Welsh Visual Culture', t. 110.

[38] Am y cefndir gw. pennod 8 isod.

[39] Cf. e.e. 'Y genedl Galfinaidd a'i llên: rhyddiaith grefyddol y bedwaredd ganrif ar bymtheg', yn R. Tudur Jones, D. Densil Morgan (gol.), *Grym y Gair a Fflam y Ffydd: Ysgrifau ar Hanes Crefydd yng Nghymru* (Bangor: 1998), tt. 255–88; ac ysgrifau Derec Llwyd Morgan, *Y Beibl a Llenyddiaeth Gymraeg* (Llandysul: 1998).

[40] Lord *Delweddu'r Genedl*, tt. 339 a 341.

[41] David Davies, *Echoes from the Welsh Hills* (London: 1883).

[42] Harvey, *The Art of Piety*, t. 59

[43] Harvey, 'The Bible and Art in Wales', tt. 84–8.

[44] Ym mhaentiad Sydney Curnow Vosper *Salem*, y cloc yw'r unig wrthrych gweledol y gall y gynulleidfa ei weld.

[45] Gweler disgrifiad manwl Lord o arwyddocâd amser a'r cloc yn 'The Bible in the ArtisanTradition of Welsh Visual Culture', tt. 108–9.

[46] Harvey, 'The Bible and Art in Wales', t. 77.

[47] Gweler John Morgan-Guy, 'Biblical Art from Wales: Setting the Scene', yn O'Kane and Morgan-Guy, *Biblical Art from Wales*, tt. 11–44 [25].

[48] Ernest Rhys, *The Manchester Guardian*, 13 Ebrill 1901, 9.

[49] Am drafodaeth fanwl, gweler Harvey, *Image of the Invisible: The Visualization of Welsh Nonconformity*, t. 97.

[50] Lord, 'The Bible in the Artisan Tradition of Welsh Visual Culture', t. 119.

[51] Carey Morris, 'Art and Religion in Wales', dyfynnwyd Eirwen Jones, 'An Artist in Peace and War', *Carmarthenshire Historian* 15 (1978), 40–1. Dyfynnwyd yma yn Lord, 'The Bible in the Artisan Tradition of Welsh Visual Culture', t. 119.

[52] Gweler Alison Smith, 'Light, Colour and the Bible: The Stained Glass Windows of John Petts', yn O'Kane a Morgan-Guy, *Biblical Art from Wales*, tt. 217–34 [223].

[53] Meddai Lord, 'In general the evangelical wing of Welsh image makers associated the Bible with the young and vigorous whereas the conservative wing was more inclined to make the association with old age.''The Bible in the Artisan Tradition of Welsh Visual Culture', t. 94.

8

Thomas Charles, Ann Griffiths a Mary Jones

E. Wyn James

Erbyn diwedd Oes Victoria, un o enwau anwes ein cyndeidiau ar Ann Griffiths, yr emynyddes o Ddolwar Fach, oedd 'Cymraes enwoca'r byd'. A diau y gellid cytuno'n rhwydd mai Ann fyddai piau'r teitl yr adeg honno, oni bai am un ferch arall. Un o hoff enwau anwes Oes Victoria ar y ferch arall honno oedd 'y Gymraes fechan heb yr un Beibl', sef Mary Jones, y ferch y mae hanes ei thaith i'r Bala i brynu Beibl ar gael mewn tua deugain o ieithoedd erbyn hyn. A dichon y gellid hawlio o hyd mai Mary Jones yw Cymraes enwoca'r byd, o leiaf mor bell ag y mae'r diwylliant Cristnogol poblogaidd rhyngwladol yn y cwestiwn. Digon prin oedd y sôn am y naill a'r llall ohonynt hyd at y 1860au yn achos Ann Griffiths a'r 1880au yn achos Mary Jones; ond erbyn diwedd Oes Victoria yr oeddynt ill dwy wedi tyfu'n eiconau cenedlaethol, ac yn cymryd eu lle yn gysurus wrth ochr dwy Gymraes arall y bu cryn ganu eu clodydd yn sgil 'Brad y Llyfrau Gleision', sef y 'Ferch Rinweddol' a'r 'Fam-Angyles'.[1] Yn wir, bron na ellid galw Mary Jones ac Ann Griffiths yn ddwy brif 'santes' y Gymru Ryddfrydol, Anghydffurfiol a ddaeth i fod yn ail hanner y bedwaredd ganrif ar bymtheg. Ond nid trafod delweddau rhamantaidd Oes Victoria o'r ddwy yw'n bwriad yma, ond yn hytrach edrych ar Ann Griffiths a Mary Jones yn eu cyfnod a'u cynefin, ac yn enwedig yn eu perthynas â'u mentor mawr, Thomas Charles o'r Bala.

Y mae'n ddiddorol cymharu a chyferbynnu bywydau Ann a Mary. Fe'u ganed ill dwy yn chwarter olaf y ddeunawfed ganrif – Ann yn nechrau 1776 a Mary yn niwedd 1784. Dim ond tua naw mlynedd oedd rhyngddynt, felly, o ran eu hoed. O'r ochr arall, y mae'r gwahaniaeth yn eu hoedran yn marw yn bur drawiadol. Ymestynnodd bywyd Mary ymhell i'r bedwaredd ganrif ar bymtheg. Bu farw'n wraig weddw ddall ym mis Rhagfyr 1864, a hithau newydd gyrraedd ei phedwar ugain oed. Ond gwraig ifanc newydd briodi oedd Ann pan fu farw yn naw ar hugain oed ym mis Awst 1805, yn dilyn genedigaeth ei hunig blentyn. Bywyd gwledig gogledd Cymru, a bywyd uniaith Gymraeg i bob pwrpas, oedd cefndir y ddwy – plwyf Llanfihangel-y-Pennant yn sir Feirionnydd, nid nepell o'r môr, yn achos Mary; plwyf Llanfihangel-yng-Ngwynfa yn sir Drefaldwyn, nid nepell o'r ffin â Lloegr, yn achos Ann. Siroedd Trefaldwyn a Meirionnydd oedd prif ganolfannau'r diwydiant gwlân yng Nghymru o ganol yr unfed ganrif ar bymtheg hyd at ddechrau'r bedwaredd ganrif ar bymtheg, a bu gan wlân ran amlwg ym mywydau Ann a Mary ill dwy. Merch i wehyddion oedd Mary, a gwehyddion fu hi a'i gŵr, Thomas Jones, ar hyd eu bywyd priodasol. Yn yr un modd, trin gwlân oedd un o brif orchwylion bywyd beunyddiol Ann. Tuag adeg marw Ann Griffiths yr oedd gwŷdd a phum troell yn ei chartref yn Nolwar Fach, ac yr oedd tua phedwar ugain o ddefaid ar y fferm honno.[2] Yn y fan hon gwelwn un gwahaniaeth pwysig rhwng Ann a Mary. Merch dlawd iawn oedd Mary, a fagwyd gan ei mam weddw mewn bwthyn bach di-nod. Bu'n dlawd yn ferch, a bu'n dlawd hyd ei bedd. Ond merch eithaf cysurus ei byd oedd Ann, merch fferm a'i thad yn ŵr o safle yn ei blwyf. A phan briododd Ann, priododd i deulu pur gefnog. Daeth ei gŵr, Thomas Griffiths, â chwe llwy arian i'w ganlyn pan ddaeth i fyw at Ann yn Nolwar Fach. Llestri piwtar a phren oedd yn Nolwar cyn hynny, heb ddim llestri arian. Fel y nododd Helen Ramage, o Oes Elisabeth ymlaen yr oedd yn rhaid wrth o leiaf chwech o lwyau arian ar yr aelwyd i roddi statws i deulu; a phan ddaeth yn amser i Thomas ymadael â Dolwar Fach, y mae'n arwyddocaol i'r chwe llwy arian fynd oddi yno gydag ef.[3]

Yr hyn a glymai Ann a Mary dynnaf wrth ei gilydd, er pob gwahaniaeth yn eu safle cymdeithasol, oedd y ffaith eu bod ill dwy yn Fethodistiaid Calfinaidd. Yn neheudir Cymru yn y 1730au y dechreuodd y Diwygiad Efengylaidd, a phur araf fu twf Methodistiaeth yn y gogledd ar y dechrau. Yn wir, nid tan y 1780au y dechreuodd y mudiad Methodistaidd fagu nerth o ddifrif yng ngogledd Cymru, a hynny yn enwedig ar ôl i'r deheuwr Thomas Charles ymsefydlu yn y Bala a bwrw ei goelbren gyda'r Methodistiaid yno. 'Rhodd yr Arglwydd i'r Gogledd ydyw Charles', meddai Daniel Rowland amdano yn 1785 – ac nid i'r gogledd yn unig o bell ffordd, fel y gwyddom bellach o edrych yn ôl ar ei fywyd a'i gyfraniad aruthrol i gynnydd Cristnogaeth yng Nghymru a'r tu hwnt. Ond fe ddylid hefyd roi'r clod dyledus i'w wraig am y gwaith mawr a gyflawnodd Thomas Charles, oherwydd os bu enghraifft erioed o wraig yn chwarae rhan allweddol yn llwyddiant ei gŵr, Sally Charles yw honno.

Sally Jones a Phwysigrwydd y Bala

Adroddir hanes carwriaeth Sally â Thomas mewn pennod arall yn y gyfrol hon, ond mae'n werth pwysleisio yma mai merch hardd a hirben ydoedd, yn dduwiol iawn ac yn gysurus ei byd. Yr oedd Williams Pantycelyn yn neilltuol hoff ohoni, a dywedir y byddai wedi hoffi ei chael yn ferch-yng-nghyfraith iddo. Ond nid felly y bu. Syrthiodd Charles dros ei ben a'i glustiau mewn cariad â hi ar yr olwg gyntaf. Petrus iawn fu'r garwriaeth o'i hochr hi ar y dechrau, a hithau'n amau braidd mai ar ôl ei harian yr oedd yr offeiriad o Sir Gaerfyrddin. Yr oedd Sally yn benderfynol o aros yn y Bala, a bu raid i Charles ddod yno ati hi pan briodasant yn 1783. Sally, felly, a oedd yn uniongyrchol gyfrifol fod Charles wedi ymsefydlu yn y Bala; a hi a'i siop a fu'n gyfrifol hefyd am ei gynnal yno, a rhoi iddo'r modd i'w alluogi i ymroi i'w waith arloesol ymhlith Methodistiaid y gogledd. (Y mae'n werth nodi wrth fynd heibio mai dibynnu ar siop ei wraig am ei gynhaliaeth faterol fu hefyd hanes John Elias, prif arweinydd Methodistiaid y gogledd yn y genhedlaeth nesaf, fel (o ran hynny) y bu siop 'merch Gwern Hywel' yn Amlwch yn fodd i gynnal ei gŵr, William Roberts, a siop Jane, chwaer Ann Griffiths, yn Llanfyllin yn fodd i gynnal ei gŵr hithau, Abraham Jones, yn eu gwaith fel pregethwyr Methodist. Y mae ar Fethodistiaeth ddyled fawr i siopwragedd!)

Fel y gwelir yn ail bennod y gyfrol hon, un o gyfraniadau pwysicaf Thomas Charles oedd ei waith yn sefydlu ysgolion. Wrth symud i'r gogledd, yr hyn a drawai Charles oedd y tywyllwch ysbrydol a oedd yn drwch o'i amgylch. Er mwyn ceisio chwalu'r tywyllwch hwnnw, penderfynodd drefnu ysgolion dyddiol ar batrwm ysgolion cylchynol Griffith Jones, Llanddowror. Dechreuodd ysgolion cylchynol periglor Llanddowror yn y 1730au. Buont yn llwyddiant rhyfeddol, yn addysgol ac yn grefyddol, a thrwyddynt daeth y Cymry yn un o bobloedd mwyaf llythrennog Ewrop erbyn canol y ddeunawfed ganrif.[4] Ni bu ysgolion Griffith Jones erioed mor gryf yn y gogledd ag y buont yn y de, ac erbyn i Charles ymsefydlu yn y Bala yr oeddynt wedi darfod o'r tir i bob pwrpas. Ond yn awr dyma ef yn dechrau cyflogi athrawon a threfnu iddynt fynd oddi amgylch o ardal i ardal, gan aros ym mhob ardal am ychydig fisoedd ar y tro i ddysgu'r bobl i ddarllen a'u hyfforddi yn egwyddorion sylfaenol y ffydd Gristnogol. Bu'r athrawon hyn yn genhadon crwydrol hynod effeithiol, a'u dylanwad yn bellgyrhaeddol. Yn ogystal â chynnal ysgolion cylchynol, amcanai Charles at sefydlu ysgolion Sul fel bod parhad i'r gwaith addysgol gan bobl leol wedi i'r athro symud ymlaen i'w gylch nesaf o weithgarwch. Bu'r ysgolion cylchynol a'r ysgolion Sul yn hynod lwyddiannus yn eu hamcan, a thrwyddynt crëwyd dosbarth sylweddol o bobl a fedrai ddarllen.[5]

Law yn llaw ag ymgyrchoedd addysgol Thomas Charles, fe gafwyd yn ystod ei gyfnod yn y gogledd gyfres o adfywiadau ysbrydol grymus iawn. Dywed un o'r awdurdodau amlycaf ar hanes diwygiadau crefyddol Cymru – Henry Hughes, Bryncir – mai'r blynyddoedd 1785–1815, yn ei dyb ef, oedd y cyfnod mwyaf llwyddiannus a fu erioed ar grefydd yng Nghymru.[6] Nid oes gwell enghraifft o'r newid trawiadol a fu ym myd crefydd yn y cyfnod hwn na'r Bala ei hun. Pan ymwelodd Howell Harris â'r dref honno ar daith bregethu yn 1741 bu ond y dim iddo gael ei ladd gan haid o erlidwyr ffyrnig, ond ymhen hanner canrif union, yn 1791, yr oedd tref y Bala ar ganol adfywiad ysbrydol grymus iawn. Dywed Thomas Charles am un nos Sul ym mis Hydref 1791:

> Towards the close of the evening service, the Spirit of God seemed to work in a very powerful manner on the minds of great numbers present, who never appeared before to seek the Lord's face . . . About nine or ten o'clock at night, there was nothing to be heard from one end of the town to the other, but the cries and groans of people in distress of soul.[7]

Fel y gwelir ym mhennod 11, erbyn dechrau'r bedwaredd ganrif ar bymtheg, roedd y gogledd wedi dod yn gadarnle i Fethodistiaeth a'r Bala yn fath o Jerwsalem i'r mudiad. Yr oedd y Bala yn fan ganolog yn ddaearyddol ar gyfer Methodistiaid y gogledd, mae'n wir, ond presenoldeb Thomas Charles yno, yn anad dim, a'i gwnaeth yn ganolbwynt ysbrydol i gynifer. Rhwng y gwasanaethau cymun ar y Suliau pen mis gyda Charles ei hun yn gweinyddu, heb sôn am y cyrchu mawr a fu yno i'r ŵyl bregethu a oedd yn gysylltiedig â phrif sasiwn y Methodistiaid yn y gogledd, a gynhelid yn y Bala bob haf, roedd hi'n naturiol mai yno y cynhelid yr oedfa ordeinio a droes y Methodistiaid Calfinaidd ymhen y rhawg yn enwad ar wahân.[8] Rhwng popeth, nid

Llangeitho na Threfeca ond y Bala oedd canolbwynt y mudiad ar ddechrau'r bedwaredd ganrif ar bymtheg.

Rhwng yr ysgolion a'r adfywiadau ysbrydol grymus a gyd-weai â hwy, crëwyd dosbarth helaeth o bobl a oedd nid yn unig yn medru darllen y Beibl, ond a oedd hefyd yn awchu am ei ddarllen. Fel y gwelwyd ym mhennod 3, creodd hyn yn ei dro broblem fawr i Thomas Charles, sef sut oedd darparu digon o Feiblau i gwrdd â'r galw aruthrol amdanynt. Y mae ei eiriau mewn llythyr ym mis Mawrth 1804 at Joseph Tarn – llythyr sydd bellach yn archifau Cymdeithas y Beibl yn Llyfrgell Prifysgol Caergrawnt – yn rhoi rhyw syniad inni o'r syched am Feiblau a oedd yn y wlad yr adeg honno:

> The Sunday Schools have occasioned more calls for Bibles within these five years in our poor country, than perhaps *ever* was known before among our poor people . . . The possession of a Bible produces a feeling among them which the possession of no one thing in the world besides could produce . . . I have seen some of them overcome with joy & burst into tears of thankfulness on their obtaining possession of a Bible as their own property & for their free use. Young females in service have walked thirty miles to me with only the bare hopes of obtaining a Bible each; & returned with more joy & thanksgiving than if they had obtained great spoils. We who have half a doz. Bibles by us, & are in circumstances to obtain as many more, know but little of the value those put upon *one*, who before were hardly permitted to look into a Bible once a week.

Nid yw'n syndod, wrth gwrs, fod cymaint o alw am Feiblau ymhlith dychweledigion diwygiadau efengylaidd y ddeunawfed ganrif. Pobl â'r Beibl yn ganolog i'w bywydau oedd y bobl hyn. Yn 1792, ac yntau'n ddeunaw oed, mentrodd John Elias i Sasiwn y Bala gyda'r fintai luosog o bobl ifainc a gyrchai yno ar draed o Lŷn. Dyma ran o'i ddisgrifiad o'r daith yno, sy'n dangos yn eglur le canolog y Beibl ym mywydau'r Methodistiaid ifainc hyn:

> Cychwynasom dan ymddiddan am y Beibl a phregethau. Bryd arall, canu salmau a hymnau. Weithiau y gorffwysem, a byddai i un neu ddau fynd i weddi, yna cychwynem drachefn dan ganu. Nid oedd nemawr air yn ein mysg trwy'r daith, ond am y Beibl, pregethau, a phethau crefyddol.[9]

Yn achos Thomas Charles ei hun, gwelsom yn y penodau blaenorol mor allweddol oedd y Beibl i'w fywyd a'i weithgarwch. Cynhyrchu Beiblau, ennill darllenwyr i'r Beibl, esbonio a chymhwyso neges y

Beibl – dyna oedd calon ei waith. A'u harweinydd yn synio am yr ysgrythur yn y fath fodd, nid yw'n syndod gweld y lle canolog a roddid i'r Beibl ym mywyd y genhedlaeth o Fethodistiaid a gododd yng nghysgod Thomas Charles – a Mary Jones ac Ann Griffiths yn eu plith. Oherwydd nid yn unig y bu'r ddwy yn dyst i'r chwyldro mawr efengylaidd a gydiodd yng ngogledd Cymru yn ystod eu hieuenctid, ond cawsant eu cipio gan ysbryd y chwyldro hwnnw a'u taflu i'w ganol.

Daeth Ann a Mary at y Methodistiaid mewn ffyrdd gwahanol. Yr oedd rhieni Mary Jones ymhlith arloeswyr y Methodistiaid yn ei hardal enedigol, a chafodd ei magu, felly, yn rhan o'r gymuned grefyddol honno. Daeth i ffydd bersonol yn wyth mlwydd oed, a chael ei derbyn i'r seiat Fethodistaidd leol yr adeg honno. Ymhen tua dwy flynedd wedyn, yn 1795, bu Mary yn dyst i gyfnod o erlid mawr ar Fethodistiaid ardal Llanfihangel-y-Pennant gan dirfeddiannwr lleol. Ochri gyda'r erlidwyr y byddai Ann Griffiths, yn ddiau, petai'n byw yn ardal Mary Jones adeg yr erlid. Fel y rhan fwyaf o bobl ei chyfnod, Eglwyswraig ffyddlon oedd Ann. Taranai yn huawdl a chyda dirmyg yn erbyn crefydd Ymneilltuol o bob math, a dywedai yn wawdus am y rhai a gyrchai sasiwn y Methodistiaid yn y Bala: 'Dacw y pererinion yn myned i Mecca.' Ond, yn 1796, a hithau tua ugain mlwydd oed, daeth dan argyhoeddiad dwys iawn o bechod, gan ymuno ymhen hir a hwyr â seiat leol y Methodistiaid dirmygedig yn ardal Llanfihangel-yng-Ngwynfa. Bellach cyrchai hithau'r Bala yn gyson, i'r cymun misol ac i'r sasiwn flynyddol. Yr oedd yn drefniant cyffredin yn y cyfnod hwnnw i forynion o Fethodistiaid osod amod yn eu cytundeb cyflogi y caent fynd i sasiwn y Bala bob haf, ac yn gyfnewid am y fraint honno cymerent ostyngiad o bum swllt y flwyddyn yn eu cyflog. Y mae'n amlwg fod trefniant o'r fath gan Ruth Evans, a ddaeth yn forwyn i Ddolwar Fach yn 1801, oherwydd y mae sôn fod Ann un flwyddyn wedi cynnig pum swllt i Ruth er mwyn cael mynd i'r Bala yn ei lle. Ond yr oedd yn well gan Ruth fynd i'r sasiwn na chael yr arian! Rhaid bod angen i'r naill neu'r llall o'r ddwy fod yn Nolwar adeg y sasiwn arbennig honno, ond yn gyffredinol fe lwyddai Ann i gyrraedd y Bala yn bur aml. Yn y cofiant a luniodd Morris Davies iddi yn 1865, ceir sawl hanesyn am y fintai o Fethodistiaid a groesai'r mynydd-dir o'i hardal i'r Bala, ac Ann yn amlwg iawn yn eu plith. Wrth ddychwelyd o'r Bala ar nosweithiau Sul, yn ôl un o'i chymdeithion, 'Ein gwaith ar hyd y ffordd fyddai gwrandaw ar Ann Thomas yn adrodd y pregethau. Ni welais i erioed ei bath am gofio.'[10]

Nid oedd y profiad o gyrchu'r Bala ar Sul cymundeb ac ar gyfer y sasiwn yn brofiad dieithr i Mary Jones ychwaith. Yn ei henaint, hoffai sôn fel y byddai yn ei hieuenctid yn teithio ar hyd nos Sadwrn i fod yn y Bala mewn pryd i'r cymun fore Sul, am gyrddau gweddi'r fintai ar y ffordd yn ôl ac ymlaen, am y pregethu grymus ar y 'Green' yn y Bala, ac am 'y gorfoledd'.[11] Y mae'n bur debygol mewn gwirionedd fod Ann a Mary, am ychydig flynyddoedd, yn cyd-fynychu'r un cyfarfodydd yn y Bala ac yn adnabod ei gilydd – o bell o leiaf, ar draws y dyrfa. Mewn geiriau eraill, perthynai'r ddwy i'r un gymuned grefyddol, a honno'n canoli ar y Bala ac ar Thomas Charles. Ac yr oedd yr holl elfennau a nodweddai Fethodistiaeth gogledd Cymru ar ddiwedd y ddeunawfed ganrif ar waith ym mywydau'r ddwy. Yr un yn ei hanfod oedd profiad ysbrydol y ddwy, yr un oedd eu credoau, yr un ieithwedd grefyddol a oedd ganddynt, yr un oedd eu harferion ysbrydol a'r un oedd natur eu cyrchfannau crefyddol. Clywent yr un pregethwyr; darllenent yr un llyfrau; canent yr un emynau. Yr oedd y ddwy yn adnabod Thomas Charles yn bersonol; ac er na fu Ann, fel Mary, yn ddisgybl yn ei ysgolion cylchynol, yr oedd y ddwy yn ddwfn eu dyled i'w ymdrechion addysgol. Er enghraifft, athrawon yn ysgolion cylchynol Thomas Charles oedd prif gynghorwyr ysbrydol y ddwy, sef William Hugh o Lanfihangel-y-Pennant yn achos Mary, a John Hughes o Lanfihangel-yng-Ngwynfa (a Phontrobert wedi hynny) yn achos Ann.

Yr wyf yn bur ymwybodol, wrth osod Ann a Mary yn gyfochrog fel hyn, fy mod mewn perygl o roi'r argraff eu bod ar yr un gwastad â'i gilydd. Nid yw hynny'n wir. Er bod y ddwy yn ferched galluog, a chof eithriadol o dda gan y naill a'r llall, Ann yw'r athrylith. Hi yw'r arweinydd naturiol. Er bod pennill, y dywedir ei fod yn waith Mary, wedi goroesi ar lafar, gan Ann yr oedd y cefndir diwylliannol cyfoethocaf a'r ddawn fel bardd.[12] Ac er bod profiad ysbrydol byw gan Mary Jones, ynghyd â dealltwriaeth dda o sylfeini'r ffydd Gristnogol, gan Ann Griffiths yr oedd y dwyster profiad a'r gafael fwyaf treiddgar ar y gwirioneddau hynny. Wedi dweud hyn, buont ill dwy yn ddilynwyr ffyddlon a phur nodedig i Thomas Charles a'r mudiad Methodistaidd y perthynent iddo. Nid yw hynny i'w weld yn amlycach yn unman nag yn eu pwyslais trwm ar y Beibl. Ac yn yr hyn sy'n dilyn yr wyf am fwrw brasolwg dros hanes y naill a'r llall yn eu tro, gan fanylu'n arbennig ar le llywodraethol y Beibl yn eu bywydau.

Ann Griffiths

Ganed Ann Griffiths yn 1776. Hi oedd yr ieuengaf ond un o bum plentyn John a Jane Thomas, Dolwar Fach, plwyf Llanfihangel-yng-Ngwynfa, sir Drefaldwyn. Yr oedd ei dwy chwaer wedi gadael cartref erbyn marw eu mam yn 1794, gan adael Ann, yn ddwy ar bymtheg mlwydd oed, yn feistres ar y tŷ; a meistres Dolwar fu hi o hynny hyd ei marw cynnar yn 1805.

Magwraeth grefyddol a gafodd Ann Griffiths. Yr oedd ei thad yn Eglwyswr mwy selog na'r cyffredin, yn mynychu'r gwasanaethau yn gyson yn eglwys y plwyf ac yn cynnal dyletswydd deuluaidd ar ei aelwyd bob bore a hwyr. Dywedir fod hen gi llwyd yn Nolwar a fyddai'n dilyn ei feistr i Eglwys Llanfihangel bob bore Sul, gan orwedd yn dawel o dan ei fainc tan ddiwedd y gwasanaeth; a phrawf o gysondeb tad Ann yn y gwasanaethau oedd i hynny fynd yn gymaint arferiad gan y ci fel y byddai'n mynd yno bob Sul yn rheolaidd, hyd yn oed pe na bai aelod o'r teulu yn bresennol. Ond er bod teulu Dolwar, yn ôl pob tystiolaeth, yn Eglwyswyr didwyll a chydwybodol, daeth bron pob un ohonynt yn ei dro i'r argyhoeddiad nad oedd gwir ffydd brofiadol yn eu meddiant, oherwydd cafodd pedwar o'r pum plentyn dröedigaeth wedi iddynt dyfu'n oedolion, a dilynodd y tad yntau'r un llwybr cyn diwedd ei fywyd. Ymunasant oll â'r Methodistiaid Calfinaidd, a daeth Dolwar Fach yn orsaf bregethu i'r Methodistiaid am rai blynyddoedd. Er mai 'arwynebol', mae'n siŵr, fyddai eu disgrifiad hwy eu hunain o'u crefydd cyn iddynt droi at y Methodistiaid, golygai cysondeb y teulu yn eglwys y plwyf ac yn y ddyletswydd deuluaidd fod y Beibl a'r Llyfr Gweddi Gyffredin yn rhan o'u cynhysgaeth feunyddiol. Cawsant eu magu hefyd yn sŵn y carolau plygain, sydd yn fath o bregethau ar gân ac yn llawn adleisiau o'r ysgrythur. A gellir gweld cyffyrddiadau o ddylanwad y Llyfr Gweddi Gyffredin a'r carolau plygain ar waith Ann, yn waddol o'i magwraeth Anglicanaidd.

Fel y pwysleisiwyd eisoes, yr oedd Ann, wrth ymuno â'r Methodistiaid, yn ymuno â phobl yr oedd ymdrwytho yn y Beibl yn fater o'r pwys mwyaf iddynt. Darllenent y Beibl yn gyson; fe'i hastudient yn ddyfal, bob rhan ohono; myfyrient ynddo; dysgent ddarnau helaeth ohono ar eu cof. Ymdreiddiai'r Beibl i fêr eu cyfansoddiad, gan lywio eu meddwl a'u gweithredoedd a lliwio eu hiaith, yn llafar ac yn ysgrifenedig. Y mae'r disgrifiad a ganlyn, gan wraig a oedd yn adnabod teulu Dolwar Fach yn dda, yn dangos yn glir le canolog y Beibl ym mywyd Ann wedi ei thröedigaeth:

> Byddai golwg ddymunol iawn ar y teulu yn Nolwar yn nyddu, a'r hen ŵr [sef tad Ann] yn gardio [h.y. yn cribo'r gwlân yn rholiau parod i'w nyddu], ac yn canu carolau a hymnau. Droion ereill, byddai distawrwydd difrifol megys yn teyrnasu yn eu plith. Byddai Ann yn nyddu, â'i Beibl yn agored o'i blaen mewn man cyfleus, fel y gallai gipio adnod i fyny wrth fyned yn mlaen â'i gorchwyl, heb golli amser. Mi a'i gwelais wrth y droell mewn myfyrdod dwfn, heb sylwi ar nemawr ddim o'i hamgylch, â'r dagrau yn llifo dros ei gruddiau lawer gwaith.[13]

Paham y lle canolog hwn i'r ysgrythur ym mywyd Ann? Yr ateb syml yw am ei bod yn argyhoeddedig mai Gair Duw oedd y Beibl a'r unig ganllaw diogel a digonol ar gyfer ei bywyd.

Un o'r pethau mwyaf nodedig am Ann Griffiths yw'r profiadau ysbrydol dwfn a ddaeth i'w rhan, profiadau a barai iddi ymdreiglo ar y llawr ar adegau ac ymgolli mewn myfyrdod dwfn ar adegau eraill. Dywed hi ei hun mewn llythyr at ei chyfeilles, Elizabeth Evans, ei bod yn cael ei llyncu gymaint weithiau i wirioneddau ysbrydol fel ei bod yn 'misio yn deg â sefyll yn ffordd fy nyletswydd gyda phethau amser', a bod yr Arglwydd ar brydiau yn 'datguddio gymaint o'i ogoniant . . . a all fy nghyneddfau gweiniaid ei ddal'. Profiadau ysbrydol dwfn o'r fath a arweiniodd Thomas Charles i ddweud pan fu yn Nolwar Fach ryw dro, ei fod o'r farn y byddai Ann 'yn debyg iawn o gyfarfod âg un o dri pheth – naill ai cyfarfod â phrofedigaethau blinion; neu fod ei hoes yn mron ar ben; neu ynte, y byddai iddi wrthgilio'.[14] Y mae Ann ei hun yn disgrifio'r profiadau ysbrydol dwfn hyn fel 'ymweliadau'. Perygl gwirioneddol i rywun a gâi 'ymweliadau' ysbrydol ysgytwol o'r fath fyddai cael ei lywodraethu gan y teimladau a'r profiadau hynny. Ond nid felly Ann. Yn ei bywyd a'i gwaith fe geir cyfuniad hynod gytbwys o'r goddrychol a'r gwrthrychol, o eglurder meddwl a dwyster profiad. Y mae'n ofni 'dychmygion' (chwedl hithau) uwchlaw popeth arall bron, ac yn croesawu awdurdod y Beibl – awdurdod gwrthrychol a therfynol y tu allan iddi hi ei hun – er mwyn rheoli'r dychmygion hynny. 'Y mae rhwymau arnaf i fod yn ddiolchgar am y Gair yn ei awdurdod anorchfygol', meddai mewn llythyr at ei mentor, John Hughes, Pontrobert, yn 1802. Y mae'n bwysig pwysleisio nad rhywbeth negyddol yn unig oedd y Beibl ym mywyd a phrofiad ysbrydol Ann. Y mae'n wir fod y Beibl yn ei rhwystro rhag credu rhai pethau, yn ei gwahardd rhag gweithredu mewn rhai ffyrdd ac yn cadw ffrwyn ar ei phrofiadau ysbrydol i rai cyfeiriadau, ond yr oedd i'r Beibl swyddogaeth gadarnhaol hefyd yn y pethau hyn oll.

Ym myd ei phrofiadau ysbrydol, er enghraifft, bu'r Beibl yn gyfrwng i gynhyrchu a dyfnhau ei phrofiadau, yn ogystal â'u cyfeirio a'u rheoli. O droi at ei llythyrau, gwelir ym mhob yn ail frawddeg bron, gyfeiriad at ryw adnod neu'i gilydd a fu'n pwyso ar ei meddwl, yn ei goleuo, ei chysuro neu ei cheryddu; ac un o'i hofnau pennaf oedd methu 'cael fy nghyflwr yn y Gair'. Y Beibl, felly, oedd dehonglydd a meithrinydd ei phrofiad ysbrydol; ac nid gormod honni mai'r datguddiad Beiblaidd, ac nid ei chwiwiau goddrychol hi ei hun, a ffurfiai natur ei phrofiad o'r Duwdod.[15]

Mewn termau Beiblaidd y mynegai Ann ei chred a'i phrofiad yn ei hemynau a'i llythyrau. Er bod tinc iaith sir Drefalwyn i'w glywed yma ac thraw yn ei gwaith, nid dyna'r iaith a ddefnyddiai Ann wrth gyfansoddi, ond yn hytrach yr hyn y gallwn ei alw'n 'iaith y seiat' neu 'iaith y pulpud' – yr un math o iaith ag a ddefnyddiai Williams Pantycelyn neu Thomas Charles yn eu gwaith hwythau, a honno wedi'i seilio i raddau helaeth ar iaith y Beibl. Y Beibl hefyd yn y pen draw yw ffynhonnell delweddau a chyffelybiaethau Ann, er bod llawer o'r rheini mewn cylchrediad helaeth ymhlith ei chyd-seiadwyr Methodistaidd ym Mhontrobert ac ar draws y wlad, yn rhan o'r hyn a alwodd T. J. Morgan yn 'arian bath yr arddull emynyddol'.[16] Iaith a chonfensiynau llenyddol ei chymuned grefyddol a ddefnyddiai Ann wrth gyfansoddi, felly, a'r rheini'n Gymru-lydan ac yn Feibl-ganolog. Y mae holl emynwyr diwygiadau efengylaidd y ddeunawfed ganrif yn anadlu awyr y Beibl. Y mae eu gwaith yn gyforiog o eiriau a darluniau sy'n tarddu ohono; ac y mae Ann, a siarad yn gyffredinol, yn defnyddio'r un delweddau Beiblaidd â'r lleill ac yn tynnu drymaf ar yr un adrannau o'r Beibl â hwy – sef (yn bennaf) llyfrau Eseia, Caniad Solomon a'r Salmau yn yr Hen Destament, a'r Epistol at yr Hebreaid, llyfr y Datguddiad a'r Efengylau yn y Testament Newydd. Eto i gyd, y mae defnydd Ann Griffiths o'r Beibl yn ddwysach na'r lleill. Y mae Williams Pantycelyn, er enghraifft, yn dal yn fardd natur y byd hwn i ryw raddau yn ei emynau; ond nid felly Ann. Yn ei gwaith hi y mae *pob* planhigyn yn blanhigyn nefol, a *phob* mynydd yn y Dwyrain Canol. Yn gyffredinol, hefyd, y mae emynau Ann Griffiths yn blethiad tynnach o adleisiau ysgrythurol na gwaith yr emynwyr eraill. Y mae'r cyfeiriadau a'r adleisiau ysgrythurol yn ei gwaith yn fwy trwchus a chymhleth at ei gilydd nag yn achos y lleill. Da y dywedodd Derec Llwyd Morgan am ei defnydd delweddol hi o iaith y Beibl mai gwneud *collage* o luniau y mae hi mewn emyn, 'dwyn gwahanol brofiadau ac enwau-ar-brofiadau ynghyd yn undod rhyfedd, newydd'.[17]

Y mae cyfeiriadaeth ysgrythurol helaeth Ann yn tanlinellu ehangder ei gwybodaeth o'r Beibl a'i dyled fawr iddo fel ffynhonnell syniadol a delweddol; ond y mae'r gyfeiriadaeth ysgrythurol honno wedi arwain at y cyhuddiad nad yw'n gwneud fawr mwy yn ei gwaith na rhaffu adnodau o'r Beibl ynghyd. Cam mawr â hi yw hyn, oherwydd y mae'n glir fod Ann yn dethol ei chyfeiriadau yn gelfydd ac yn fedrus, ac ar ei gorau yn creu ohonynt benillion sy'n 'un cyfanwaith crwn, gorffenedig a mawreddog', chwedl J. R. Jones.[18] Ac y mae'r gyfeiriadaeth ysgrythurol hon yn cyfoethogi ei gwaith yn fawr iawn, yn llenyddol ac yn grefyddol. Gweithreda mewn modd cyffelyb i'r gyfeiriadaeth at y Clasuron a geir mewn barddoniaeth o fathau eraill.[19] Yn anffodus, y mae'r anwybodaeth affwysol o'r Beibl sydd yn nodweddu bywyd diwylliannol Cymru bellach, yn peri ein bod yn colli llawer o'r cyfoeth sydd yng ngwaith Ann, ac yn peri hefyd fod camddeall a chamddehongli dybryd arno. Er enghraifft, bu'n ffasiynol trafod 'yr elfen erotig' yng ngwaith Ann, a llawer o ddyfynnu ar y llinell 'Cusanu'r Mab i dragwyddoldeb' yn y cyd-destun hwnnw, heb sylweddoli mai Salm 2:12 oedd mewn golwg ganddi – 'Cusenwch y Mab, rhag iddo ddigio' – ac mai cusan o wrogaeth i frenin sydd dan sylw yn yr adnod honno.[20] Un peth pellach y dylid ei ychwanegu ynghylch defnydd Ann o'r Beibl yw ei bod yn trin y Beibl, nid fel casgliad o lyfrau annibynnol, ond fel cyfanwaith, a'r un Awdur dwyfol y tu ôl i'r cwbl a'r un neges waelodol yn rhedeg trwyddo. Un o ganlyniadau hynny yw ei bod, yn ei gwaith, yn tynnu ar bron pob un o lyfrau'r Beibl, rhai'r Hen Destament yn ogystal â'r Newydd, ac yn plethu'r cyfan blith draphlith yn ei gilydd. Peth arall y dylid ei nodi yw ei bod yn gwbl Grist-ganolog wrth ddehongli'r Beibl. Ef yw'r allwedd i'r cyfan; ato Ef y mae'r cyfan yn cyfeirio, weithiau'n eglur, weithiau mewn dameg a chysgod. Yn hynny o beth, gall Ann ganu gyda Williams Pantycelyn:

> Fy Iesu yw mêr y Beibil, 'd oes bennod nad yw'n sôn
> O bell neu ynteu o agos am groeshoeliedig Ô'n.[21]

Yn hynny o beth, hefyd, yr oedd yn ddisgybl ffyddlon i Thomas Charles.[22]

Mary Jones

Wrth droi at Mary Jones y peth cyntaf y mae'n rhaid ei bwysleiso yw fod i'r Beibl le blaenllaw yn ei bywyd drwyddo draw. Fel y nodwyd eisoes, ganed Mary ym mis Rhagfyr 1784. Roedd yn ferch i Jacob a Mary Jones, gwehyddion tlawd a drigai ym mwthyn Tyn-y-ddôl ym mhlwyf Llanfihangel-y-Pennant wrth droed Cadair Idris. Hi oedd eu hunig blentyn, hyd y gwyddom. Bu farw ei thad ym mis Mawrth 1789, a hithau ond ychydig dros bedair blwydd oed, a bywyd digon tlawd ac anodd a'i hwynebai hi a'i mam yn y blynyddoedd wedi hynny – blynyddoedd a welodd dlodi ar gynnydd yn gyffredinol yng nghefn gwlad Cymru yn sgil y rhyfela di-baid rhwng Prydain a Ffrainc, ynghyd â ffactorau economaidd eraill.

Magwraeth Fethodistaidd a gafodd Mary, yn wahanol iawn i'r fagwraeth o ofergoel ac ysgafnder a nodweddai'r rhan fwyaf o'i chyfoedion. Ni olygai hynny mai magwraeth ddiflas ydoedd. Fel y pwysleisiodd Derec Llwyd Morgan ar fwy nag un achlysur, 'Fe drefnodd Methodistiaeth fathau newydd o lawenydd i'w deiliaid.'[23] Ac y mae'n werth dyfynnu yma ran o lythyr caru gan Thomas Charles at Sally Jones ar 1 Mawrth 1780, sy'n pwysleisio'r mwynhad sydd i ran y Cristion ar y ddaear hon:

> There can be no happiness but in ye enjoyment of ye inexhaustible and overflowing source of all goodness and perfection. As we lost our happiness by separating ourselves from God, so ye only way of regaining it is, by returning to him again; for he has promised *to meet us in Christ* and *there (and no where else)* to be *forever* reconciled to us. But notwithstanding, *Creatures, not* 'as they are subject to vanity', but *as Creatures of God* can, and *do* contribute *much* to our happiness *by his* (observe) *blessing*. God has diffused *himself* thro' all his creatures, and when we enjoy him *in* his creatures, then they answer to us the end for which they were created. So that the love of God and of his creatures not only are consistent, but inseparably connected together.[24]

Soniwyd eisoes fod Mary wedi dod i ffydd bersonol yn wyth mlwydd oed, a chael ei derbyn i'r seiat Fethodistaidd leol yr adeg honno, sef rywbryd yn 1793. Peth anarferol yn y cyfnod hwnnw oedd derbyn plant mor ifanc yn aelodau o'r seiat, ond gan fod Mary yn dod gyda'i mam weddw i gyfarfodydd crefyddol eraill yn yr hwyr er mwyn cario'r lantern iddi, caniatawyd iddi ddod gyda'i mam i'r seiat hefyd. Yn gynnar yn ei bywyd, felly, daeth yn gyfarwydd iawn â chynnwys a neges y Beibl – yn fwy cyfarwydd na'r rhan fwyaf o blant ei hardal yn y cyfnod hwnnw. Pan oedd Mary tua deng mlwydd oed, daeth John Ellis, un o athrawon cylchynol Thomas Charles, i Abergynolwyn, ryw ddwy filltir o gartref Mary Jones, i gadw ysgol ddyddiol. Cyn hir cychwynnwyd ysgol Sul yno hefyd; ac un o'r disgyblion mwyaf prydlon a chyson yn y ddwy ysgol (hyd y caniatâi ei hamgylchiadau) oedd Mary Jones. Awchai am wybodaeth ysgrythurol, ac y mae'n amlwg o'r dystiolaeth sydd ar gael ei bod yn ddisgybl mwy galluog na'r cyffredin, a chanddi gof arbennig o dda – yn wir, hyd ei bedd gallai adrodd penodau cyfain o *Hyfforddwr* Thomas Charles heb fethu sill. Meddai Robert Oliver Rees, ei chofiannydd, amdani: 'Hynodai ei hun yn arbenig yn yr Ysgol Sabbothol mewn trysori yn ei chof, ac adrodd allan yn gyhoeddus, benodau cyfain o Air Duw, ac mewn "deall da" ynddo.'[25]

Ar wahân i'r Beibl yn eglwys y plwyf, yr unig Feibl arall yn y gymdogaeth yr adeg honno, fe ymddengys, oedd yr un yn ffermdy Penybryniau Mawr, tua dwy filltir o gartref Mary.[26] Cedwid y Beibl ar fwrdd yn y parlwr bach, a chafodd Mary ganiatâd gwraig y fferm i fynd yno i'w ddarllen, dim ond iddi dynnu ei chlocsiau cyn gwneud. Dywedir iddi gerdded yno bob wythnos ac ym mhob tywydd am tua chwe blynedd i ddarllen y Beibl a dysgu darnau ohono ar ei chof. Ond ei hawydd mawr oedd cael ei Beibl ei hun. Y mae'r stori amdani'n mynd i'r Bala i geisio Beibl, yn droednoeth y rhan fwyaf o'r ffordd, yn enwog ar draws y byd mewn cylchoedd Cristnogol. Yn 1800 y bu hynny, a hithau'n bymtheng mlwydd oed.

Y mae mwy nag un fersiwn o hanes ei thaith i'r Bala ar gael, a'r rheini'n gwahaniaethu'n eithaf pendant oddi wrth ei gilydd. Nid awn i drafod y gwahanol fersiynau yn fanwl yn y fan hon – gobeithiaf wneud hynny mewn man arall maes o law – ond gadewch inni nodi cymaint â hyn. Yr oedd hanesion ar led ar lafar dros flynyddoedd lawer fod un ferch benodol wedi creu argraff mor arbennig ar Thomas Charles nes peri iddo fethu gorffwys cyn cael hyd i ffordd i sicrhau cyflenwad cyson o Feiblau rhad ar gyfer gwerin Cymru. Yr oedd yn hysbys i nifer o bobl ymhlith ei chydnabod mai Mary Jones oedd y ferch honno, ond – er bod crybwyll mewn print o 1841 ymlaen fod rhyw ferch wedi ysbrydoli Charles mewn ffordd arbennig iawn – yr oedd yn Ionawr 1867, ychydig dros ddwy flynedd ar ôl marw Mary, cyn i rywun nodi mewn print am y tro cyntaf mai hi oedd y ferch. Yno hefyd, sef yn y *Bible Society Monthly Reporter* am 1 Ionawr 1867, y cafodd stori ei thaith i'r Bala ei chyhoeddi am y tro cyntaf. Yn y stori fel y'i hadroddwyd yno, wedi i Mary gynilo digon o arian i brynu Beibl, fe'i cynghorwyd mai gan Thomas Charles yn y Bala y byddai'n fwyaf tebygol o allu cael copi. Arfer Charles oedd mynd i'r gwely'n gynnar a chodi'n gynnar iawn, ac erbyn i Mary gyrraedd y Bala ar ôl cerdded yno o'i chartref, yr oedd Charles wedi mynd i'w wely. Aeth i aros dros nos yng nghartref y blaenor Methodist, Dafydd Edward. Yn gynnar y bore wedyn aeth Dafydd Edward â hi i dŷ Thomas Charles, a dyma sut y parheir â'r hanes yng nghylchgrawn y Feibl Gymdeithas yn 1867:

> David Edward introduced the little girl, and her story was told. 'Really,' said Mr. Charles, 'I am very sorry that she should have come from such a distance, but I fear indeed that I cannot spare her a copy, Bibles are so very scarce.' This was too much for the poor girl: she wept as if she would break her heart. And *that* again was too much for Mr. Charles: he said that she should have a Bible. He reached her a copy, she paid him the money, and there the three stood, their hearts too full for utterance, and their tears streaming from their eyes; the girl now weeping sweet tears of unutterable joy; Mr. Charles shedding tears of mingled sorrow for his country's famine for the Word of God, and of holy sympathy with that young disciple who so rejoiced in the possession of the great treasure; while good David Edward was overpowered with the scene before him, and he also wept like a child. What a subject for a grand painting, that scene in Mr. Charles's study, by candle-light, at six o'clock in the morning! When Mr. Charles was able to speak, he said, 'Well, David Edward, is not this very sad, that there should be such a scarcity of Bibles in the country, and that this poor girl should thus have walked some twenty-eight or thirty miles, in order to get a copy? If something *can* be done to alter this state of things, I will not rest till it is accomplished.' However he may have been impressed with similar occurrences in other places, it is certain that he could not forget Mary Jones . . .

Cyhoeddwyd fersiwn llawnach o hanes ei thaith i'r Bala, a rhagor o fanylion am ei bywyd, ar ffurf llyfr Cymraeg gan Robert Oliver Rees (1819–81), Dolgellau, yn 1879 dan y teitl, *Mary Jones, Y Gymraes Fechan Heb Yr Un Beibl*, ac yna yn 1882 cyhoeddwyd y gyfrol Saesneg, *The Story of Mary Jones and Her Bible*, gan Mary Emily Ropes. Erbyn 1890 yr oedd 95,000 o gopïau o'r llyfr Saesneg hwnnw wedi'u gwerthu, ac fe ddeil stori Mary Jones yn ei phoblogrwydd hyd heddiw ar draws y byd, gyda rhyw ffurf arni ar gael bellach mewn tua deugain o ieithoedd.

Er bod rhai amrywiadau yn y manylion, a pheth rhaff wedi'i rhoi i'r dychymyg, yr un yn sylfaenol yw'r hanes yn y gwahanol fersiynau o stori Mary Jones a gyhoeddwyd hyd at gyfrol 1882. Ond o 1885 ymlaen fe gawn fersiwn arall ar y stori yn cael ei adrodd droeon, mewn llythyr a sgwrs ac anerchiad, gan wraig o'r enw Lizzie Rowlands. Un o'r Bala oedd hi, ac yn chwaer i'r llenor Andronicus, ond bu'n byw am ychydig flynyddoedd tua diwedd oes Mary Jones yng nghyffiniau ei chartref. Byddai Lizzie'n ymweld â hi'n gyson yn ystod ei harhosiad yn y cylch, ac y mae'r fersiwn o hanes y daith i'r Bala a glywodd gan Mary ei hun yn bur wahanol i'r un a ddaeth yn boblogaidd trwy lyfrau Robert Oliver Rees a Mary Emily Ropes. Yn y fersiwn hwnnw, cawn Mary yn cyfarfod â Thomas Charles, a hwnnw ar gefn ceffyl gwyn, pan oedd hi'n mynd ryw fore Llun stormus i ddarllen y Beibl yn y ffermdy ychydig filltiroedd o'i chartref. Dywedodd ef wrthi y byddai'n gallu prynu Beibl ganddo pe bai'n dod i'r Bala erbyn rhyw adeg arbennig, am ei fod yn disgwyl derbyn cyflenwad ohonynt. Pan gyrhaeddodd Mary y Bala, nid oedd y Beiblau wedi cyrraedd. O'r herwydd, bu'n rhaid iddi aros am ddwy noson yn nhŷ morwyn Thomas Charles; a phan ddaeth y Beiblau, cafodd dri chopi ganddo am bris un.

Fel y gwelir, y mae gwahaniaethau arwyddocaol rhwng y ddau fersiwn o'r hanes, nid lleiaf yn nifer y Beiblau a dderbyniodd Mary Jones gan Thomas Charles – un yn fersiwn Robert Oliver Rees (ac eraill) a thri yn fersiwn Lizzie Rowlands. Fe wyddom i Mary Jones dderbyn dau Feibl, o leiaf, gan Thomas Charles am fod y ddau gopi ar gael o hyd – y naill (a gafodd ar gyfer cyfnither i'w mam) yn y Llyfrgell Genedlaethol yn Aberystwyth a'r llall (ei chopi personol hi) yn archifau Cymdeithas y Beibl yn Llyfrgell Prifysgol Caergrawnt. Gellid tybio fod hynny'n awgrym clir mai fersiwn Lizzie Rowlands o'r stori yw'r un mwyaf dibynadwy. Ond nid yw pethau mor syml â hynny, oherwydd yn un o'r ffynonellau llawysgrif a ddefnyddiodd Robert Oliver Rees ar gyfer ei fersiwn ef o'r stori, fe ddywedir i Mary Jones fentro gofyn i Thomas Charles am ail Feibl ar gyfer ei modryb, ac i Thomas Charles roi dau gopi iddi, 'er i Mr Charles gael gryn drafferth i'w cael ar yr adeg hono'.

Ond er yr amrywio yn y manylion, y mae'r fersiynau gwahanol yn gwbl gytûn i Mary Jones gerdded i'r Bala i gael Beibl oddi wrth Thomas Charles. Golygai hynny daith o ryw hanner can milltir i gyd, yn ôl ac ymlaen; ond yn ddiau ei hymdrech fwyaf arwrol oedd, nid ei thaith i'r Bala ond ei haberth a'i dyfalbarhad yn cynilo'r arian a'i galluogai i brynu ei Beibl. Yr oedd cerdded y pellter hwnnw i'r Bala yn beth digon cyffredin ymhlith y werin bobl yr adeg honno ond, i rywun mor dlawd â Mary, yr oedd cynilo digon o arian i brynu Beibl yn aberth mawr. Yr oedd Beiblau'n hynod ddrud yn y cyfnod hwnnw, a bu raid iddi gynilo pob ceiniog bosibl am flynyddoedd cyn llwyddo i grynhoi'r ychydig dros ddau swllt ar bymtheg yr oedd eu hangen arni – swm aruthrol i ferch ifanc dlawd fel Mary.

Ychydig flynyddoedd yn ôl cyhoeddwyd pennill a drosglwyddwyd ar lafar dros sawl cenhedlaeth yn ardal Llanfihangel-y-Pennant. Dywedir mai pennill ydyw a gyfansoddwyd gan Mary Jones ei hun, ac er nad wyf wedi fy argyhoeddi o hynny o bell ffordd, diddorol yw nodi mai rhywun o fferm Penybryniau Mawr, y fferm y bu Mary Jones yn mynd iddi gyhyd i ddarllen y Beibl, yw'r person cyntaf a enwir yng nghadwyn traddodi'r pennill ar lafar. Dyma'r pennill:

> Do, mi lwyddais i gael Beibl,
> A phrysuraf adre'n awr;
> Dysgaf bawb yn Llanfihangel
> Yn ei wirioneddau mawr:
> Ynddo gwelaf am y cariad
> A ddangosodd Duw at ddyn;
> O! mor hyfryd fydd cael darllen
> Yn fy Meibl bach fy hun.[27]

Yn ôl traddodiad, adroddodd Thomas Charles 'hanes' ymweliad Mary Jones ag ef mewn cyfarfod o bwyllgor y Religious Tract Society yn Llundain ddiwedd 1802, ac fe ddywedir i hynny gael y fath effaith drydanol ar y cyfarfod nes peri iddynt ddechrau gwyntyllu'n frwdfrydig y posibilrwydd o sefydlu cymdeithas i gyhoeddi a dosbarthu Beiblau, nid yn unig i Gymru ond hefyd i'r holl fyd. Dyma a arweiniodd at sefydlu'r Gymdeithas Feiblaidd Frytanaidd a Thramor yn 1804,[28] er mawr lawenydd i Thomas Charles, Ann Griffiths a Mary Jones fel ei gilydd. Fel y dywedodd Thomas Charles mewn llythyr ym mis Gorffennaf 1810:

> I was continually applied to for Bibles, & much distressed I was (more than I can express) to be forever obliged to say, I could not relieve them. The institution of the British & Foreign B[ible] S[ociety] will be to me, & thousand others cause of unspeakable comfort & joy as long as I live. The beneficial effects already produced in our poor country, of the abundant supply of Bibles by the means of it, are incalculable.[29]

Y mae rhai wedi cwestiynu rhan Mary Jones yn hanes sefydlu Cymdeithas y Beibl. Yr amlycaf, mae'n siŵr, oedd y llyfrbryf tanllyd, Bob Owen, Croesor. 'Gresyn o'r mwyaf oedd gwario ceiniogau prin y chwarelwyr, glowyr a'r ffermwyr i godi cofgolofn i un nad oedd a wnelo dim â chychwyn y Feibl Gymdeithas', meddai un tro, gan gyfeirio at y gofgolofn a godwyd yn adfeilion bwthyn Mary Jones yn Llanfihangel-y-Pennant.[30] Y mae'n wir nad oes dystiolaeth gyfoes fod Thomas Charles wedi adrodd hanes Mary Jones yn y cyfarfod yn Llundain yn niwedd 1802, ac yn sicr y mae'n bwysig peidio â gorbwysleisio rhan Mary yn y cyfan. Byddai Thomas Charles wedi gwybod am ddigon o enghreifftiau eraill o'r syched mawr am Feiblau ymhlith gwerin gogledd Cymru. Ac eto, fel y nodwyd eisoes, bu sôn cyson o gyfnod eithaf cynnar fod un ferch wedi creu argraff arbennig arno, ac y mae'r holl dystiolaeth yn awgrymu mai Mary Jones oedd y ferch honno, a bod rhyw berthynas arbennig wedi datblygu rhyngddi hi a Charles yn sgil ei hymweliad ag ef yn y Bala i brynu Beibl. Er enghraifft, pan ddechreuwyd cynnal cymanfaoedd ar gyfer yr ysgolion Sul, a disgyblion nifer o ysgolion yn dod ynghyd i gael eu holi'n gyhoeddus, byddai Mary Jones mor ffyddlon â phosibl i'r cymanfaoedd a gynhelid yn ei hardal; a byddai'n disgleirio ynddynt, yn ôl y sôn. Mewn llawysgrif yn y Llyfrgell Genedlaethol, dywed Robert Griffith, Bryn-crug (gweinidog a adwaenai Mary yn dda yn niwedd ei hoes) y byddai ei hatebion 'yn disgyn yn gawodydd fel pelenau tanllyd' ac yn effeithio'n fawr ar y dorf. Dywed Robert Griffith ymhellach y byddai Thomas Charles yn sicr o ofyn bob tro y deuai i gymanfa ysgolion yng nghylch ei chartref, 'Ymha le y mae y gwehudd [sef Mary Jones], heddyw dybed.' Sonia Robert Griffith hefyd fel y byddai Mary yn cwrdd yn aml â Thomas Charles adeg sasiynau'r Methodistiaid ac yn sgwrsio rhywfaint ag ef ar achlysuron o'r fath.

Cafodd Mary Jones fywyd hir. Bywyd tlawd a thrist ydoedd ar lawer cyfrif. Priododd yn 1813. Ganed o leiaf chwech o blant iddi hi a'i gŵr, Thomas Jones, ond dim ond un ohonynt a oedd ar dir y byw erbyn i Mary farw, ac yr oedd hwnnw wedi ymfudo i'r Unol Daleithiau. Symudodd Mary a'i gŵr i fyw i Fryn-crug, ger Tywyn, tua 1820, ac yno y treuliodd weddill ei hoes, gan farw'n hen wraig weddw ddall yn 1864. Ond er pob caledi a siomedigaeth, ac er iddi ddioddef llawer o iselder ysbryd yn ystod ei blynyddoedd olaf, daliodd ei ffydd Gristnogol hyd y diwedd, a bu'n nodedig o ffyddlon i achos y Methodistiaid Calfinaidd ym Mryn-crug. Er gwaethaf ei thlodi, cyfrannai'n gyson at waith Cymdeithas y Beibl, a rhoddodd hanner sofren yn y casgliad arbennig ar gyfer anfon miliwn o Destamentau i Tsieina adeg dathlu hanner canmlwyddiant sefydlu'r Feibl Gymdeithas yn 1854. Fel rhan o'i bywoliaeth, cadwai Mary Jones lawer o wenyn. Dichon y bu Thomas Charles o gymorth iddi yn y mater hwn hefyd. Mae ei *Eiriadur Ysgrythyrol* yn fwynglawdd o wybodaeth am bob math o bynciau, ac yn cynnwys tipyn am wenyn a mêl. Yr oedd cadw gwenyn yn beth digon cyffredin yn y cyfnod. Ceid chwe llond cwch ohonynt yn Nolwar Fach, er enghraifft;[31] a dichon eu bod hwy (yn ogystal â Salm 118:12) ym meddwl Ann Griffiths pan ganodd y geiriau:

> Blin yw 'mywyd gan elynion
> Am eu bod yn amal iawn;
> Fy amgylchu maent fel gwenyn
> O foreddydd hyd brynhawn . . .

Ond nid yw'r ddelwedd o elynion yn briodol yn achos Mary Jones. Dyma Robert Griffith, Bryn-crug, eto:

> Nid oedd ganddi ond gardd fechan o dir, ac yr oedd hono yn bur llawn o ffrwythau, a gwenyn yn aneirif, a hithau fel tywysoges ar ddiwrnod têg yn yr haf, yn ei canol, a gallai eu codi ai dwylaw fel ŷd, neu flawd ceirch, heb i un o honynt ddefnyddio ei waiw-ffon iw gwrthwynebu.

Cadwai'r incwm o werthu'r mêl at ei chynhaliaeth hi ei hun, ond rhannai'r incwm o'r cŵyr – a allai fynd yn swm go fawr – rhwng y Feibl Gymdeithas a chymdeithas genhadol ei henwad; a phriodolai'r ffaith nad oedd y gwenyn yn ei phigo, a'u bod mor gynhyrchiol, a bod ansawdd y cynnyrch mor dda, i'r ffaith y gwyddent fod Mary yn cysegru cyfran sylweddol o'r cynnyrch at waith eu Creawdwr.

Yr adran gyntaf o'r *Drysorfa*, cylchgrawn misol ei henwad, y byddai Mary Jones yn troi ati bob amser fyddai'r 'Cronicl Cenhadol'. Gwelwn yr un diddordeb cenhadol yn Ann Griffiths hithau – cofier, er enghraifft, iddi lunio emyn yn sôn am lwyddiant byd-eang yr efengyl Gristnogol ('Cenhadon hedd, mewn efengylaidd iaith / Sy'n galw i'r wledd dros fôr yr India faith'); cofier hefyd i John Davies, un o athrawon cylchynol Thomas Charles a fynychai'r un seiat ag Ann ym Mhontrobert, hwylio'n genhadwr i Dahiti yn 1800. Nid hwyrach mai dylanwad Thomas Charles oedd man cychwyn y diddordeb hwn eto yn achos y ddwy. Gosodai ef bwys mawr ar y genhadaeth dramor.[32] Meddai yn ei lythyr at Joseph Tarn ym mis Mawrth 1804, y dyfynnwyd ohono eisoes:

> Those noblest institutions, the Missionary [Society, h.y. Cymdeithas Genhadol Llundain a sefydlwyd yn 1795, cymdeithas y bu Thomas Charles yn un o'i chyfarwyddwyr], the Sunday School, together with the Bible Society added now to the other two, compleat the means for the dispersion of divine knowledge far & near.

Yn ei henaint byddai Mary Jones wrth ei bodd yn sôn am ei thaith i'r Bala i gael Beibl. Gwnaeth ddefnydd da o'r Beibl a gafodd gan Thomas Charles. Fe'i darllenai bob dydd tra gallai. Darllenodd trwyddo o glawr i glawr bedair o weithiau yn ystod ei bywyd. Rhoddodd ddarnau helaeth ohono ar ei chof, a bu hynny o fudd a chysur mawr iddi yn y cyfnod wedi iddi golli ei golwg. A phan fu farw, yr oedd y Beibl a gafodd yn y Bala dros drigain mlynedd ynghynt ar y ford yn ei hymyl.

* * *

Un o benillion mwyaf cyfarwydd ein hemynyddiaeth yw 'Dyma Feibil annwyl Iesu'. 'Anhysbys' ydyw o ran ei hawduraeth. Fel y mae Menna Elfyn wedi'n hatgoffa yn ei cherdd 'Anhysbys – An sy'n hysbys', ystyr 'Anhysbys' yn aml yw mai merch a luniodd y darn. Ond yn yr achos hwn, er nad oes sicrwydd pendant, y mae'n ddigon posibl mai dyn oedd yr awdur, sef Richard Davies, brodor o Dywyn, Meirionnydd, a aned yn 1793 ac a wasanaethodd fel blaenor gyda'r Methodistiaid Calfinaidd yn Nhywyn hyd ei farw yn dair ar ddeg ar hugain oed. Ymddangosodd y pennill mewn print am y tro cyntaf, hyd y gwyddys, mewn casgliad o emynau a gyhoeddwyd gan ryw Thomas Owen yn Llanfyllin yn 1820. Y rheswm dros nodi hyn yw fod y pennill hwn fel petai'n clymu Ann Griffiths a Mary Jones wrth ei gilydd mewn mwy nag un ffordd. Methodist Calfinaidd oedd Richard Davies, fel y ddwy ohonynt. Yr oedd Tywyn dafliad carreg oddi wrth gartref Mary Jones, a byddai hi yn sicr o fod wedi adnabod Richard Davies. Yr oedd Llanfyllin, wedyn, sef man argraffu'r pennill am y tro cyntaf, ond yn dafliad carreg oddi wrth gartref Ann Griffiths. Bu Ann Griffiths a Richard Davies ill dau farw'n ifanc; yn wir, yr oedd Ann yn ei bedd cyn i Richard Davies lunio ei bennill. Ond petai hi wedi cael byw, nid anodd fyddai ei dychmygu yn dyblu'r hen bennill syml ond cynhwysfawr hwn gyda blas yng nghwmni Mary Jones ar 'Green' y Bala adeg sasiwn:

Dyma Feibil annwyl Iesu,
Dyma rodd deheulaw Duw;
Dengys hwn y ffordd i farw,
Dengys hwn y ffordd i fyw;
Dengys hwn y codwm erchyll
Gafwyd draw yn Eden drist;
Dengys hwn y ffordd i'r bywyd,
Trwy adnabod Iesu Grist.[33]

Nodiadau

1 Ar y newid yn y modd y portreadwyd Ann Griffiths dros y blynyddoedd, gw. E. Wyn James, '"Eneiniad Ann a John": Ann Griffiths, John Hughes a Seiat Pontrobert', *THSC*, 10 (2004), 113–22. Ar y delweddu ar ferched a mamau yn Oes Victoria yn gyffredinol, gw. Hywel Teifi Edwards, 'Comisynu'r Rhieingerdd Eisteddfodol, 1855–58', *Llên Cymru*, 18/3–4 (1995), 273–300; R. Tudur Jones, 'Daearu'r Angylion: Sylwadau ar Ferched mewn Llenyddiaeth, 1860–1900', yn J. E. Caerwyn Williams (gol.), *Ysgrifau Beirniadol* 11 (Dinbych: 1979), tt. 191–226; Sian Rhiannon Williams, 'The True "Cymraes": Images of Women in Women's Nineteenth-Century Welsh Periodicals', yn Angela John (gol.), *Our Mothers' Land: Chapters in Welsh Women's History, 1830–1939* (Cardiff: 1991), pennod 3.

2 Helen Ramage, 'Y Cefndir Cymdeithasol', yn Dyfnallt Morgan (gol.), *Y Ferch o Ddolwar Fach* (Caernarfon: 1977), t. 11.

3 Helen Ramage, 'Crandrwydd y Perlau Mân', *Y Casglwr*, 24 (1984), 14. O droi at *Bro a Bywyd Saunders Lewis*, gol. Mair Saunders (Caerdydd: 1987), fe welir ar dudalen 15 lun o chwe llwy arian hen nain Saunders Lewis, sef Sarah Jones, 'merch Gwern Hywel', yr unig 'waddol' a gymerodd pan ddihangodd i briodi'r pregethwr Methodist, William Roberts, Amlwch, yn 1818.

4 Gw. pennod 2.

5 Yn ogystal â phennod 2 uchod, gw. Robert Owen, *Ysgolfeistriaid Mr. Charles o'r Bala* (Dolgellau: 1898) ac R. Tudur Jones, *Yr Ysgol Sul – Coleg y Werin* (Caernarfon: 1985).

6 Henry Hughes, *Hanes Diwygiadau Crefyddol Cymru* (Caernarfon: [1906]), t. 170.

7 *Life*, II, t. 89.

8 D. E. Jenkins, *Calvinistic Methodist Holy Orders* (Caernarfon: 1911), tt. 152–223; J. Morgan Jones, *Ordeiniad 1811 ymysg y Methodistiaid Calfinaidd* (Caernarfon [1911]); J. Gwynfor Jones, 'Pontio Dwy Genhedlaeth', yn *Twf*, tt. 1–41

9 *Hunangofiant John Elias*, gol. Goronwy P. Owen (Pen-y-bont ar Ogwr: 1974), t. 56.

[10] Morris Davies, *Cofiant Ann Griffiths* (Dinbych: 1865), t. 44.

[11] Cyhoeddwyd disgrifiadau o Mary yn ei henaint, ynghyd â'i hatgofion am ei thaith i'r Bala, mewn erthyglau gan K. Monica Davies yn *Y Drysorfa*, Mai 1967, a *CCH*, Hydref 1967.

[12] Gw. E. Wyn James, 'Ann Griffiths: Y Cefndir Barddol', *Llên Cymru*, 23 (2000), 147–70.

[13] Davies, *Cofiant Ann Griffiths*, tt. 39–40.

[14] Ibid., t. 60.

[15] Gw. trafodaethau R. M. Jones yn *Llên Cymru a Chrefydd* (Abertawe: 1977), tt. 470–6; *Cyfriniaeth Gymraeg* (Caerdydd: 1994), tt. 133–71; 'Another Celtic Spirituality – The Calvinistic Mysticism of Ann Griffiths (1776–1805)', *Foundations*, 38 (Spring 1997), 39–44; 39 (Autumn 1997), 31–6.

[16] T. J. Morgan, 'Iaith Ffigurol Emynau Pantycelyn', yn J. E. Caerwyn Williams (gol.), *Ysgrifau Beirniadol* 6 (Dinbych: 1971), t. 111.

[17] Derec Llwyd Morgan, 'Emynau'r Cariad Tragwyddol', *Barddas*, 94 (Chwefror 1985), 6.

[18] J. R. Jones, 'Ann Griffiths', *Llên Cymru*, 8/1–2 (1964), 34.

[19] Gw. Bobi Jones (gol.), *Pedwar Emynydd* (Llandybïe: 1970), tt. 13–16.

[20] Cf. sylwadau Glyn Tegai Hughes, 'Ann Griffiths: Awgrymiadau', *Y Traethodydd*, 148 (2012), 95–9.

[21] Gomer M. Roberts (gol.), *Gweithiau William Williams, Pantycelyn*, cyf. 1 (Caerdydd: 1964), t. 121.

[22] Yr wyf yn trafod dylanwad Thomas Charles ar Ann Griffiths o ran ei dull o ddehongli'r Beibl a'i daliadau diwinyddol yn 'Pererinion ar y Ffordd: Thomas Charles ac Ann Griffiths', *CCH*, 29–30 (2005–6), 84–90. Yn fy ngolygiad o waith Ann Griffiths, *Rhyfeddaf Fyth . . . : Emynau a Llythyrau Ann Griffiths ynghyd â'r Byrgofiant iddi gan John Hughes, Pontrobert, a Rhai Llythyrau gan Gyfeillion* (Gregynog: 1998), yr wyf yn nodi nifer o enghreifftiau o ddylanwad *Geiriadur Ysgrythyrol* Thomas Charles ar ei gwaith. Rhestrir hefyd yn y gyfrol honno lawer o'r cyfeiriadau ysgrythurol sydd i'w canfod yn ei hemynau a'i llythyrau. Ar gysylltiad Thomas Charles â chyhoeddi emynau Ann Griffiths, gw. E. Wyn James, 'Ann Griffiths: O Lafar i Lyfr', yn Angharad Price (gol.), *Chwileniwm: Technoleg a Llenyddiaeth* (Caerdydd: 2002), tt. 54–85.

[23] Derec Llwyd Morgan, *Pobl Pantycelyn* (Llandysul: 1986), t. 96; cf. tt. 66–8.

[24] *Life*, I, tt. 156–7.

[25] Robert Oliver Rees, *Mary Jones, Y Gymraes Fechan Heb Yr Un Beibl*, arg. newydd (Wrecsam: 1903), t. 15.

[26] Mae'r copi hwnnw o'r Beibl ar gael o hyd. Ceir llun o rai tudalennau ohono yn llyfr Elisabeth Williams, *Beibl i Bawb* (Pen-y-bont ar Ogwr: 1988), t. 7.

[27] *Gwas*, t. 28.

[28] Yn ogystal â phennod 3 uchod, gw. Roger Steer, *Good News for the World: The Story of Bible Society* (Oxford: 2004).

[29] Llyfrgell Prifysgol Caergrawnt, Casgliadau Cymdeithas y Beibl, BSA/ D2/1/3.

[30] Llsg. Prifysgol Bangor, 2384; gw. hefyd Dyfed Evans, *Bywyd Bob Owen* (Caernarfon: 1977), tt. 224–5.

[31] Ramage, 'Y Cefndir Cymdeithasol', yn *Y Ferch o Ddolwar Fach*, t. 12.

[32] Gw. E. Wyn James, 'Williams Pantycelyn a Gwawr y Mudiad Cenhadol', yn Geraint H. Jenkins (gol.), *Cof Cenedl 17* (Llandysul: 2002), tt. 93–8; idem, 'David Charles (1762–1834), Caerfyrddin: Diwinydd, Pregethwr, Emynydd', *CCH*, 36 (2012), 34–8.

[33] Ceir fersiwn o'r bennod hon ar Wefan Ann Griffiths – *www.anngriffiths.caerdydd.ac.uk*.

9

'Pob peth yn cydweithio er daioni': *Cofiant . . . Thomas Charles* (1816)

Llion Pryderi Roberts

Fore Mercher, 5 Hydref 1814, ddyddiau yn brin o droi'n drigain oed, bu farw Thomas Charles o'r Bala. Yn ôl ei gofiannydd, ei gyfaill a'i gyd-weithiwr yn y winllan Fethodistaidd, Thomas Jones o Ddinbych, nid oedd eglwys Llanycil lle'i claddwyd yn ddigon o faint i ddal y dyrfa sylweddol a ddaethai ynghyd i dalu'r gymwynas olaf i'w harweinydd a'u tad ysbrydol.[1] Fodd bynnag, nid â'r gladdedigaeth y mae pwyslais pennaf Thomas Jones wrth adrodd yr hanes yn ei gofiant, ond ar y gwasanaeth coffa 'dwys-gynhyrfiol' a gynhaliwyd yn y Bala yn gynharach yr un dydd. Sonia Jones sut y gofynnwyd iddo draddodi 'gair o gyngor dwys' ar yr achlysur, a noda iddo ddewis ei destun o unfed bennod ar ddeg yr Epistol at yr Hebreaid: 'a thrwyddi hi y mae efe, wedi marw, yn llefaru eto' (Heb. 11:4). Yn unol â byrdwn yr adnod, aeth ati i dystiolaethu am 'ffrwythau ffydd' Thomas Charles, ynghyd ag 'amrywiaeth ei lafur'. Nid oes amheuaeth na chafodd y deyrnged gryn effaith ar y gynulleidfa gan i'r gŵr o Ddinbych nodi iddi ddwyn dagrau o'i lygaid ef a'r dyrfa fel ei gilydd. Fodd bynnag, ymddengys fod amgenach amcan gan y traethydd y diwrnod hwnnw na chyffroi emosiwn y gwrandawyr yn unig.

> Ond O, na byddai yno, ac ym mhob parth o'n gwlad, fwy o effeithiau diwygiadol a dwys-barhaol, oddiwrth y fath ystyriaethau dwys a'r rhai hyn, yn mysg ereill: Mai nid yn fynych, ond yn dra anaml, mewn gwledydd ac oesau, y mae gwŷr o'r fath ffyddlondeb a defnyddioldeb yn cael eu cyfodi: fod cymmeryd ymaith y fath gyfiawnion, yn enwedig cyn eu heneiddiad, yn fynych yn arwydd o farn neu ddrygfyd yn nesáu: ac,

> y bydd i'w llafur yn yr efengyl, ynghyd â'r efengyl ei hunan, fod er tystiolaeth drom i'w herbyn, oddieithr iddynt fod yn effeithiol er eu dychweliad . . . Trigolion y Bala a'i hamgylchoedd a thrigolion Cymru oll, a fyddo yn cael eu dysgu i ddwys-ystyried y pethau hyn.[2]

Diben pennaf cyngor o'r fath, felly, oedd ysgogi'r gynulleidfa i feddwl o ddifrif am eu bucheddau eu hunain, ac am y byd a ddaw, ynghyd â'u hannog i sicrhau moddion eu hiachawdwriaeth yn y naill fyd a'r llall.

Nid rhyfedd, felly, i Thomas Jones ddychwelyd i Ddinbych a llunio tystiolaeth o ffyddlondeb, defnyddioldeb ac effeithiolrwydd buchedd ei frawd ymadawedig. Nid rhyfedd, ychwaith, mai'r ffurfiau llenyddol a ddewisodd oedd y farwnad a'r cofiant. Yr oedd Thomas Jones yn hen gyfarwydd â phatrwm didactig y farwnad Fethodistaidd o hiraethu a llesoli. Yn aml iawn, megis ym marwnadau'r Pêr Ganiedydd, cyflwynid y gwrthrychau a fu farw 'fel esiamplau o'r hyn a ystyrir yn Fethodist da', chwedl Cathryn Charnell-White.[3] Lluniodd Thomas Jones sawl marwnad i rai o sêr ffurfafen Fethodistaidd y ddeunawfed ganrif, gan gynnwys Williams Pantycelyn ei hun a'r 'tad' arall, sef Daniel Rowland.[4] Yr oedd y cofiant, fodd bynnag, yn ffurf newydd yn y Gymraeg, ond gwelir mai'r un amcanion hyfforddiadol a berthynai iddo yntau yn ogystal, yn enwedig gofiannau crefyddol Cymraeg y bedwaredd ganrif ar bymtheg. Os oedd y farwnad yn llais o oes gynharach, nid oes ddwywaith nad â'r bedwaredd ganrif ar bymtheg y cysylltai'r cofiant. Datblygodd yn ffurf hynod boblogaidd ac fe gyhoeddwyd cannoedd o gofiannau ar ffurf cyfrolau ac yn y wasg gylchgronol ac enwadol yn ystod y ganrif. Yn aml iawn y pregethwr Anghydffurfiol ydoedd gwrthrych y cofiannau, ac nid oes modd gwadu safle canolog a dylanwadol y pregethwr yn y gymdeithas honno. Gellir cytuno â Saunders Lewis pan ddywedodd mai'r cofiannau yn anad yr un ffurf lenyddol arall a adlewyrchai gymdeithas grefyddol y ganrif.[5] Mewn cofiant, adroddid am fywyd diwair a chlodwiw yr ymadawedig mewn modd a ymdebygai i hanes, ond fe wyddai'r cyfarwydd fod y fuchedd a gyflwynid yn cynnig cysur a lles i'r byw drwy foddion efelychiad. Yn wir, mor greiddiol yw'r elfen ddidactig yng ngwneuthuriad cofiannau'r cyfnod fel mai hawdd mewn oes arall yw ei chymryd yn ganiataol, ei diystyru'n llwyr, neu danbrisio ei harwyddocâd o leiaf.

Nodwyd eisoes mai ffurf a ddatblygodd yn rhan o egni mawr Anghydffurfiaeth a'r wasg argraffu yn hanner cyntaf y bedwaredd ganrif ar bymtheg ydoedd ffurf y cofiant. Ond fel y gwelir yn y bennod hon, dichon mai anaddas, ar rai ystyron, fyddai galw'r ffurf gymhleth, aml-haenog hon wrth enw mor anhylaw a chyffredinol â'r 'cofiant'. Ystyrir yn aml fod i 'gofiant' Thomas Charles, neu, a rhoi iddo'i enw llawn, *Cofiant, neu Hanes Bywyd a Marwolaeth y Parch. Thomas Charles* (1816) werth arbennig ym maes ysgrifennu cofiannol yng Nghymru gan mai dyma'r cofiant Cymraeg cyntaf i'w gyhoeddi ar ffurf cyfrol. Er y gellir bwrw peth amheuaeth ar yr honiad arbennig hwnnw, nid oes ddwywaith nad yw'r gwaith, ynghyd â'r cofiant a luniwyd i Thomas Jones, Dinbych ei hun yn 1820, yn arddangos dechreuadau ffurf y cofiant crefyddol Cymraeg.[6] Fe ddywed y dudalen deitl wrthym, er enghraifft, fod rhan o'r gyfrol wedi ei chyfieithu o'r Saesneg, ac mae'n ddiddorol mai fel 'casglydd' y cyfeiria Thomas Jones ato'i hun yma ac yn nhestun y gyfrol.[7] Er na ellir anwybyddu confensiwn gwyleidd-dra awdurol yn hyn o beth, fe gofiwn i Saunders Lewis nodi mai oddeutu 1840 y 'sadiodd' y ffurf.[8] Fodd bynnag, o edrych yn fanwl ar gofiant Thomas Charles, daw'n amlwg bod mwy o werth i'r cofiant na'r cyswllt hwn yn unig. Purion yn gyntaf, felly, fyddai ystyried rhagymadrodd yr awdur, sy'n bwrw goleuni ar ei amcanion cofiannol a deongliadol:

> oherwydd y gras rhagorol oedd ynddo, a'r gorchwylion rhagorol a wnaed ganddo, neu yn hytrach a wnaeth Duw trwyddo, y mae yn naturiol i'r rhai a'i hadwaenent fod yn dysgwyl hanes helaeth, trefnus, ac eglurlawn am dano; ond gan nad yw hynny ddim i'w gael, bydded i'r darllenwyr ymostwng i dderbyn hwn fel y mae, a'i ddefnyddio yn y modd gorau, dan weddïo am i'r Arglwydd dywallt arnynt, ac ar eu gwlad oll, helaethrwydd o'r gras oedd fel 'afonydd o ddwfr bywiol yn dylifo o groth' y gweinidog tra ffyddlawn hwn.[9]

Dyma gadarnhau mai'r gynneddf ddidactig sy'n cymell llaw yr awdur yma eto, ac â yn ei flaen i awgrymu prif nodweddion y portread neu'r dehongliad a gynigir o'r gwrthrych. Nid yn unig y mae Thomas Charles yn 'Gristion, cywir, profiadol, deallus', y mae yn ogystal, drwy law Duw, yn ŵr sydd yn gwbl gymwys i 'waith pwysfawr' y weinidogaeth.[10] O'r herwydd, gwelwn mai bwriad y 'casglydd' yw amlygu 'ei daith, ei lafur a'i ymdrechiadau mawr tros enw ei Arglwydd a'i Achubwr'.[11] Cyflwynir yma bortread o'r Cristion o bregethwr duwiol a diwyd, neu, fel y soniodd Jones yn yr angladd, ddarlunio ffyddlondeb a defnyddioldeb ei gyfaill wrth iddo gyflawni ei wasanaeth i

Dduw. Pwysleisio hynny ymhellach a wna golwg fras ar gynnwys a strwythur y cofiant.

Y mae'r cofiant yn rhychwantu rhyw 250 o dudalennau, ac fe welir yn syth ei fod wedi ei rannu'n ddwy brif ran. Yn hanner cyntaf y gyfrol, ceir 'cofiaeth', neu hunangofiant, yn llaw Thomas Charles (wedi ei gyfieithu i'r Gymraeg gan Thomas Jones). Er bod yr adran hunangofiannol hon yn agor gyda genedigaeth Charles, daw'n amlwg fod dau ddigwyddiad yn fframio'r naratif, ac yn clymu ynghyd yr ysbrydol a'r bydol yn ei fuchedd. Y digwyddiad ffurfiannol cyntaf yw gwrando pregeth gan Daniel Rowland ar 20 Ionawr 1773 a fu'n gyfrwng tröedigaeth, a'r ail yw priodi Sally ei wraig ac ymsefydlu yng ngogledd Cymru ddegawd yn ddiweddarach yn haf 1783. Rhwng y dyddiadau hyn ymdeimlir yn uniongyrchol â phrofiadau ysbrydol personol Thomas Charles mewn degawd arwyddocaol. Profiad canolog yr hunangofiant yw'r dröedigaeth am mai dyna lle daw Charles wyneb yn wyneb gyda'i bechodau, a'r 'pechod o anghrediniaeth'. Dywed i eiriau Daniel Rowland ddwyn arno

> y fath olwg ar Grist fel ein Harchoffeiriad, ar ei gariad, ei dosturi, ei allu, a'i holl-ddigonedd, ag a lanwodd fy enaid â syndod, ie, 'â llawenydd anhraethadwy a gogoneddus' . . . Yr oedd gennyf o'r blaen ryw ddarluniad o wirioneddau yr efengyl, megys yn nofio yn fy mhen; ond erioed hyd y tro hwn ni threiddiasent i'm calon gyd ag effeithiolaeth a nerth dwyfol.[12]

Y mae'n arwyddocaol yma fod Charles yn gwahaniaethu rhwng crefydd y pen a'r galon. Yn wir, y mae'r naratif yn gyffredinol yn ein dwyn yn ôl at weithiau o hunanymholi dwys, a 'mapio dirgel-leoedd y galon',[13] a welwyd o gyffesiadau Awstin Sant yn y bedwaredd ganrif – gwaith a ddisgrifiwyd fel 'a manifesto of the inner world'[14] – hyd at hunangofiannau ysbrydol piwritanaidd a Methodistaidd y cyfnod modern cynnar. Yr un yw'r awyrgylch yng 'nghofiaeth' Thomas Charles ag a geir yng ngwaith y Piwritan John Bunyan, *Grace Abounding to the Chief of Sinners* (1666), neu hunangofiant Methodistaidd John Thomas, *Rhad Ras* (1810)[15] a ddengys arno ddylanwad cyfrol Bunyan. Megis y gweithiau hyn, â naratif hunangofiant Charles rhagddo i ganoli ar ansawdd profiadau ei dröedigaeth wedi'r digwyddiad dramatig cychwynnol, ynghyd â manylu ar ei ryfel ysbrydol yn erbyn calon bechadurus. Dengys yr hunangofiannydd sut y bu iddo wynebu temtasiynau ac ymgodymu â'i ffaeleddau. Sonia, er enghraifft, fod nodweddion megis hunanhyder a balchder yn llestair i burdeb calon, ac mewn un man y mae'n cystwyo'i hun am ddiogi yn rhy hir yn ei wely am na cheir fyth drwy hynny 'gynnydd mewn buchedd dduwiol'.[16] Flynyddoedd wedi ei dröedigaeth, sonia ei fod wedi 'cael lles' o bob cerydd neu ddyrnod a dderbyniasai gan Dduw, ond nad oedd eto yn rhydd o 'weled achos mawr am ymostyngiad a chywilydd'.[17] Ochr arall y geiniog i farwhau pechod yw ymgyrraedd at dduwioldeb a sancteiddhad, a derbyn gras Duw ar ei enaid, pryd y gall nodi â gorfoledd ei fod 'yn fwy croeshoeliedig a marw i'r byd nag erioed o'r blaen'.[18] Er nad oes modd gwadu didwylledd y profiadau a fynegir gan y Charles ifanc yn y naratif hunangofiannol hwn, gellir dadlau ei fod, hyd yn oed bryd hynny, yn ddigon ymwybodol o olyniaeth y patrwm hunangofiannol a'i gynhysgaeth ysbrydol ddidactig. Charles, wedi'r cyfan, mewn llythyr yng ngwanwyn 1800, a gyflwynodd i'w gyfaill Thomas Jones restr o'r profiadau ysbrydol mwyaf buddiol y dylid eu cynnwys mewn naratif o'r fath.[19]

Ar derfyn yr hunangofiant, cynhwysir adran 'gofiannol' y gyfrol, y tro hwn yn llaw Thomas Jones. Ei phwrpas yw dilyn ymlaen hanes ei wrthrych drwy fanylu ar ddeng mlynedd ar hugain olaf ei fywyd a'i farwolaeth. Er nad yw'r adran hon yn gwbl gronolegol, nid oes ddwywaith nad y patrwm bywgraffiadol o bortreadu'r fuchedd gyhoeddus yw sail y naratif – patrwm sy'n dangos dylanwad y traddodiad cofiannol Seisnig ac sydd i'w weld mewn cyfieithiadau nodedig cyn y bedwaredd ganrif ar bymtheg, megis *Hanes Bywyd a Marwolaeth y Parchedig Mr Vavasor Powell* (1772) a *Hanes Ferr o Fywyd Howell Harris* (1792).[20] Pwrpas yr adran hon yw croniclo rhai o'r prif ddigwyddiadau ym mywyd Thomas Charles, megis ei briodas â Sally yn 1783, derbyn curadiaeth Llanymawddwy, ymuno â'r Methodistiaid Calfinaidd ac ymsefydlu yng ngogledd Cymru. Sonnir am ei waith yn bregethwr teithiol, ei lafur gyda'r ysgolion cylchynol ac yna'r ysgolion Sul, ynghyd â'i gysylltiad gyda'r enwad a'i ddylanwad arno. Cynnwys hyn ei gyfraniad i waith y Gymdeithas Genhadol, sefydliad y Gymdeithas Feiblaidd Frytanaidd a Thramor, ac yn benodol o ran gogledd Cymru, ordeiniad cyntaf rhai o bregethwyr yr enwad yn 1811, achlysur a arweiniodd at sefydlu'n swyddogol enwad y Methodistiaid Calfinaidd. Cyfeiria'r cofiannydd yn ogystal at ei gyhoeddiadau pwysicaf, megis pedair cyfrol *Y Geiriadur Ysgrythyrol* (1805, 1808, 1810, 1811), cyn adrodd am hanes ei farwolaeth orfoleddus yn Nuw. Diweddir y cofiant gydag atodiad sy'n cynnwys hanesion amrywiol,[21] a marwnad.[22] Dywed Thomas Jones ei hun mai ei amcan yw adrodd 'hanes pwysfawr ei fywyd tra llafurus',[23] ac mae'n amlwg o ddarllen y testun mai ar lafur a defnyddioldeb Thomas Charles fel pregethwr, cynghorwr a chyfundebwr y mae pwyslais yr adran gofiannol hon, gan fod ei ddiwydrwydd yn hydreiddio pob agwedd ar ei lafur cyhoeddus. Hyd yn oed ac yntau yn llesg gan afiechyd, sonia'r awdur am awydd ei wrthrych 'i ymdrechu . . . uwchlaw ei allu, er mwyn cynorthwyo a rhyddhau pob rhan o waith yr Arglwydd',[24] a cheir cyfeiriadau cyson yn y testun at 'lafur', 'ymdrech', 'gorchwyl', 'defnyddioldeb', a 'dyfalwch' Charles dros yr achos mawr.[25]

Ar yr olwg gyntaf, felly, dyma gyfrol sydd wedi ei rhannu'n ddwy ran bendant, ac sy'n cynnwys dwy ffurf lenyddol benodol, yr hunangofiant ysbrydol â phatrwm bywgraffiadol y cofiant. I W. J. Harries yn ei astudiaeth ar gofiannau hanner cyntaf y bedwaredd ganrif ar bymtheg, er enghraifft, y mae gwahaniaeth pendant rhwng 'bywyd mewnol' yr hunangofiant a'r 'agwedd mwy allanol a chyhoeddus' a geir gan y cofiannydd.[26] Diben y rhaniad yw amlygu duwioldeb personol Thomas Charles yn y naill ran a'i ddiwydrwydd cyhoeddus yn y llall; neu, yng ngeiriau Charles ei hun, mynegi ei awydd i '[f]yw yn *dduwiol* a byw yn *ddefnyddiol*', a hynny yn wyneb pob anhawster, anfantais a phrofedigaeth. Gellir dadlau bod duwioldeb a diwydrwydd y pregethwr yn themâu llywodraethol yng nghofiannau crefyddol Cymraeg y bedwaredd ganrif ar bymtheg, ac yn hynny o beth, y mae'r gyfrol hon yn batrwm i gofiannau'r ganrif. Ond y mae'r rhaniad hwn yn arwyddo gwahaniaeth pellach i Harries, sef y rhaniad rhwng 'gwirionedd' mewnol yr hunangofiant ac 'awdurdod' gwrthrychol honedig y cofiant.[27] Ac mae i'r pwyslais deongliadol hwn ar dduwioldeb a diwydrwydd buchedd arwyddocâd penodol o ystyried y grymoedd a ffurfiodd gofiannau Anghydffurfiol y ganrif. Diau fod cysyniadau piwritanaidd o'r ail ganrif ar bymtheg ynglŷn â moesoldeb, duwiolfrydedd a chyfarwyddyd ysbrydol yn drwm eu dylanwad ar y portread o'r gŵr duwiol yn y cofiannau hyn.[28] Yn ei gyfrol ddylanwadol *Evangelicalism in Modern Britain*, dengys David Bebbington y pwyslais newydd a gafwyd gan efengylyddwyr y ddeunawfed ganrif ar weithrediaeth, a'r modd y daeth yn un o hanfodion efengylyddiaeth.[29] Er na ddylid ystyried Methodistiaeth yn ddilyniant ffurfiol ac uniongyrchol i biwritaniaeth, felly, y cysylltiad hwn rhwng piwritaniaeth ac efengylyddiaeth a barodd i D. Densil Morgan nodi i'r Diwygiad Methodistaidd esgor ar 'a new emphasis in Protestant spirituality, more activist and energetic than previously and very often characterized by the outward phenomena of revivalism'.[30] Yr un modd, am ddidwylledd a difrifoldeb y mudiad efengylaidd a'u profiadau ysbrydol deinamig y sonia R. Tudur Jones pan ddywed mai 'Piwritaniaeth wedi ei thrydaneiddio gan Fethodistiaeth' ydoedd efengylyddiaeth Galfinaidd Anghydffurfiol y cyfnod.[31]

Y mae dadansoddi cysylltiad o'r fath yn bwrw goleuni ar yr egni ysbrydol, diwylliannol a llenyddol sylweddol a welwyd yn ystod hanner cyntaf y bedwaredd ganrif ar bymtheg,[32] ynghyd ag egluro tuedd y llenyddiaeth honno i fod yn hyfforddiadol a didactig. Fodd bynnag, un elfen sy'n llestair i'n dealltwriaeth o gofiannau crefyddol Cymraeg y cyfnod yw mai ychydig iawn sydd wedi mentro i'r maes, er gwaethaf galwad daer Saunders Lewis yn ôl yn y 1930au. Fel y gwelwyd uchod, dichon, yn ogystal, i'r astudiaethau a gafwyd fod yn rhy barod i orsymleiddio amcanion didactig a deongliadol y cofiannydd oherwydd eu pwyslais ar estheteg y cofiant.[33] Er y gellir cydymdeimlo â rhwystredigaeth W. J. Harries bod y cymeriad delfrydol a gyflwynid mewn sawl cofiant 'yn gwarafun argraffu ar y darllenydd argraff o bersonoliaeth arbennig',[34] y mae craffu'n fanylach ar amcanion hyfforddiadol a deongliadol y gwaith, a'u dylanwad ar gynnwys a ffurf y cofiant i Thomas Charles, yn ein galluogi i ddeall rhagor am bortread Thomas Jones o'i wrthrych ac am y berthynas gymhleth sy'n bodoli rhwng gwahanol elfennau'r gyfrol. Gall ystyriaeth o'r fath gynnig dadansoddiad sy'n ymwrthod â synio mai duwioldeb 'mewnol' piwritanaidd ar y naill law a diwydrwydd 'allanol' Methodistaidd ar y llaw arall yw sail y cofiant. Fe all, yn ogystal, ddyfnhau ein dealltwriaeth ehangach o gofiannau crefyddol Cymraeg y ganrif.

Wrth gwrs, ni ellir gwadu nad yw hunangofiant Thomas Charles yn amlygu'r math o '[f]ewnfodaeth ronc', chwedl Mairwen Lewis, ag a geid gan y Piwritaniaid,[35] a bod hynny ynghlwm wrth amcan yr hunangofiannydd o gynnig esiampl o dduwiolfrydedd i'r darllenwyr ei efelychu. Ond ni ellir honni, fel y gwnaeth Saunders Lewis, mai '"mewnol" yn unig' yw cynnwys yr hunangofiant.[36] O graffu ar y gwaith o'r newydd, gellir awgrymu bod mwy iddo na hynny. Yn fuan iawn yn y naratif (6 Tachwedd 1775), er enghraifft, cawn Charles yn lleisio ei amheuon ysbrydol personol. Fodd bynnag, ddeuddydd yn ddiweddarach (8 Tachwedd), y mae'n gosod cyd-destun ehangach ar amheuon 'mewnol' o'r fath am mai sail ei bryder yw 'y teimlad o'm hanallu a'm hannigonolrwydd i waith y weinidogaeth.'[37] Nid yn unig y mae'r cyd-destun hwn yn un allanol, onid cyhoeddus, y mae'n ymwneud â galwedigaeth Thomas Charles – hynny yw, gwir alwad gan Dduw i bregethu'r Gair i eraill – a'r modd y gall gyflawni'r gwaith mawr hwnnw. Ymhellach, pan sonia Charles yn ddiweddarach yn y naratif am ei awydd i ymgyrraedd at dduwiolfrydedd, fe wneir hynny yng nghyd-destun ei guradiaeth, ac o'r herwydd ymbilia am 'i'm hymarweddiad fod yn gyfryw ag a baro ras i bawb o'm hamgylch'.[38] Dyma symud o dduwioldeb personol i un sy'n cysylltu â'i lafur allanol a chymdeithasol. Y mae cymysgu dimensiynau personol a chyhoeddus yn cynnig cyd-destun ehangach pan edrydd yr hunangofiannydd ar ddechrau blwyddyn newydd am 'ymgysegru i'th wasanaeth di'.[39] I Charles, nid digon yw bod 'yn farw i'r byd', gan mai'r nod yw 'bod mewn rhyw radd yn ddefnyddiol at ddwyn achos y Prynwr yn mlaen, ac iachawdwriaeth eneidiau'.[40] Nid annisgwyl, o'r herwydd, yw canfod pwyslais galwedigaethol pendant gan Charles yn y rhestr o brofiadau hunangofiannol disgwyliedig a gyflwynodd i Thomas Jones. Wedi nodi ambell elfen fywgraffiadol, megis man genedigaeth a manylion teuluol, try Charles at y dröedigaeth a'r profiadau ysbrydol sy'n deillio ohoni. Ond sylwer mai ar brofiadau Thomas Jones yn y weinidogaeth y mae a wnelo rhan helaethaf y rhestr:

> Pa bryd, a thrwy ba foddion, y datguddiodd Duw ei Fab ynoch? – Pa droion neillduol, o gyfyngderau a gwaredigaethau, a gyfarfuant â chwi ar eich taith trwy yr anialwch hyd yn hyn? – Pa gymelliadau a'ch tueddodd tu ag at waith Gweinidogaeth y gair? – Pa rai a fuant yr anhawsderau a'r profedigaethau mwyaf? – hefyd, pa gysuron, a pha lwyddiant, a gawsoch, yn eich gwaith yn gyhoeddus? – Pa bethau hynodol a ddaliasoch sylw arnynt yn eich dyddiau, yn y dull, a'r moddion trwy ba rai, y dygodd yr Arglwydd ei achos gogoneddus y'mlaen? – Pa ddichellion ac ymosodiadau o eiddo'r gelyn a sylwiasoch arnynt, yn tueddu i atal y gwaith, yn yr Eglwysi, ac yn y byd? a pha fodd, er holl ddyfais y gelyn, yr aeth yr achos y'mlaen, ac y gorchfygwyd Satan a'i offerynnau? – Beth yw eich grym a'ch cysur presennol yn y Weinidogaeth? a pha beth yw sail eich gobaith am fywyd tragwyddol yn wyneb angau a barn?[41]

Pwrpas y cwestiynau hyn, felly, yw darlunio'r bywyd duwiol a diwyd personol a chyhoeddus am fod hynny yn anad dim arall yn darlunio bywyd defnyddiol. Yn wir, y mae'n werth cadw mewn cof mai dyma'r union ddefnyddioldeb a bwysleisiwyd gan Thomas Jones wrth annerch y dyrfa yn y gwasanaeth coffa ddiwrnod angladd Charles.

O droi at yr adran gofiannol, a'i lafur allanol, gwelir unwaith eto nad yw'r personol a'r cyhoeddus yn elfennau anghymarus o reidrwydd yn nehongliad y cofiannydd. Ceir sawl enghraifft lle y mae llafur a diwydrwydd Thomas Charles yn ei gymdeithas yn cysylltu'n uniongyrchol â duwioldeb mewnol ei enaid. Pan edrydd y cofiannydd hanes curadiaeth Thomas Charles yn Llanymawddwy yn 1784, dywed fod gwaith ei wrthrych wedi dwyn ffrwyth a dylanwadu yn effeithiol ar nifer yn y plwyf, ond bod eraill wedi dangos gelyniaeth agored tuag ato, yn benodol oherwydd iddo atgyfodi'r arfer o holwyddori'r plant lleol. Honna Thomas Jones mai 'ei ddiwydrwydd a'i ffyddlondeb duwiol' a oedd wrth wraidd y naill agwedd a'r llall, ac felly dyma ansefydlogi'r ffin gofiannol rhwng y Cristion personol, duwiol a'r curad gweithgar, cyhoeddus.[42] Dro arall, wedi i Charles ymuno â'r Methodistiaid, cawn Thomas Jones unwaith eto yn cymysgu'r dimensiynau personol a chyhoeddus ar dduwioldeb a diwydrwydd ei wrthrych. Noda mai'r allwedd i iawnddeall y parch yr enillasai Thomas Charles ymhlith ei frodyr yn y ffydd yw 'ei symledd caruaidd a duwiol, ei wresogrwydd a'i ymdrechiadau ffyddlawn yn mhlaid pob gwaith da, a'i ddiwydrwydd hunan-ymwadol yn ei lafur oll'.[43] Clymir y mewnol a'r allanol ynghyd yn y frawddeg hon, ac o'r herwydd gellir dadlau bod y cofiant cyfan, yr hunangofiannol a'r cofiannol, yn lleisio awydd llywodraethol Charles i 'fyw yn *dduwiol* a byw yn *ddefnyddiol*' ac yn amlygu dehongliad y cofiannydd (a'r hunangofiannydd) o'r bywyd duwiol a diwyd sy'n gyfrwng esiampl.

Ond nid dehongli cynnwys y cofiant yn unig sy'n cynnig y darlleniad hwn inni. Fe'i ceir o ystyried amwysedd *genre* y cofiant ei hun yn ogystal. Fe ddangosodd Saunders Lewis fod y cofiant crefyddol Cymraeg yn deillio o sawl ffurf gydnabyddedig a oedd yn ei hanfod yn hyfforddiadol, megis yr hunangofiant ysbrydol piwritanaidd, llenyddiaeth y cymeriad, y bregeth angladdol a'r patrwm bywgraffiadol Seisnig.[44] Y mae ffurfiau o'r fath yn croesi ffiniau sawl canrif a mwy nag un iaith a thraddodiad llenyddol. Yn wir, dichon fod amrywiaeth a chymysgedd y dylanwadau a ffurfiodd y cofiant yn awgrymu inni fod angen gochel rhag sôn am burdeb ffurf 'y cofiant' neu'r 'hunangofiant', ac y dylid gofalu rhag eu trin fel *genres* di-syfl a digyfnewid. Dengys gwaith ysgolheigion diweddar ym maes llên bywyd (*life writing*) yn Lloegr a'r Unol Daleithiau fod dadl dros amwyso ffiniau pendant o'r fath rhwng ffurfiau. Ys dywed y beirniad llenyddol David Amigoni, y mae derbyn hyblygrwydd neu ansefydlogrwydd ffurfiau megis y cofiant a'r hunangofiant yn cynnig '[a] basis for further exploring the "diversity of forms" that is signified by the term "life writing"', a bod hynny yn addas iawn wrth ymdrin â llenyddiaeth canrif mor amrywiol, anystywallt a chymhleth â'r bedwaredd ganrif ar bymtheg.[45] Credaf mai'r allwedd i hyn oll, felly, yw dadansoddi dehongliad ymwybodol y cofiannydd, a chadw mewn cof mai creadigaeth lenyddol oddrychol, ac nid gwirionedd gwrthrychol, yw unrhyw gais i gofiannu bywyd; 'the labour of reconstruction and representation', chwedl y cofiannydd Hermione Lee.[46] Wrth gwrs, nid yw hynny'n gyfystyr â galw creadigaeth y cofiannydd yn ffuglen neu gelwydd, ond fe dalai inni gofio cyngor Alan Shelston yntau fod cofiannydd sydd am goffáu ei wrthrych a chynnig patrwm i'w efelychu i'w ddarllenwyr yn annatod glwm wrth ymdriniaeth ddethol â'i ddeunyddiau.[47] Noda W. J. Harries, er enghraifft, fod gohebiaeth Thomas Charles yn ei gofiant yn amlygu 'gweithiwr crefyddol diflino, a dewiswyd y llythyrau yn ofalus gan ei gofiannydd er ei ddangos felly'.[48]

O graffu ar 'hunangofiant' Charles, gwelwn mai casgliad o nodion dyddiaduron ydyw yn ei hanfod. Yr oedd nodiadau dyddlyfrau yn hynod o boblogaidd gan gofianwyr y cyfnod am y'i gwelid fel drych i wirionedd yr enaid. Dywed awduron y cofiant i Ebenezer Richard (1839), er enghraifft, eu bod yn falch dros ben o allu cynnwys 'pigion . . . o'i ddyddlyfr' er mwyn 'datguddio tymer gyffredinol meddwl yr ysgrifennydd yn y dyddiau hynny'.[49] Ac ugain mlynedd yn ddiweddarach, nododd Owen Thomas, Lerpwl na phetrusai o gwbl am strwythur ei gofiant arfaethedig i'r pregethwr nodedig John Jones, Tal-y-sarn (1874) pe bai ganddo dystiolaeth tomen o ddyddiaduron neu lythyrau.[50] Ond fel y dywed Martin Hewitt, y mae'n rhaid gweld ffurf oddrychol megis y dyddiadur (neu'r hunangofiant neu'r llythyr) fel creadigaeth fwriadol ac iddi gyd-destun cyhoeddus a chymdeithasol, yn ogystal â chyd-destun personol, am ei bod ynghlwm wrth amcan a dehongliad y cofiannydd neu'r hunangofiannydd.

> Addressing these questions demands the reconsideration of a number of persistent but not always helpful assumptions . . . between the diary as 'natural' and the autobiography as 'artful' . . . between the diary as a private mode and the autobiography as a public mode.[51]

Diddorol, o ystyried y drafodaeth uchod ar fewnfodaeth profiadau hunangofiannol, yw bod Martin Hewitt eisoes yma yn ymdrin â'r hunangofiant fel cyfrwng cyhoeddus.

Elfen arall sy'n caniatáu inni amwyso'r berthynas rhwng ffurfiau o'r fath yw ystyried crefft neu greadigrwydd y cofiannydd, a'i ymdriniaeth â'i ffynonellau cofiannol. Fel y soniwyd eisoes, er gwaetha'r ffaith fod Thomas Jones yn nodi fwy nag unwaith yn y cofiant mai 'casglydd' yn unig ydyw, ac nad yw'r cofiant yn waith trefnus na helaeth, nid oes ddwywaith nad oes llaw gofiannol ar y deunydd drwyddo draw. Yn wir, sonia'r casglydd ei hun am natur ddethol y cofiant pan ddywed fod digon o ddeunydd a ffynonellau yn weddill i greu cyfrol arall debyg o ran ei maint. Arwyddocaol, yn hynny o beth yw cymharu hyd y cofiant hwn (252tt.) â chofiant Saesneg, Edward Morgan (1828) sy'n rhychwantu 387 tudalen. Yma, plethir hunangofiant Charles o fewn naratif bywgraffiadol neu gofiannol – elfen a ddeuai yn gynyddol boblogaidd mewn cofiannau Cymraeg yn ddiweddarach. Arweiniodd yr elfen hon at dra-arglwyddiaeth y patrwm bywgraffiadol ar strwythur cofiannau, a chreu yr hyn a elwir gan W. J. Harries yn gofiant 'annibynnol'.[52] Ymhellach, er mai'r unig orchwyl y cyfeddyf Thomas Jones iddi o safbwynt ymyrraeth awdurol â'r hunangofiant yw 'cyfieithu yr hyn a ysgrifenasai efe ei hun yn yr iaith Saesonaeg, a rhoddi ychydig nodiadau byrion',[53] ceir tystiolaeth iddo fod yn ddethol o safbwynt yr hyn a gynhwysid yma yn ogystal. Er enghraifft, y mae Thomas Jones yn diweddu 'cofiaeth' ei wrthrych yn 1783, ond gwyddom i Charles barhau i gyfrannu yn ysbeidiol at y gwaith hyd 1785. Tybed a wnaeth y ffrâm naratifol artistig o ddiweddu'r hunangofiant ddeng mlynedd wedi tröedigaeth Charles, ac ar ei ddyfodiad i ogledd Cymru, wedi apelio at y llenor yn Thomas Jones? Eto, rhyfedd na fyddai wedi achub ar y cyfle, fel y gwnaeth Edward Morgan, i nodi mai diwydrwydd sylweddol Thomas Charles ymhlith y Methodistiaid a barodd iddo atal ei law o hynny ymlaen a dwyn y dyddiadur (a'r hunangofiant) i ben.[54]

O ddychwelyd at adran gofiannol Thomas Jones, nodwyd eisoes honiad W. J. Harries fod y naratif yn canolbwyntio ar yr hunan cyhoeddus, allanol, a'i fod, o'r herwydd, yn adlewyrchu gwrthrychedd ac awdurdod y cofiannydd. Fodd bynnag, y mae bwrw golwg fanylach ar ffynonellau'r cofiant yn amlygu deunyddiau sy'n fwy cymhleth ac uniongyrchol oddrychol. Fel y dywed yr awdur ar derfyn yr hunangofiant:

> o hyn allan y mae y cwbl o *hanes pwysfawr ei fywyd tra llafurus* i gael ei gasglu allan o'r hyn sydd mewn cof gan ei gyfeillion am dano, llythyrau llawer ato allan o bob parth o'r deyrnas, a'i lythyrau yntau at amryw Gyfattebwyr ar amryw achosion.[55]

Er bod dehongliad ac amcan hyfforddiadol y cofiannydd yn dal yn ganolog, y mae'r cymysgedd o ffurfiau llenyddol, megis llythyrau, naratifau atgof a naratifau gwely angau, unwaith eto yn amwyso cyd-destun allanol a chyhoeddus 'hanes' y patrwm cofiannol. Ar un achlysur, tua diwedd y cofiant, rhydd Thomas Jones ffynhonnell sy'n adrodd hanes ymweliad â Charles yn ystod ei gystudd olaf. Yma, cyflwynir naratif gwrthrychol, honedig i'r darllenydd sydd, mewn gwirionedd, yn gyfuniad o'r tair ffynhonnell oddrychol a enwir uchod.[56] Tanlinellu goddrychedd y ffynonellau hyn a wna'r ffaith fod y cofiannydd yn defnyddio gohebiaeth Charles yn benodol yn yr adran hon i amlygu 'awyddfryd, tueddiad a golygiadau ei yspryd'.[57] Dyma eiriau sy'n ein hatgoffa o sylwadau cofianwyr Ebenezer Richard uchod parthed y dyddlyfr. Tebyg iawn i naratif yr hunangofiant, er enghraifft, yw'r llythyr at gyfaill a ysgrifennwyd yn fuan wedi i Thomas Charles gael torri ymaith ei fawd yn 1799. Yma eto, gwelwn bwyslais ar fynegi profiad Charles, a'i ffydd mewn rhagluniaeth, ond fe'i ceir yn ogystal yn ymhyfrydu iddo 'geisio dywedyd am dano [Duw] wrth bechaduriaid; a chywilyddio . . . na buaswn yn llefaru yn well . . . am wrthddrych mor anfeidrol deilwng o'i ganmol, ac mor angenrhaid i bechaduriaid wybod am dano'.[58] I Thomas Jones, y mae llythyrau o'r fath yn cyflwyno tystiolaeth o dduwioldeb a diwydrwydd personol a chyhoeddus ei wrthrych. Nid rhyfedd ei fod yn nodi, yn fuan wedi dyfynnu llythyr gan Charles o'r flwyddyn 1801 a gydymdeimlai â chyfaill mewn cystudd, fod yr ohebiaeth yn '[b]rawf o'r modd yr oedd Duw yn llewyrchu ar yspryd ei ffyddlon was'.[59] Er mai naratif bywgraffiadol neu gofiannol sydd i gofnod estynedig y cofiannydd o farwolaeth Charles, y mae diffyg llafur cyhoeddus ar ran y gwrthrych, ynghyd â defnydd o ffynonellau person cyntaf (gan gynnwys atgofion hunangofiannol Thomas Jones ei hun), yn creu naratif sy'n llawer llai allanol ac sy'n canolbwyntio ar 'aeddfedrwydd grasol a nefoldeb yspryd' Thomas Charles yn ei ddyddiau olaf. Ond y mae, yn ogystal, yn pwysleisio awydd y gŵr cystuddiol, yn ei eiriau ei hun, i 'bregethu yn fwy dyfal nag erioed' pe câi oroesi.[60] Yr hyn sy'n bwysig yw y gwêl y darllenydd un sy'n gwbl sicr o 'noddfa' iachawdwriaeth.

Yn ei gofiant Saesneg i'r gwron o'r Bala, y mae Edward Morgan yn cyfeirio at arwyddair o wythfed bennod yr Epistol at y Rhufeiniaid a osododd Thomas Charles uwchlaw ei hunangofiant, sef 'pob peth yn cydweithio er daioni' (Rhuf. 8:28).[61] O graffu ar wahanol agweddau ar y cofiant cyflawn gwelwyd bod duwioldeb a diwydrwydd ynghlwm wrth ei gilydd yn ymdrech y Cristion i adnabod a gogoneddu ei Dduw. O'r herwydd, credaf mai annoeth fyddai dehongli duwioldeb mewnol (hunangofiannol) a diwydrwydd allanol (cofiannol) cofiant Thomas Charles fel dwy elfen bendant ac anghymarus. Yn *Geiriadur Ysgrythyrol*

Charles ei hun, cysylltir 'duwioldeb' ag athrawiaeth Galfinaidd sant-eiddhad, am mai diben pennaf cyfrifoldeb y pechadur a enillodd gyflwr o ras oedd buchedd dduwiol a oedd 'yn debyg iddo [Duw] a'i ogoneddu'.[62] Rhan o'r bywyd hwnnw yw diwydrwydd ysbrydol, sef 'prysurdeb, dyfalwch, gweithgarwch, difrifwch, awyddfryd . . . yn mhethau Duw, yn ddiarbed a diflino' er mwyn amlygu 'galwedigaeth ac etholedigaeth' y pechadur.[63] Ond yn y *Geiriadur* hefyd, fe gysyllta Charles ddiwydrwydd a duwioldeb personol y pregethwr gyda'i orchwyl a'i alwedigaeth gyhoeddus a chymdeithasol, sef 'y sefyllfa a'r gwaith y mae yr Arglwydd yn ei ragluniaeth yn galw dynion'.[64] Unwaith eto, y mae diwydrwydd a ffyddlondeb wrth y gwaith hwn yn hanfodol er gogoneddu awdurdod yr Arglwydd, ac yn tystiolaethu i'r ffaith '[na] bu neb yn fendith fwy i ddynolryw'.[65] Yng nghofiant Thomas Charles, ynghyd â dadlennu'r enaid duwiol sy'n gyfrwng esiampl, y mae'r hunangofiant yn amlygu'r nodweddion a fyddai'n galluogi Charles i gyflawni gweinidogaeth ddiwyd a bendithiol. Yr un modd, rhydd ei yrfa lwyddiannus batrwm i'r darllenydd o rinweddau moesol ac ymroddiad duwiol i geisio cymundeb â'i Dduw ac i achub eneidiau eraill. Dyma a wnâi'r pregethwr yn ganolog i gyflwr ysbrydol y gymdeithas gyfan, ac wrth gwrs dyma a'i gwnaeth yn wrthrych hynod addas ar gyfer ei bortreadu yng nghofiannau crefyddol Cymraeg y bedwaredd ganrif ar bymtheg. Yn wir, dengys y cofiant hwn mor arwyddocaol yw ystyried y berthynas rhwng y byd mewnol, personol, hunangofiannol a'r byd allanol, cyhoeddus a bywgraffiadol i unrhyw un a fyn ddehongli llenyddiaeth gofiannol y ganrif fawr hon. 'Pob peth yn cydweithio er daioni', felly, a chredaf y gwnaethai'r geiriau hyn arwyddair addas iawn ar gyfer y cofiant drwyddo draw.

Nodiadau

1 *Cofiant*, t. 223. Am gofiannau eraill i Thomas Charles, gw. Edward Morgan, *A Brief History of the Life and Labours of the Rev. T. Charles, A.B., late of Bala, Merionethshire* (London: 1828); William Hughes, *Life and Letters of the Rev. Thos. Charles, B.A., of Bala* (Rhyl: 1881); Edward Thomas, *Y Parchedig Thomas Charles, B.A., Bala* (Caernarfon: 1904); R. A. Pritchard, *Thomas Charles, 1755–1814* (Caerdydd: 1955), heb sôn am dair cyfrol D. E. Jenkins, *Life*, ac astudiaeth fer ond cynhwysfawr R. Tudur Jones, *Gwas*.

2 *Cofiant*, tt. 223–4.

3 Cathryn A. Charnell-White, 'Y pedwar peth diwethaf – marwolaeth, nefoedd, uffern a'r farn – yn llenyddiaeth Gymraeg y ddeunawfed ganrif' (traethawd

PhD heb ei gyhoeddi, Prifysgol Cymru, Aberystwyth, 2000), 138. Gw. hefyd idem, 'Galaru a gwaddoli ym marwnadau Williams Pantycelyn', *Llên Cymru*, 26 (2003), 40–62.

4 Gw., er enghraifft, Thomas Jones, *Marwnad ar Anne Parry, o Fryn Milan ym mhlwyf Llanrhaiadr, sir Ddimbych* (Gwrecsam: 1788); idem, *Marwnad mewn côf am y Parchedig Daniel Rowlands . . . hefyd am y Parchedig William Williams . . . ac yn ddiweddaf, am Dafydd Morys* (Gwrecsam: 1791).

5 Saunders Lewis, 'Y cofiant Cymraeg'[1935], yn idem, *Meistri'r Canrifoedd: Ysgrifau ar Hanes Llenyddiaeth Gymraeg*, gol. R. Geraint Gruffydd (Caerdydd: 1973), t. 341.

6 Bu i'r ffurf ddatblygu'n gyflym yn negawdau hanner cyntaf y ganrif, a gellir amcangyfrif fod dros gant o gofiannau wedi eu cyhoeddi ar ffurf cyfrol erbyn 1856. Am drafodaeth ar darddiadau ffurf y cofiant Cymraeg, gw. Llion Pryderi Roberts, '"Mawrhau ei swydd": Owen Thomas, Lerpwl (1812–91) a chofiannau pregethwyr y bedwaredd ganrif ar bymtheg' (traethawd PhD heb ei gyhoeddi, Prifysgol Caerdydd, 2011), 22–52.

7 *Cofiant*, tt. iii a 153.

8 Lewis, 'Y cofiant Cymraeg', t. 349.

9 *Cofiant*, t. iii.

10 Ibid., tt. iii a iv.

11 Ibid., t. iii.

12 Ibid., t. 9.

13 R. Tudur Jones, 'Cewri ar eu gliniau: agweddau ar dduwioldeb y Piwritaniaid', yn D. Densil Morgan (gol.), *Grym y Gair a Fflam y Ffydd: Ysgrifau ar Hanes Crefydd yng Nghymru* (Bangor: 1998), t. 40.

14 Linda Anderson, *Autobiography* (London: 2001), t. 20.

15 Gw. John Bunyan, *Grace Abounding to the Chief of Sinners* [1666], (gol.) Roger Sharrock (Oxford: 1962); fe'i cyfieithwyd i'r Gymraeg fel *Helaethrwydd o Ras i'r Gwaelaf o Bechaduriaid, mewn hanes gywyr a ffyddlon o fywyd a marwolaeth John Bunyan: neu ddadguddiad rhagorol, a rhyfeddol drugaredd Duw yng Nghrist iddo ef*, cyf. John Einon (Caerfyrddin: 1737); John Thomas, *Rhad Ras, neu Lyfr Profiad: mewn byr hanes am ddaioni y Arglwydd tuag at ei wael wasanaethwr, Ioan Thomas (awdwr Caniadau Sion), o'i febyd hyd yma* (Abertawe: 1810), cf. y fersiwn *Rhad Ras*, gol. J. Dyfnallt Owen (Caerdydd: 1949); Derec Llwyd Morgan, 'John Thomas, awdur *Rhad Ras*', yn idem, *Pobl Pantycelyn* (Llandysul: 1986), tt. 20–7.

16 *Cofiant*, t. 23.

17 Ibid., t. 125.

18 Ibid., t. 35.

19 John Humphreys a John Roberts, *Cofiant, neu hanes bywyd a marwolaeth y Parch. Thomas Jones, gweinidog yr efengyl, yn ddiweddar o dref Ddinbych; hanes ei fywyd a 'sgrifenwyd ganddo ef ei hun, ar ddymuniad ei gyfaill Parchedig Mr. Charles* (Dinbych: 1820), tt. 5–6.

[20] Gw. Edward Bagshaw, *Hanes Bywyd a Marwolaeth y Parchedig Mr. Fafasor Powell, y gweinidog a'r milwr dewrwych [hwnn] o eiddo Iesu Grist*, cyf. D. Risiart (Caerfyrddin: 1772); *Hanes Ferr o Fywyd Howell Harris, Yscweier; a dynnwyd allan o'i ysgrifeniadau ef ei hun. At ba un y chwanegwyd Crynodeb byrr o'i Lythyrau o'r flwyddyn 1738 hyd y fl. 1772* (Trefecca [1792]).

[21] Cynhwysir, er enghraifft, hanes ychwanegol am Gymdeithas y Beibl a hanes taith Thomas Charles i'r Iwerddon.

[22] Thomas Jones, *Marwnad ar yr ystyriaeth alarus o farwolaeth y Parch. Thomas Charles, gwyryf yn y celfyddydau, yn ddiweddar o'r Bala, yn sir Feirionydd, a fu farw Hydref 5, 1814* (Dinbych: 1816).

[23] *Cofiant*, t. 153.

[24] Ibid., tt. 212–13.

[25] Ibid., t. 191. Gw., er enghraifft, tt. 166, 173, 174, 179, 182, 188, 197, 207, 209, 216.

[26] W. J. Harries, 'Astudiaeth o'r cofiant Cymraeg yn hanner cyntaf y bedwaredd ganrif ar bymtheg o safbwynt llenyddol' (traethawd MA heb ei gyhoeddi, Prifysgol Cymru Abertawe, 1954), 48.

[27] Ys dywed Harries: 'Y mae gweddill hanes Thomas Charles fel y'i hadroddir gan y cofiannydd yn fwy gwrthrychol na'r hanes a geir yn yr hunangofiant', ibid.

[28] Geraint H. Jenkins, *Literature, Religion and Society in Wales, 1660–1730* (Cardiff: 1978), t. 123.

[29] David W. Bebbington, *Evangelicalism in Modern Britain: A History from the 1730s to the 1980s* (London: 1989), gw. yn benodol, tt. 10–12. 'Activism' yw'r term a ddefnyddir gan Bebbington.

[30] D. Densil Morgan, 'Continuity, novelty and evangelicalism in Wales, *c.*1640–1850', yn Michael Haykin and Kenneth Stewart (goln), *The Emergence of Evangelicalism: Exploring Historical Continuities* (Nottingham: 2008), t. 86.

[31] R. Tudur Jones, 'Y "Dwym Ias" a'r "Sentars Sychion"', ac 'Awr anterth efengyliaeth yng Nghymru 1800–1850', yn Morgan (gol.), *Grym y Gair a Fflam y Ffydd: Ysgrifau ar Hanes Crefydd yng Nghymru*, tt. 153–69 [154, 156 a *passim*], 285–308; cf. D. Densil Morgan, *Christmas Evans a'r Ymneilltuaeth Newydd* (Llandysul: 1991), tt. 159–76.

[32] John Davies, *Hanes Cymru* (Llundain: 1990), tt. 307, 326–7, 331.

[33] Lewis, 'Y cofiant Cymraeg', t. 341.

[34] Harries, 'Astudiaeth o'r cofiant Cymraeg', 69.

[35] Mairwen Lewis, 'Astudiaeth gymharol o'r cyfieithiadau Cymraeg o rai o weithiau John Bunyan, a'u lle a'u dylanwad yn llên Cymru' (traethawd MA heb ei gyhoeddi, Prifysgol Cymru Aberystwyth, 1957), 361; Jenkins, *Literature, Religion and Society in Wales*, t. 123;

[36] Lewis, 'Y cofiant Cymraeg', t. 347.

[37] *Cofiant*, t. 15.

[38] Ibid., t. 21.

[39] Ibid., t. 27.
[40] Ibid., t. 35.
[41] Humphreys a Roberts, *Cofiant . . . Thomas Jones*, tt. 5–6.
[42] *Cofiant*, t. 157.
[43] Ibid., t. 166.
[44] Lewis, 'Y cofiant Cymraeg', tt. 341–9.
[45] David Amigoni, 'Introduction: Victorian Life Writing: Genres, Print, Constituencies', yn idem (gol.), *Life Writing and Victorian Culture* (Aldershot: 2006), t. 1.
[46] Hermione Lee, *Biography: A Very Short Introduction* (Oxford: 2009), t. 140.
[47] Alan Shelston, *Biography* (London: 1977), t. 52.
[48] Harries, 'Astudiaeth o'r cofiant Cymraeg', 49.
[49] E. W. Richard a H. Richard, *Bywyd y Parch. Ebenezer Richard* (Llundain: 1839), t. 14.
[50] J. J. Roberts (Iolo Carnarvon), *Cofiant y Parchedig Owen Thomas, D.D., Liverpool* (Caernarfon [1912]), tt. 282–3.
[51] Martin Hewitt, 'Diary, Autobiography and the Practice of Life History', yn Amigoni (gol.), *Life Writing and Victorian Culture*, t. 21.
[52] Harries, 'Astudiaeth o'r cofiant Cymraeg', 70); Roberts, '"Mawrhau ei swydd": Owen Thomas, Lerpwl (1812–91) a chofiannau pregethwyr y bedwaredd ganrif ar bymtheg', 52–89.
[53] *Cofiant*, t. 153.
[54] Morgan, *A Brief History of the Rev. T. Charles*, t. 217.
[55] *Cofiant*, t. 153, pwyslais yr awdur.
[56] Ibid., t. 219.
[57] Ibid., t. 154.
[58] Ibid., t. 204.
[59] Ibid., t. 207.
[60] Ibid., t. 216.
[61] Morgan, *A Brief History of the Rev. T. Charles*, t. 3.
[62] Thomas Charles, *Geiriadur Ysgrythyrol, yn cynnwys Hanesiaeth, Duwinyddiaeth, Athroniaeth, a Beirniadaeth Ysgrythyrol*, 6ed arg. (Bala: 1864), t. 318.
[63] Ibid., t. 307.
[64] Ibid., t. 409.
[65] Ibid., t. 739.

10

Thomas Charles a Thomas Jones o Ddinbych (1756–1820)

Andras Iago

Ategir drosodd a thro gan amrywiol gofianwyr Thomas Charles mae dyn caredig, diwylliedig a diymhongar ydoedd – gŵr y gellid, yng ngeiriau R. Tudur Jones, ei wahodd yn ddibetrus am swper a chael ei gwmni'n fwynhad pur.[1] Yn ogystal, mae'n werth pwysleisio mai dyn ydoedd a chanddo gyfeillion a chynghreiriaid lu. Symudai'n rhwydd ymhlith uchelwyr efengyliaeth Brydeinig ei gyfnod, a meddai ar gyfeillgarwch agos â nifer o'r arweinwyr mwyaf amlwg yn eu plith, gan gynnwys John Newton, Thomas Haweis, a Thomas Scott.[2] Darlun tebyg a gawn ohono yn ei ymwneud â'i gyd Fethodistiaid Cymreig. Ni ddylem adael i natur ddidactig llên Fethodistaidd y cyfnod negyddu'r darlun o ddyn a gâi fwynhad gwirioneddol yng nghwmni'r bobl a ymgyfeillachai â hwy ar ei deithiau.[3] Yn wahanol i nifer o arweinwyr Methodistaidd cynt a chwedyn, nodweddwyd ei oes gan gyfeillgarwch syml ac ymddangosiadol ddidwyll â'i gyd-arweinwyr yn y gogledd, agosrwydd a ddaw'n amlwg iawn yn ei ymddiddan bentan ddifyr â John Evans o'r Bala ar dudalennau'r cylchgronau anghyson eu hymddangosiad, *Trysorfa Ysprydol* (1799–1801) a *Trysorfa* (1809–13).[4] Er hynny, mae lle i awgrymu nad oedd ei gyfeillach ag un o'r dosbarth uchod mor glós nac mor hirhoedlog a'i gyfeillgarwch â Thomas Jones o Ddinbych. Rhannai'r ddau hoffter amlwg at ei gilydd, a chydweithient yn rhwydd ar nifer o fentrau, gan gynnwys rhai a gam-briodolwyd i Charles yn unig.[5] Yn y bennod hon, edrychwn ar elfennau o ffrwyth cyfun y ddau fel arweinwyr wrth iddynt lywio'r mudiad Methodistaidd trwy gyfnod allweddol yn ei ffurfiant.

Cyfarfu'r ddau am y tro cyntaf ym 1784, a hynny tra'r oeddent ar daith bregethu yn sir Gaernarfon.[6] Disgrifia Jones y profiad o glywed Charles yn pregethu dros ddeg mlynedd ar hugain wedyn mewn termau sydd bron yn droedigaethol, â'r profiad yn fyw iddo o hyd. Wrth ei glywed enynnwyd ynddo

> y fath feddyliau am dano, o ran ei symledd, ei ddiwydrwydd, a'i holl agweddau Cristionogaidd, ynghyd â'i yspryd deffröus a'i ddoniau rhagorol, fel pregethwr, hyd oni ynnillwyd ef, o raid ac o fodd hefyd, i'w barchu a'i garu yn fawr o hynny allan.[7]

Brithir cyhoeddiadau Jones gan y fath ddatganiadau o barch ac edmygedd, ac er bod amryw enghreifftiau o Charles yntau yn arddel eu cyfeillgarwch, prin y gallai neb gystadlu ag ehediadau lliwgar ei gyfaill.[8] Tra priodolai Jones yr agosrwydd i ryw weithgarwch gyfrin, roedd ffactorau eraill a'i gwnâi'n gynghreiriaid naturiol o fewn y mudiad. Roedd eu cefndir, ar un golwg, yn ddigon tebyg. Amaethwyr cyfforddus ac annibynnol oedd y ddau deulu, a rhoddodd y tadau i'w meibion gyfleoedd addysgol bore oes rhagorol. Gosododd hyn hwy ar wahân i fwyafrif eu cyd-arweinwyr yn y gogledd. Digon niwlog yw'r dystiolaeth am yr ysgolion a fynychai Jones ac ni ellir dweud i sicrwydd beth oedd eu cwricwlwm, ond mae'n sicr iddo fod am gyfnod dan gyfarwyddyd y Parchg John Lloyd (1733–93). Tra cofir ef yn bennaf am ei waith fel hynafiaethydd, bu'r ysgol a gynhaliodd yng Nghaerwys yn feithrinfa i ddau arweinydd crefyddol o bwys, sef Thomas Jones a'r diwinydd o Annibynnwr Edward Williams (1750–1813), un a ddaeth ymhen y rhawg yn un o ddiwinyddion Anghydffurfiol mwyaf dylanwadol ei oes yn Lloegr.[9] Er i addysg ffurfiol Jones derfynu pan oedd yn bymtheg oed, dysgodd ddarllen Lladin a Groeg yn drwyadl, ac enynnwyd ynddo ddiddordeb mewn hynafiaethau a barodd ar hyd ei oes.

Fodd bynnag, ar ddiwedd eu harddegau cymerwyd penderfyniadau tra gwahanol gan y ddau gyfoeswr. Y camau naturiol nesaf i'r ddau fyddai ceisio urddau eglwysig a mynychu prifysgol, a dywed Thomas i Edward Jones, ei dad, roi cryn dipyn o bwysau arno i wneud hynny.[10] Coleddai Charles a Jones agweddau tra gwahanol at eglwys eu magwraeth. Deillia'r agweddau hyn yn rhannol o'u hamgylchfyd. Ym mlynyddoedd mebyd Charles yn ne Cymru arweinid y mudiad Methodistaidd gan nifer o glerigwyr ordeiniedig a oedd, yn ôl pob tystiolaeth, yn mawrygu eu swydd.[11] I lencyn a fagwyd nid nepell o blwyf Llanddowror ac a ddychwelwyd dan bregethu Daniel Rowland, nid oes awgrym o wrthdaro rhwng ei dröedigaeth efengylaidd a'i ymdeimlad o alwad i fod yn glerigwr yn yr eglwys sefydledig. Aeth i Rydychen i gael ei gymhwyso i'r gwaith heb arlliw o ofid meddwl.[12] Tra roedd yno ymunodd â'r blaid hyderus honno o fewn Eglwys Loegr a arddelodd yr argyhoeddiadau Calfinaidd ac efengylaidd, a bu'r cysylltiadau hyn yn werthfawr iddo ar hyd ei oes.[13] Achosodd hyn benbleth os nad dryswch i haneswyr Methodistaidd diweddarach, ond ar y pryd nid oedd dim yn fwy naturiol i un o'i gefndir a'i gynhysgaeth ef.

O ran Thomas Jones, roedd pethau'n dra gwahanol. Er gwaethaf ymdrechion ei deulu, am amryw resymau ni allai edrych ar Eglwys Loegr a'i gweinidogaeth yn yr un golau. Deilliai hynny'n rhannol o dirwedd grefyddol bro ei febyd yn sir y Fflint a Dyffryn Clwyd. Ni ddechreuodd Methodistiaeth wreiddio yn y gogledd-ddwyrain tan ddiwedd y 1740au, ac yn wyneb gwrthwynebiad llym y bonedd a'r *mobs*, digon araf oedd ei thwf.[14] Dibynnai'r mudiad ar bregethwyr teithiol o'r de, a digon ysbeidiol oedd eu hymweliadau. Priodolai nifer o Fethodistiaid amlycaf yr ardal eu tröedigaeth i bregethu teithiol Rowland â chynghorwyr eraill, ond ymhen byr o dro syrthiodd yr arweinyddiaeth ar ysgwyddau arweinwyr lleol a hynny mewn gwlad lle'r oedd y priffyrdd yn beryglus ar y gorau. Pregethwyr amrwd a gwerinol oedd Robert Llwyd, Plas Ashpool (1716–92), Edward Parry, Bryn-bugad (1723–86), John Owen, Berthen-gron (1733–76) a'u tebyg, â stamp diwylliant gwerin eu bro arnynt.[15] Yn wahanol i Fethodistiaeth y de, datblygodd y mudiad yn lled annibynnol ar y gyfundrefn Anglicanaidd. Nid oes tystiolaeth bod neb o blith clerigwyr y gogledd-ddwyrain yn cydymdeimlo â brwdaniaeth a gerwinder y sect ifanc. Prin hefyd oedd yr ysgolion cylchynol a gysylltir â lledaeniad y mudiad yn siroedd y de. Er bod ambell un o'r rhain yn y plwyfi cyfagos i Gaerwys, nid oedd cefnogaeth yr offeiriaid iddynt yn brawf o sêl Fethodistaidd nac o argyhoeddiad efengylaidd.[16] Er mor bwysig oedd John Lloyd fel addysgwr, nid oedd gan Jones air ffafriol amdano fel bugail. Gwingai ei gydwybod wrth ystyried ymuno â rhengoedd yr offeiriaid: 'llwyrgasëais, ac y dychrynais rhag, y meddwl am fod yn un ohonynt.'[17] Nid oedd dewis helaeth o opsiynau eraill i Brotestant ifanc, dwys. Roedd Anghydffurfiaeth yn wan yn y fro. Eglwys fechan Saesneg ei chyfrwng mewn ardal fwyafrifol Gymraeg oedd cynulleidfa'r Annibynwyr yn Nhrelawnyd, a rhygnu byw a wnâi hithau trwy gydol y ddeunawfed ganrif.[18] Gellid tybio fod Jones hefyd yn ymwybodol o weithgarwch yr Eglwys Babyddol o'i amgylch, ond nid oedd yn ei ddenu. Hi oedd gofid pennaf offeiriaid y plwyfi o gylch Caerwys, a chynhaliai teulu'r Mostyniaid, Talacre, fflam yr Hen Ffydd ar aelwyd eu plas. Roedd Treffynnon, wrth gwrs, yn brif ganolfan yr Iesuwyr a'r offeiriaid lleyg wrth iddynt fugeilio praidd gwasgaredig y gogledd, ond yr unig awgrym o gyswllt Jones â Chatholigiaeth bro ei febyd yw'r atgof difyr amdano'n hongian yn blentyn o'r sgaffaldiau uwch Ffynnon Gwenffrewi, fel rhyw berfformiwr trapîs![19]

Yn hytrach na throi'n Eglwyswr pybyr, yn Anghydffurfiwr nac yn Babydd, bwriodd Jones ei goelbren gyda Methodistiaeth amrwd a dirmygedig ei ardal, ac ymrwymodd iddi'n llwyr. Golygai hynny golli breintiau addysg bellach a chyfleoedd eraill, a'i ymdynghedu i aros yn ei fro enedigol fel amaethwr. Dechreuodd bregethu yn 1783, ac yn fuan iawn daeth ei ddoniau cyhoeddus, deallusol ac arweinyddol i'r golwg. Nid oes tystiolaeth o gyswllt ysgrifenedig rhyngddo â Charles cyn 1799, ond fel y dywedwyd, roeddent yn adnabod ei gilydd eisoes a byddent wedi cwrdd yn aml yn y sasiynau. Mae'n amlwg o'r oheb- iaeth ynghylch sylfaenu *Trysorfa Ysprydol* fod y ddau erbyn hynny'n gyfeillion agos iawn, ac yn gydweithwyr tynn. A hwythau'n tarddu o gefndir cymdeithasol tebyg, roedd gan y naill lawer i'w gyfrannu i'r llall. Er bod nifer o Fethodistiaid y gogledd yn hunanaddysgwyr diwyd, yn hyn o beth roedd Jones mewn dosbarth ar ei ben ei hun. Deuai maes o law yn ddyn sylweddol o ran cyfoeth, yn bennaf trwy ei etifeddiaeth a thrwy briodi'n gall, a meddai, ym mlynyddoedd olaf ei oes, ar lyfrgell a barodd i Fethodistiaid iau lygadrythu mewn syndod.[20] Dichon fod ei arian, ei allu ymenyddol cynhenid a'r ffaith iddo fyw o fewn cyrraedd i ganolfannau poblog dinas Caer a'u llyfrwerthwyr mynych yn cyfrif i raddau am ehangder ei wybodaeth.[21] Serch hynny, mae ei gyfeillgarwch â Charles yn cynnig ateb i un o gwestiynau am- lycaf ei gofianwyr, sef natur a chysondeb ei bwyslais athrawiaethol.[22] Roedd ganddo yn Charles arweinydd o ddysg eang a allai ymddiried ynddo yn llwyr. Trwyddo cafodd fynediad i gylch deallusol dylan- wadol ei gyfaill, a gwelwn, o dystiolaeth ei weithiau cynharaf, iddo feddiannu eu syniadau hwy er mwyn dehongli sefyllfa'r mudiad y deuai'n brif ddiwinydd iddo maes o law.[23] 'Parchedig frawd,' meddai, 'neu oni ddylwn ddywedyd, fy nhad.'[24] Mae'r sylw trawiadol o eiddo Jones yn fwy nag ymgais ar ei ran i fod yn ddiymhongar. Mae'n cyfleu, yn hytrach, holl natur ei ddyled i Thomas Charles. Nid yw hyn yn bychanu dim ar ddoniau llachar Jones. Ynddo cafodd y gŵr o'r Bala un o alluoedd naturiol cyffelyb iddo'i hun. Er ei ddiddordebau hynafiaethol a diwylliannol a'i gyfoeth sylweddol, roedd ei wreiddiau yn ddwfn bellach ym mhridd y mudiad. Ar ben hynny, ac yn wahanol i Charles (ar y dechrau beth bynnag), roedd wedi'i drwytho yn llên ei bobl; roedd yn llenor naturiol yn iaith ei fam. Carbwl oedd Cymraeg ysgrifenedig Charles ar y dechrau. Byddai cael un o ddiwylliant Thomas Jones a'i ddoniau amlwg yn gyd-arweinydd ar y mudiad yn ddiau yn gaffaeliad mawr.

Oherwydd natur doreithiog y deunydd a'r sylw a roir i agweddau eraill o'u gwaith yng ngweddill y gyfrol hon, canolbwyntir yma ar ran Charles a Jones yn nau o ddatblygiadau allweddol Methodistiaeth eu hoes: y dadleuon diwinyddol â'r Wesleaid, a'r ordeiniad cyntaf ym 1811.

Wrth ysgrifennu yn 1789 at John Mayor, un o'i gyfeillion o ddyddiau Rhydychen, dywedai Charles am ei gyd Fethodistiaid:

> They do not trouble their heads much about refined niceties of doctrines. Plain, practical, useful truths are the food they are nourished with. They care but little for how *many* Christ died, so they can believe there is salvation sufficient in him for the vilest of sinners ... You may hear hundreds of sermons preached in our connection, without one word about election. And yet they all believe the doctrine; yes, and experience the comfort of it.[25]

Ceisiai Charles gyflwyno darlun o'r Methodistiaid Cymreig fel Calfiniaid anymwybodol bron, heb fod yn gwybod y nesaf peth i ddim am ddadleuon diwinyddol Lloegr y pryd. Roedd hyn yn wir, ar un golwg. Er iddo wynebu sawl her athrawiaethol yn y ddeunawfed ganrif, tueddai'r mudiad i ymdrin yn ddigyfaddawd ag anuniongrededd, fel yn achos Peter Williams.[26] Serch hynny, nid oedd y ffiniau athrawiaethol mor gwbl ddigyfnewid ac y ceisiai Charles honni. Ni fyddai ond rhaid iddo eistedd o gylch ei fwrdd cinio â'i dad yng nghyfraith, Thomas Foulks (1731–1802), un o dadau Methodistiaeth Meirionnydd, i hynny ddod yn amlwg. Bu Foulks ar hyd ei oes yn aelod yn eglwys y Methodistiaid Wesleaidd yng Nghaer tra, *ar yr un pryd*, yn aelod o seiat y Bala. Gwnaeth ei ymrwymiad at John Wesley a'i bobl yn amlwg yn ei ewyllys.[27] Yn yr un modd, chwaraeodd pregethwyr Arminaidd ran bwysig yn natblygiad crefyddol Thomas Jones. Dylid enwi Richard Harrison, Llaneurgain (1743–1830), arloeswr Wesleaeth sir Fflint, yn neilltuol yn y cyswllt hwn. Ni wyddom lawer mwy amdano na'i enw, ond pregethai'n gyson yn y seiat *Galfinaidd* a fynychai Jones yng

Nghaerwys yn y 1760au. Cyfarfu'r ddau drachefn pan symudodd Jones i'r Wyddgrug, â'r Harrison oedrannus bellach yn aelod yn y seiat fechan a ymgynullai ym Mhonterwyl ar gyrion y dref.[28] Hyn sy'n esbonio sylw Jones ar ddechrau un o'i gyfrolau, lle disgrifia gyfnod yn ei fywyd pan fu'n

> *Arminiad* talgryf o egwyddor; ac mi a brofais ymchwydd digllon yn fy nghalon yn erbyn athrawiaeth Rhad Ras, yn enwedig yn erbyn Etholedigaeth Gras; a hynny pryd yr oeddwn yn arfer gwrando yr athrawiaeth hôno, ac heb wybod am neb-rhyw athrawon yn ei gwrthwynebu, oddieithr y rhai yr oedd eu hanghrefydd yn ddigon amlwg.[29]

Awgryma'r dystiolaeth hon fod rhai amrywiol eu hathrawiaeth ymhlith pregethwyr y mudiad. Pregethu'r efengyl a meithrin dychweledigion yn y seiadau oedd y flaenoriaeth, ac er bod amrywiaeth barn ymhlith rhai, ni rwystrai hynny gydfyw digon cysurus, mae'n ymddangos.

Daeth tro ar fyd ym mis Awst 1800. Cyrhaeddodd Thomas Coke, yr esgob Methodistaidd, gynhadledd y Methodistiaid Wesleaidd yn Llundain wedi taith arw o'r Iwerddon, â chynllun am fenter genhadol newydd. Credai'r Cymro o Aberhonddu fod anghenion ysbrydol gogledd Cymru yn ddwys, a threfnwyd anfon Owen Davies (1752–1830) a John Hughes (1776–1843) yn genhadon iddi.[30] Nid oedd y rhain mewn unrhyw ystyr yn arloeswyr, ac roedd gogwydd bur wahanol i'w cenhadaeth, sef ysgwyd yr hegemoni Galfinaidd yn y gogledd. Gweddïai Hughes y byddai eu gwaith yn foddion '[to] deliver the people from their blindness, to awaken the unconverted & to bring Men from under the power of pernicious error, to serve thee in Spirit & in Truth'.[31] Ystyr ' the unconverted' iddo oedd y Methodistiaid hynny a oedd yn gaeth i bŵer twyllodrus Calfiniaeth. Dylid olrhain y feddylfryd hon i ddau beth yn neilltuol: syniadau John Wesley ei hun, a phrofiadau personol nifer o'r arweinwyr Wesleaidd. Er i Wesley honni unwaith na ellid tynnu gwahaniaeth rhwng ei syniadau ef ar gyfiawnhad ac eiddo John Calvin, roedd Calfiniaeth fel cyfundrefn ddiwinyddol yn gadach coch iddo, ac yn wrthrych ymosodiadau llym ar hyd ei oes.[32] Rhoddai'r gweithiau hyn o'i eiddo ystyr i brofiadau nifer o arweinwyr amlycaf y genhadaeth Gymreig. Bu John Bryan, un o'r pregethwyr amlycaf, am gyfnod yn aelod o seiat y Bala, a phrofodd effeithiau Calfiniaeth yno fel grym niweidiol. Cam digon naturiol iddynt oedd ailgyhoeddi'r rhannau perthnasol o waith Wesley, ynghyd â phamffledi a oedd yn ddibynnol ar ei syniadau. Digon ailadroddus yw eu cynnwys, yn darlunio credo'r Methodistiaid Calfinaidd fel math o dyngedfennaeth ddynol ei gwneuthuriad a oedd yn cyfyngu ar y cariad dwyfol ac yn gwneud Duw yn ddim mwy na theyrn didostur.[33] Yr un neges a gyhoeddent wrth bregethu ac wrth ymwneud ag aelodau unigol o'r seiadau.[34] Roedd y cenhadon â 'sirioldeb ieuenctid yn brydferth ar eu gwedd' yn denu gwrandawiad, a daeth yn achos gofid yn fuan iawn i arweinwyr y Calfiniaid.[35]

Serch hynny, nodweddiadol bwyllog oedd eu hymateb. Nid oes awgrym o ymddangosiad y pregethwyr Arminaidd ar dudalennau *Trysorfa Ysprydol,* ac roedd sawl pamffled wedi ymddangos o du'r Bedyddiwr Christmas Evans ymhell cyn i'r Methodistiaid Calfinaidd godi eu llef.[36] Ond tawelwch cyn y storm oedd hyn, oblegid roedd Jones wrthi'n gweithio ar ei ymateb, sef y *Drych Athrawiaethol* ac *Ymddyddanion Crefyddol rhwng Ystyriol a Hyfforddl,* y cyntaf yn bamffled fer a'r llall yn gyfrol sylweddol. Fe'u cwblhawyd cyn diwedd 1805 yn ôl eu hawdur, ond bu cryn oedi cyn ei chyhoeddi, a gwasg y Bala'n cael trafferth ymgodymu â phwysau menter fawr *Geiriadur* Charles.[37] Llwyddodd cynnwys y *Drych* i dynnu'r mwyaf profiadol o genhadon y Wesleaid, sef Owen Davies, i ddadl gyhoeddus, ac ymatebodd â'i gyfrolau ei hun.[38] Roedd Davies druan o dan anfantais o'r dechrau. Nid oedd yn hyderus yn ei Gymraeg, a dibynnai ar ei gyd-gennad, John Bryan, i gyfieithu ei waith. Dangosodd Jones yn fuan iawn fod ei ddealltwriaeth o'r materion a drafodent yn helaethach o lawer na'i wrthwynebydd, ac aeth pethau'n chwerw a phersonol iawn rhwng y ddau.[39] Serch hynny, ni pheidiodd rhyfel y pamffledi, a chaed cyfanswm o bedair cyfrol o du Jones a thair gan Davies. Ni fu darllen mawr ar y cyfrolau hyn gan haneswyr diweddarach, ac o ganlyniad mae'n dealltwriaeth o feddwl arweinwyr Methodistiaeth y cyfnod yn dlotach nag y gallai fod. Ynghyd â'r *Geiriadur* enwocach, mae'r cyfrolau hyn ymhlith cynnyrch disgleiriaf a mwyaf uchelgeisiol y Methodistiaid Cymraeg er llyfrau Pantycelyn. Nid traethodau amddiffynnol eu naws ydynt, ond datganiadau hyderus o safle'r mudiad Methodistaidd yng nghynllun achubol Duw. Maent yn cyflwyno gweledigaeth ysblennydd o hanes eglwysig sy'n cyfystyru Calfiniaeth â gwir gatholigiaeth yr oesau. Dyna gredo'r apostolion a'r tadau eglwysig bore, a hi a gyfyd ym mhob achlysur y tywelltir yr Ysbryd Glân yn rymus ar yr eglwys. Serch hynny, cydnabu Jones fod blynyddoedd hirfaith o dywyllwch rhwng teyrnasiad Cystennin Fawr a'r Diwygiad Protestannaidd, a beiai hynny ar agwedd meddwl a ddeilliai o wrthryfel ysbrydol yn erbyn y wir ffydd, sef Arminiaeth. Plentyn i Pelagiws neu 'Forgan', y mynach o Gymro, oedd y gredo hon, ac yn sgil ei ddadleuon ag Awstin Fawr yn y bumed ganrif, daeth llen o dywyllwch i orchuddio'r eglwys. Roedd hi'n dasg anodd i ddilyn y wir gred wedi hyn, ond llwydda Jones i wneud hynny trwy fynd â'i ddarllenydd ar daith eang ei chwmpas gan un na fu fyw erioed ymhell o olwg Moel Famau. Rhydd gipolwg ar y Waldensiaid, y proto-Brotestaniaid, yn uchel yn yr Alpau, ac ar Jan Hus (1372–1415) a Ierôm o Brâg (1379–1416), cyn dod at oleuni llachar y Diwygiad Protestannaidd yn Lloegr yn oes Edward VI. Hugh Latimer a'i debyg biau'r llwyfan yma, a dengys Jones y modd y lluniwyd eglwys ddiwygiedig dan law Duw a'r frenhiniaeth. Ond yn fuan y cododd Morganiaeth eto ei phen, y tro hwn drwy ddylanwad Jacobus Arminius o Holand (1560–1609), a llygrwyd Eglwys Loegr gan ei ddilynwyr yntau, a'i gadael ymhell o fwriadau Duw ar ei chyfer.

Dadl ryfedd yw hon ar yr olwg gyntaf. Wedi'r cyfan, roedd perthynas y ddau fudiad Methodistaidd â'r eglwys sefydledig yn amwys erbyn hyn, â'r Calfiniaid eisoes yn wynebu'r tensiynau a fyddai'n arwain at yr ordeinio yn1811. Serch hynny, mae gweithiau Jones yn ffynhonnell allweddol i ddeall yr hunaniaeth a geisiodd Thomas Jones a Thomas Charles drosglwyddo i'w dilynwyr. Yn gyntaf oll, ceisient gadarnhau hunaniaeth y Methodistiaid fel mudiad Calfinaidd. Ni fyddai lle o'i fewn bellach i'r rheiny a goleddai syniadau Arminaidd ynghylch yr iachawdwriaeth, ac roedd hynny'n doriad â gorffennol mwy llac, llai cyffesiadol ei bwyslais. Yn ogystal, gwelwn Jones yn ceisio argyhoeddi ei gyd-Fethodistiaid eu bod yn perthyn i linach y wir eglwys ar hyd yr oesoedd, neu mewn geiriau eraill eu bod yn Gristionogion catholig.[40] Cymhwysa syniadau hanesiol yr Anglicaniaid efengylaidd Augustus Toplady a Joseph Milner i sefyllfa'r Methodistiaeth Cymreig.[41] Bu dadl chwerw rhwng Toplady a John Wesley yn ystod y 1770au dros natur athrawiaethiol yr eglwys sefydledig, gyda Toplady yn dadlau'n bur ddeheuig mai eglwys Galfinaidd a Diwygiedig oedd Eglwys Loegr yn ôl ei herthyglau. Ceisiai Milner, ar y llaw arall, ddarlunio'r un wir eglwys drwy'r oesoedd fel un Galfinaidd ei hathrawiaeth.[42] Trwy fenthyg o'r gweithiau hyn, dadleuodd Jones mai parhad o'r wir Anglicaniaieth oedd y mudiad Methodistaidd Cymreig o ran athrawiaeth beth bynnag am litwrgi a threfn eglwysig, ac nid gwyriad oddi wrthi. Ac nid syniad unigryw i Jones oedd hwn. Wrth anfon y *Drych Athrawiaethol* i'r wasg, siarsiodd Charles:'look them over and alter, add or abridge, as you shall see occasion.'[43] Hefyd, pwysleisiodd i'r darllenydd fod cynnwys y cyfrolau wedi eu hawdurdodi gan Thomas Charles a John Evans, a'u bod wedi ymddangos gyda sêl bendith y cyfundeb.[44] Er na chwaraeodd Charles ran gyhoeddus yn y ddadl hon, roedd y ddau yn gwbl gytûn nad gwyriad oddi wrth gatholigrwydd yr eglwys oedd y Methodistiaid Cymraeg ond rhan o'i phrif ffrwd.

Erbyn diwedd y ddadl Wesleaidd, roedd gan Fethodistiaid Calfinaidd Cymru bwnc llosg arall i'w drafod. Cytunir fod pwysau cynyddol o fewn y mudiad i sicrhau gweinyddiad amlach o'r sacramentau ymhlith y seiadau, gweithred a alluogwyd â neilltuo rhai o arweinwyr y corff i'r gwaith ym 1811.[45] Trafodwyd y mater hwn droeon gan haneswyr, a phrin y gellid ychwanegu mwy at fanylion y naratif. Mewn rhyw ystyr, roedd arwahanrwydd y mudiad oddi wrth yr eglwys sefydledig a'i harfer yn ei gwneud yn gynyddol anodd i'r mudiad barhau fel ag y bu yn y ddeunawfed ganrif. Milwriai llu o ffactorau yn erbyn yr 'hen Methodistiaid', chwedl Robert Jones Rhos-lan mewn llythyr at ei fab, a fynnai fod dyfodol o hyd i'r cyfundeb fel mudiad diwygiadol oddi mewn i'r Eglwys.[46] Serch hynny, nid yw'r ffaith fod rhywbeth yn ymddangos o bellter yn anorfod bob amser yn gymorth i roi'r cyfrif gorau am agweddau unigolion fel Charles yn ei gyfnod ei hun. Mae perthynas Charles a Jones yng nghanol y bwrlwm hwn yn gymorth mawr i ddeall rhai o'r tensiynau allweddol.

Penbleth ganolog yng nghanol hyn yw rôl argyhoeddiadau eglwysyddol Thomas Charles. Ar un llaw, gwelir ôl ei law ef ar ddull yr ordeiniad cyntaf yn 1811; ar y llaw arall, mae'r dystiolaeth yn awgrymu ei fod ymhlith gwrthwynebwyr chwyrnaf yr ymgais i ordeinio yn y blynyddoedd cynt. Plyga ei gofiannydd enwocaf, D. E. Jenkins, y dyddiadau a'r naratif i siwtio'i ddarlun o'i eilun fel pensaer gofalus a cheidwadol ar y mudiad.[47] Serch hynny, mae'r dystiolaeth yn awgrymu fod pethau'n gymhlethach o lawer, a bydd o gymorth i gymryd cipolwg eangach ar feddwl Charles a'i fyd. Fel y nodwyd eisoes, roedd Charles yn Anglican o argyhoeddiad: gwrthodai'r enw o Anghydffurfiwr, a mynnai ei fod yn ffyddlon i'r sefydliad. Wedi dweud hyn, ers gadael curadiaeth Llanymawddwy yn 1784, nid oedd ganddo swydd o'i mewn. Rhywsut, gallai fodoli yn y sefyllfa ryfedd hon â'i gydwybod yn esmwyth, ac mae'n allweddol deall sut y gwnâi hynny. Yn gyntaf, rhaid nodi nad oedd ei benbleth yn unigryw o bell ffordd. Roedd sawl un o gyfeillion Seisnig Charles mewn sefyllfa debyg, gan gynnwys Rowland Hill a Thomas Haweis. Er eu bod yn ffurfiol y tu allan i ffiniau awdurdod esgobol, gwnaent ddefnydd o'r Llyfr Gweddi Cyffredin mewn addoliad, fel y gwnâi Charles ei hun, a honnent barch eithriadol at y fam eglwys.[48] Roedd argyhoeddiadau hanesyddol Toplady a Milner yn fyw iddynt, ac yn cyfiawnhau eu sefyllfa yn wyneb pob gorthrwm. Credent mai hwy, yr efengylyddwyr Calfinaidd, oedd y rhai gwir ffyddlon i hanfod crefydd Eglwys Loegr, a'u bod yn offerynnau er ei diwygio yn unol â'i sylfenwyr yn oes Edward VI ac Elizabeth I. Gan gofio hyn, gallai Thomas Jones, Creaton, atgoffa Charles mai gwaith dros dro oedd Methodistiaeth, er ei lewyrch a'i gynnydd. Rhan o gynllun Duw ydoedd i ddeffro'r Eglwys i eiddigedd dros ei phreiddiau a bywiogi'r clerigwyr. Rhyw ddydd byddai'r Ysbryd yn dechrau llifo drwy'r 'proper channel', yr offeiriaid, drachefn.[49] Mynegir syniad digon tebyg ar derfyn pamffled a gyhoeddodd Thomas Jones o Ddinbych ym 1793.[50] Er mor annhebygol oedd hyn, ni ellir dibrisio grym disgwyliad ym merw eschatolegol yr oes. Credodd y Methodistiaid eu bod yn gweld proffwydoliaethau'r Hen Destament yn cael eu gwireddu yn raddol o flaen eu llygaid drwy'r mudiad cenhadol.[51] Ni ellir, felly, dibrisio grym gobeithion tebyg i'r rhain ym meddwl dyn fel Charles.

Nid mater o hoffter personol yn unig a'i gwnâi yn ochelgar wrth ystyried newid ym mherthynas Methodistiaeth â'r fam eglwys. Cofiwn mai mudiad a draddodwyd i'w ofal oedd Methodistiaeth, â siars i'w hamddiffyn rhag anuniongrededd gan y Pêr Ganiedydd ei hun.[52] Charles yn ddi-gwestiwn oedd y blaenaf o arweinwyr y mudiad yng nghyfnod allweddol y trafod, ac roedd y baich trwm o ddiogelu hygrededd y dystiolaeth i'r dyfodol yn pwyso arno. Fel ei gyd efengylyddwyr, credai Charles mai'r modd i ddiogelu hynny oedd trwy aros yng nghymundeb Eglwys Loegr. Ofnai nifer y byddai ymadael â hi yn ennyn gwg y Goruchaf. I bobl a welai ôl llaw rhagluniaeth ar bob peth, roedd y gofid hwn yn un real iawn. Digon hawdd fyddai credu fod y fendith wedi ei symud o ddwy sefyllfa y gwyddai Charles amdanynt yn dda. Bu mewn cyswllt a Chyfundeb yr Iarlles Huntingdon, a gwyddai am y dirywiad sydyn yn ei chyfundeb wedi ei marw.[53] Yn ogystal, gwnaeth ymweliad a'r Iwerddon ym 1807 argraff ddofn arno. Er iddo sylwi â galar ar gyflwr ysbrydol y bobl dan Babyddiaeth, roedd ei brofiad o efengylyddiaeth yno yn drawmatig. Mewn llythyr at ei frawd, disgrifia sefyllfa sy'n amlwg yn ryw lun ar hunllef iddo: yr eglwysi wedi eu rhwygo rhwng mân babau anffaeledig, yn gweinyddu'r sacramentau heb weinidogion ordeiniedig, ac o ganlyniad yn gwbl aneffeithiol eu cenhadaeth.[54] Digwyddai hyn oll dan arweiniad offeiriaid a ymwahanodd â'r Eglwys Wladol mewn ymgais i greu eglwysi 'pur'. Roedd braw y 'dieithr dân / a thyfu yn fân sectau', chwedl John Davies, Cynwyl Elfed, yn pwyso ar feddyliau nifer o'r Methodistiaid.[55]

Chwaraeai'r cyswllt ag Eglwys Loegr ran allweddol arall ym mharhad cyfundeb y Methodistiaid yn nhyb Charles a Thomas Jones, sef diogelwch yr athrawiaeth Galfinaidd. Dadleuir gan un dosbarth o haneswyr cyfoes nad yw'r term 'Calfiniaeth' yn gymorth i ddeall argyhoeddiadau diwinyddion Protestannaidd Ffrainc a'r Swistir yn y cyfnod modern cynnar, a gwell defnyddio'r term 'Diwygiedig'.[56] Daw'r rhesymau dros hynny'n amlwg wrth drafod credoau gwŷr fel Charles a Jones. Yn un peth, yn ei weithiau cyfeiria Jones at 'Galfiniaid' er iddynt fyw oesau maith cyn geni John Calvin, a phan ddaeth i drafod syniadau diwygiwr Genefa yn ei *Ferthyrdraeth* anferth, dywed iddo bwysleisio'r athrawiaeth o wrthodedigaeth yn ormodol.[57] Nid ymlyniad â threfn athrawiaethol unigolyn a olygid wrth ddefnyddio'r enw, nac ychwaith batrwm soteriolegol cyfyng, ond ymdrech ddidwyll i esbonio a thraddodi dysgeidiaeth yr Ysgrythur gan dynnu ar draddodiad cyfoethog o esboniadaeth a chyfundrefnu. Ar derfyn y ddeunawfed ganrif, roedd y meddylfryd hwn dan warchae, a gwelai Charles a Jones eu hoes fel un oedd yn prysur symud at anuniongrededd.[58] Rhwng yr Arminiaid, yr Ariaid, y Deistiaid a'r Bedyddwyr, roedd bywyd yn beryglus i grediniwr tlawd.

Un o'r gofidiau pennaf oedd natur y 'Galfiniaeth' a goleddwyd gan yr arweinwyr iau. Wrth geisio ehangu eu dysg diwinyddol, dôi nifer o bregethwyr amlycaf y mudiad i gyswllt ag amrywiaeth o syniadau trwy gylchgronau a chyhoeddiadau, a thueddent i fod yn eclectig wrth ymdrin â hwy. Byrlymai trafodaethau am natur a phriod wrthrychau prynedigaeth Crist ym Mhrydain a'r Unol Daleithiau, a daeth nifer yng Nghymru i goleddu safbwyntiau eithafol. Er bod dadl 'yr iawn cytbwys' yn perthyn i flynyddoedd olaf oes Thomas Jones,[59] o ddarllen y cylchgronau a'r pregethau mae'n amlwg fod y duedd hon i bregethu syniadau cyfyng am yr Iawn yn broblem gynyddol rhwng 1800 ac 1810.[60] Rhai o'r dogfennau mwyaf arwyddocaol am hyn yw adroddiadau Charles am drafodaethau'r sasiynau. Y bore cyn y drafodaeth bwysig ar y sacramentau yn sasiwn y Bala, 21–2 Mehefin 1809, trafodwyd y cysyniad o brynedigaeth, 'i'r dyben i fod ein geiriau yn addas ac yn gydsyniol â'n gilydd wrth ymadroddi mewn perthynas a'r athrawiaeth hon'.[61] Anogir aelodau'r sasiwn i ymwrthod â'r syniad cyfeiliornus y byddai angen dioddefaint pellach ar ran Crist pe achubai nifer mwy na rhif yr etholedigion. Roedd marwolaeth Crist yn daliad digonol i bawb a fynnent ddod ato, ac ofer oedd unrhyw ddyfalu pellach.[62] Dadleua ymhellach fod ymholiadau o'r math hwn yn gwbl amhriodol ac yn tanseilio ysbryd crefydd. Un ffordd amlwg i ddiogelu rhag y duedd hon oedd cadw at ei athrawiaethau sylfaenol y Deugain Erthygl Namyn Un.[63] Er bod Thomas Charles a Thomas Jones yn llwyr ymwybodol o gatecismau a chyffesion cyfnod diweddarach, roedd y dogfennau a arddelent yn fodd o gadw eu pobl yn ddiogel o fewn terfynau cred Diwygwyr Lloegr. Pwysleisiodd y Diwygwyr ffydd, edifeirwch a sancteiddrwydd buchedd, a ffitiai hynny agenda wrth-ddyfaliadol yr arweinwyr Cymreig i'r dim. Yn ôl Philip Oliver, roedd-ent yn 'bar to innovation'[64] mewn oes gyfnewidiol iawn. Gwnaed yr apêl hon ar draul dogfennau'r Piwritaniaid, a gellir deall hynny yng nghyd-destun yr hyn oedd yn digwydd yn Lloegr y pryd.[65] Dyma un o themâu mawr gwaith Thomas Jones, ac mae'n anodd credu nad oedd Charles mewn cytundeb llwyr ag ef. Er bod y mater o ordeinio yn cael ei drafod mewn sasiynau, roedd angen daeargryn i newid safbwynt y gŵr o'r Bala.

Yn annisgwyl, ei gyfaill, Thomas Jones, a barodd y daeargryn hwn-nw. Roedd yntau erbyn hyn yn ail yn unig i Charles ymhlith yr arwein-wyr. Yn ogystal, roedd yn bregethwr uchel ei barch, â'i arweinyddiaeth ar nifer o'r achosion yn y trefi y bu fyw ynddynt yn fodd i wreiddio a sefydlogi Methodistiaeth y gogledd.[66] Dywed yn ei hunangofiant iddo ddechrau ymboeni am y mater o ordeinio oddeutu 1807, ond fel soniwyd uchod, nid oes awgrym o hynny yn ei gyfrolau.[67] Tua diwedd 1809, penderfynodd beidio â choleddu safbwynt Charles, ac yn y flwyddyn dyngedfennol, 1810, cymrodd sawl cam pendant i orfodi ei gyfaill i ymateb. Erys tair dogfen allweddol a gyfansoddwyd ganddo yn gynnar yn 1810 i gyfiawnhau ei farn.[68] Yn gyntaf, llythyrodd â chyfaill agos ato, sef Daniel, mab Robert Jones Rhos-lan. Yn naturiol ddigon, copïodd y mab y llythyr a'i hanfon ymlaen i'w dad.[69] Yn ogystal, ysgrifennodd bamffled Gymraeg a'i dosbarthu ymhlith y pregethwyr. Gwyddom amdani trwy gyfieithiad Saesneg a luniodd Ebenezer Richard ar gais y Capten James Bowen, Llwyngwair.[70] Am-linella hon nifer o'i resymau dros ordeinio, ynghyd â gosod patrwm ar gyfer yr eglwys newydd arfaethedig. Efallai mai'r ddogfen bwysicaf yw'r llythyr a anfonodd at Thomas Charles ei hun, a ddaeth i'r golwg ar ôl cyhoeddi cyfrolau D. E. Jenkins.[71] Yn y ddogfen hon mae Jones yn troi'r dadleuon a ddefnyddiai gynt i gyfiawnhau hawl y Method-istiaid i berthyn i'r Eglwys Loegr ar eu pen, gan ddefnyddio'r un rhesymau i ddadlau o blaid troi'r mudiad yn eglwys neilltuol yn ei hawl ei hun. Onid oedd ffeithiau'r sefyllfa eisoes wedi troi'r Methodistiaid yn eglwys mewn pob peth ond enw, ac oni ddylent ddilyn y rhesymu i'r pen? Yn ogystal â hyn, ni wyddai am 'a visible church described by any writer, but as a congregation &c of people, having the word of God truly preached, and the sacraments duly administered, among them'.[72] Gwyddai y byddai'r farn hon yn siom ddwys i Charles, ond mynnodd fod cymhellion didwyll yn llywio'i ymgais. Taerai nad oedd yn dymuno bod yn bab bychan ar y Methodistiaid Calfinaidd, oherwydd gwyddai na ellid symud ymlaen i ordeinio heb gydsyniad Charles a'i 'weight and authority ... regulating, rather than in resisting, our weak and unseemly, yet honest, endeavour'.[73] Cefnogodd y weithred hon yn ymarferol trwy ymateb i alwad ei gynulleidfa i fedyddio sawl plentyn yn Ninbych a'r ardaloedd cyfagos.

Mewn sawl sasiwn a chyfarfod arbennig o brif arweinwyr y corff daeth yn amlwg i Charles, er parhad yr achos, byddai angen ei gymorth yn ddirfawr, a rhoes ei alluoedd sylweddol ar waith i hwyluso'r weithred o greu eglwys yn ei hawl ei hun. Priodolodd Jones y newid meddwl hwn i'w ddylanwad ei hun.[74] Serch hynny, nid ôl cynllun Jones sydd ar y gweithgarwch ynghylch yr ordeinio, ond ôl llaw Charles. Mae ei dôn ef i'w glywed yn amlwg yn y bamffled fechan, *Golygiad Byr ar y Dull a'r Drefn*, a gyhoeddwyd i gofnodi'r digwyddiad ac i esbonio'i ystyr. Pwysleisir ynddo mai ordeiniad ydoedd i gefnogi gwaith y clerigwyr, a bod angen i Fethodistiaid uno o gwmpas pethau cyffredin beth bynnag am amrywiaeth barn.[75] Mae iaith fuddugoliaethus y gŵr o Ddinbych yn gwbl absennol o'r traethiad. Er i Charles chwarae rhan allweddol yn y gwasanaethau ordeinio yn y Bala ar 19–20 Mehefin 1811, mae ambell awgrym nad oedd y weithred yn ei fodloni'n llwyr. Mewn llythyr at ei frawd, David Charles Caerfyrddin, meddai:

> Tho' I was not an ostensible agent, yet behind the curtain (*between us*) I was obliged to influence the whole, or else they would have been much at a loss how to proceed, and likely to create disputes and confusion.[76]

Er ei ansicrwydd, ymddengys fod ofn Charles o weld y praidd Methodistaidd Gymreig yn chwalu yn drech na'i ofidiau oll. Siomwyd nifer o'i 'clerical friends in the church' gan ei weithred.[77] Ymosododd pamffled Thomas Jones, Creaton, *The Welsh Looking Glass*, yn llym ar y Methodistiaid, ac, er bod y ddau yn gyfeillion, ar Charles ei hun. Fe'i darluniwyd fel dyn dan ormes penboethiaid radical yn creu sgism yn eglwys Crist.[78] Mewn llythyr emosiynol at ei hen gyfaill, mynnodd fod yr ordeinio wedi rhoi terfyn ar y wir Fethodistiaeth Gymraeg, ac yn gam cyntaf tuag at ei dinistr. Rhybuddia Charles rhag uchelgais a hunan-dyb y pregethwyr iau:

> [t]he day is not distant when these restless spirits will treat you with contempt, and it is not improbable but you like dear David Jones [Llangan] will sink with a broken heart to the grave.[79]

Chwalwyd gobeithion offeiriad Creaton i weld y Fethodistiaeth Gymraeg yn fodd i adfywio'r eglwys oll, ac mae'n anodd gweld sut na allai gweithred yr ordeinio fod yn halen ar friw. Aeth ambell Eglwyswr mor bell â honni i Charles edifarhau ar ei wely angau am ei ran yn ordeiniad 1811, gan gyfrannu at chwerwdod yr ymgyrch ddatgysylltu ar derfyn y bedwaredd ganrif ar bymtheg a throad yr ugeinfed ganrif.[80] Prin oedd y dystiolaeth i hyn, ond roedd yn fater sensitif i Anghydffurfwyr am fod digon o amwysedd ynghylch agwedd Charles i wneud y fath gyhuddiad o leiaf yn bosibl.

Dair blynedd ar ôl yr ordeinio, traddododd Thomas Jones bregeth angladdol i'w gyfaill, ac wrth draethu ni allai rwystro'i ddagrau rhag llifo. Roedd y gŵr a barchai uwchlaw pob dyn, ei gyfaill a'i gydweithiwr agosaf, wedi gadael bwlch yn ei fywyd na ellid mo'i lenwi.[81] Mae'n deg dweud i ymwneud Jones â'r mudiad wedi marw ei gyfaill gael ei liwio'n drwm gan alar a siom, ac ofnai na fyddai'r mudiad fyth yr un fath. Rhwng 1814 a'i farw ym 1820, gosodasai Jones ei hun fel amddiffynnydd i dreftadaeth Charles. Ceisiodd rwystro datblygiadau pellach yn hunaniaeth y mudiad megis ymgais yr arweinwyr iau i lunio Cyffes Ffydd, a cheisiodd ddiogelu cymedroldeb athrawiaethol yr enwad newydd yn erbyn syniadau rhyfedd rhai o'r pregethwyr eraill. Am nifer o resymau, ni allai beri undod rhwng y gwahaniaethau fel y gwnaeth Charles. Mewn rhyw ystyr, daeth proffwydoliaeth Jones o Creaton yn wir am Jones o Ddinbych. Pentyrrodd y 'restless spirits', y gweinidogion iau, ofidiau trwm arno, a daeth yn agos at ymadael â'r corff y bu iddo ran mor bwysig yn ei greu. Ysywaeth, medodd yr hyn y bu'n ei hau. Fel sawl Methodist oedrannus yn ei gyfnod, fe'u siomwyd gan yr hyn y cafodd ran yn ei greu. Serch hynny, nid yw hyn yn diddymu ei rôl yn ffurfiant y mudiad, a'i ran allweddol yn cefnogi ac yn dylanwadu ar weinidogaeth Thomas Charles.

Nodiadau

[1] *Gwas*, t. 17; cf. sylwadau Derec Llwyd Morgan ym mhennod 12.

[2] Edward Morgan, *A Brief History of the Life and Labours of the Rev. T. Charles, A.B. Late of Bala, Meirionethshire* (London: 1828), pp. 264–6.

[3] Edward Morgan (gol.), *Essays, Letters, and Interesting Papers of the Late Rev. Thomas Charles* (London: 1836), pp. 312–15.

[4] Thomas Charles, 'Ymddiddan rhwng Scrutator a Senex', *Trysorfa Ysprydol*, 1/1 (1799), 30–26; *Trysorfa: yn Cynnwys Amrywiaeth o Bethau ar Amcan Crefyddol, yn Athrawiaethol, yn Annogaethol, yn Hanesiol, &c.*, 2/3 (1809), 134–9; 2/5 (1810), 31–3; 2/6 (1811), 276–7; 2/10 (1812), 433–5; 2/11 (1813), 477–8; 2/12 (1813), 516–8.

[5] Idwal Jones, 'Thomas Jones o Ddinbych: Awdur a Chyhoeddwr', *The Journal of the Welsh Bibliographical Society*, 5/3 (1939), 137–209.

[6] *Life*, I, pp. 513–4, 520–1.

[7] *Cofiant*, tt. 164–5.

[8] Thomas Charles a Thomas Jones (cyf.), *Llythyr at Mr. T. Jones, o'r Wyddgrug, yn Cynnwys Hanes Fer o For-daith Lwyddianus y Llong Duff*, ail arg. (Trefecca: 1799), t. 3; Thomas Charles and Thomas Jones, *The Welsh Methodists Vindicated: in Answer to the Accusations Against Them, Contained in Two Anonymous Pamphlets* (Chester: 1802), tt. 71–9.

[9] R. P. Evans, 'Rev. John Lloyd of Caerwys (1733–93): Historian, Antiquarian and Genealogist', *Flintshire Historical Society Journal*, 31 (1984), 109–24; cf. R. Tudur Jones, *Congregationalism in England, 1662–1962* (London: 1962), tt. 167–71; W. T. Owen, *Edward Williams, D.D. 1750–1813: His Life, Thought and Influence* (Cardiff: 1963), tt. 4–5.

[10] John Humphreys a John Roberts, *Cofiant, neu hanes bywyd a marwolaeth y Parch. Thomas Jones, gweinidog yr efengyl, yn ddiweddar o dref Ddinbych; hanes ei fywyd a 'sgrifenwyd ganddo ef ei hun, ar ddymuniad ei gyfaill Parchedig Mr. Charles* (Dinbych: 1820), t. 7.

[11] *Cynnydd*, tt. 543–544; J. Morgan Jones, *Ordeiniad 1811 Ymysg y Methodistiaid Calfinaidd* (Caernarfon [1911]), tt. 90–143.

[12] LlGC, Llsgr. Thomas Charles Edwards 1, Hunangofiant Thomas Charles o'i eni hyd 18 Fai 1782.

[13] *Life*, I, tt. 38–40; Morgan, *A Brief History*, tt. 1–9; am natur y blaid efengylaidd oddi mewn i Eglwys Loegr ar y pryd, gw. D. Bruce Hindmarsh, *John Newton and the English Evangelical Tradition* (Oxford: 1996).

[14] G. Owen, *Hanes Methodistiaeth Sir Fflint* (Dolgellau: 1914), tt. 152–66; E. W. Williams, 'Cyfnod yr Arloesi hyd at 1815', yn R. H. Evans (gol.), *Hanes Henaduriaeth Dyffryn Clwyd* (Dinbych: 1986), tt. 13–31; E.W. Jones, 'Edward Parry, 1723–1786, Llansannan', *Y Traethodydd*, 142 (1987), 23–7.

[15] Thomas Roberts, 'Cofiant am Edward Parry, gynt o'r Bryn–bugad, yn mhlwyf Llansannan', *Y Drysorfa*, 5/116 (1828) 420–22; 5/117 (1828) 446–8;

5/118 (1828), 465–7; 5/119 (1828), 490–4; 5/120 (1828), 516–8; 5/121 (1828), 539–41; 5/122 (1828) 558–9; John Edwards, 'Hanes Dechreuad a Chynnydd y Methodistiaid Calfinaidd yn Sir Fflint', *Y Drysorfa*, 9/ 99 (1839), 84–6; John Hughes, *Methodistiaeth Cymru*, Cyfrol 3 (Wrecsam: 1856), tt. 135–51.

[16] Gweler, er enghraifft, achos John Edwards, ficer Cwm a gwrthwynebydd llym i Fethodistiaeth: *Welch Piety: or, a Farther Account of the Circulating Welch Charity Schools, from Michaelmas 1761, to Michaelmas 1762* (London: 1762), tt. 21–2; LLGC, Yr Eglwys yng Nghymru Esgobaeth Llanelwy, SA/QA/4, Cwestiynau ac Atebion Gofwy, 1749.

[17] Humphreys a Roberts, *Cofiant, neu hanes bywyd a marwolaeth y Parch. Thomas Jones*, tt. 18, 20.

[18] T. Rees, J. Thomas, *Hanes Eglwysi Annibynol Cymru*, Cyfrol 4 (Liverpool: 1875), tt. 213–215; rhyw ddeg ar hugain a ymlynai wrth yr achos hwn yng nghanol y ddeunawfed ganrif, ac yn ôl pob golwg lleihau wnâi'r nifer hyd at 1790.

[19] LLGC, Yr Eglwys yng Nghymru Esgobaeth Llanelwy, SA/LET/1061, Peter Evans, curad Treffynnon, at esgob Llanelwy, 31 Awst 1732; *Catholic Record Society: Miscellanea III* (London: 1906), tt. 105–34; Humphreys a Roberts, *Cofiant, neu hanes bywyd a marwolaeth y Parch. Thomas Jones*, t. 8.

[20] Owen Thomas, *Cofiant y Parchedig Henry Rees, yn Cynnwys Casgliad Helaeth o'i Lythyrau*, cyfrol 1 (Wrecsam: 1890), t. 62.

[21] Eiluned Rees, *The Welsh Book-Trade Before 1820* (Aberystwyth: 1988); J. Feather, *The Provincial Book Trade in Eighteenth-Century England* (Cambridge: 1985), tt. 74–8.

[22] Jonathan Jones, *Cofiant y Parch. Thomas Jones o Ddinbych* (Dinbych: 1897), tt. 39–40; Frank Price Jones, *Thomas Jones o Ddinbych, 1756–1820* (Dinbych: 1956), t. 18.

[23] Gw. Thomas Jones, *Sylwiadau ar Draethawd a Elwir, Undeb Crefyddol, neu Rybudd yn Erbyn Schism, Mewn Ffordd o Lythyr at yr Awdwr o Hono* (Llundain: 1793); [Thomas Charles a Thomas Jones] *Rheolau a Dybenion y Cymdeithasau Neillduol yn Mhlith y Bobl a Elwir y Methodistiaid yn Nghymru; A Gyttunwyd Arnynt Mewn Cymdeithasfa Chwarterol, yn y Bala, Mehefin 16 a'r 17, 1801* (Caerlleon: 1801), tt. iii–viii.

[24] Humphreys a Roberts, *Cofiant, neu hanes bywyd a marwolaeth y Parch. Thomas Jones*, t. 78.

[25] Morgan (gol.), *Essays, Letters, and Interesting Papers of the Late Rev. Thomas Charles*, tt. 362–3; daw'r geiriau uchod mewn ymateb i awgrym gan Mayor i gyfieithu T. Scott, *The Doctrines of Election, and Final Perseverance stated from Scripture, and shewn consistent with exhortatory and practical Preaching, and conducive to holiness of Life* (1786).

[26] Gomer M. Roberts, *Bywyd a Gwaith Peter Williams* (Caerdydd: 1943), tt. 93–117; cf. Geraint Tudur, '"Like a Strong Arm and a Pillar": the Story of James Beaumont', R. Pope (gol.), *Honouring the Past and Shaping the Future: Religious and Biblical Studies in Wales* (Leominster: 2003), pp. 133–58.

[27] D. Williams, 'Thomas Foulks, 1731–1802', *Bathafarn: Cylchgrawn Hanes yr Eglwys Fethodistaidd yng Nghymru*, 4 (1949), 17–24; gwrthbrofir honiadau J. Morgan Jones a William Morgan, *Y Tadau Methodistaidd*, Cyfrol 2 (Abertawe: 1895), tt. 91–8.

[28] Hughes, *Methodistiaeth Cymru*, Cyfrol 3, tt. 170–1.

[29] Thomas Jones, *Drych Athrawiaethol: yn Dangos Arminiaeth a Chalfinistiaeth, Mewn Ffordd o Ymddyddan Rhwng Dau Gyfaill, Holydd ac Atebydd* (Bala: 1806), t. iii.

[30] A. H. Williams, *Welsh Wesleyan Methodism, 1800–1858: Its Origins, Growth and Secessions* (Bangor: 1935), tt. 78–81.

[31] LlGC Llsgr. 3501 B, Dyddlyfr John Hughes, Aberhonddu (1776–1843); amdano gw. R. T. Jenkins, 'John Hughes, Aberhonddu', *Yng Nghysgod Trefeca* (Caernarfon: 1968), tt. 172–89.

[32] Hindmarsh, *John Newton and the English Evangelical Tradition*, tt. 134–5; E. Gordon Rupp, *Religion in England, 1688–1791* (Oxford: 1986), tt. 368–72; Griffith T. Roberts, *Dadleuon Methodistiaeth Gynnar* (Abertawe: 1972), *passim*.

[33] John Wesley, J. Bryan (cyf.), *Yr Athrawiaeth Ysgrythurol ynghylch Etholedigaeth a Gwrthodedigaeth, a rhai o Ganlyniadau Echryslon yr Athrawiaeth Hono. Wedi eu cymmeryd allan o waith Mr. Wesley. At ba un y'chwanegir, Ychydig o Ystyriaethau ar y Llyfr, A elwir Gwrth-feddyginiaeth yn erbyn gwenwyn Arminiaeth* (Caerlleon: 1805); am fanylion y ddadl gw. Owen Thomas, *Cofiant y Parchedig John Jones, Talsarn, Mewn Cysylltiad a Hanes Duwinyddiaeth a Phregethu Cymru* (Wrexham: 1874), tt. 262–361, cf. D. Densil Morgan, 'Credo ac Athrawiaeth', *Twf*, tt. 125–30 yn arbennig.

[34] Jones, *Drych Athrawiaethol*, tt. 39–40.

[35] William Evans, *Hanes Bywyd a Marwolaeth y Parch. E. Jones, Bathafarn* (Machynlleth: 1850) t. iii.

[36] D. Densil Morgan, *Christmas Evans a'r Ymneilltuaeth Newydd* (Llandysul: 1991), tt. 139–42.

[37] Jones, *Drych Athrawiaethol*; idem, *Ymddyddanion Crefyddol (Rhwng Dau Gymmydog) Ystyriol a Hyfforddd, Mewn Ffordd Ymresymiadol, Hanesiol, ac Ysgrythyrol; Y'nghyd ag Ychydig Sylwadau ar Lythyr Mr. Owen Davies, at yr Awdwr; a Phrawf o Anghysonedd y Diweddar Barchedig J. Wesley Mewn Amryw Bynciau o Athrawiaeth* (Bala: 1807), t. 270.

[38] Owen Davies, *Amddiffyniad o'r Methodistiaid Wesleaidd, Mewn Llythyr at Mr. T. Jones; yn Atteb i'w Lyfr, a Elwir Drych Athrawiaethol; yn Dangos Arminiaeth a Chalfinistiaeth* (Caerlleon: 1806); idem, *Ymddiddanion rhwng dau gymmydog, Hyffordd a Beread, yn Dangos Cyfeiliornadau Calfinistiaeth: Y'nghyd â Dau Lythyr at Mr. Thomas Jones, Yn gwrthbrofi ei Brawf ef o Anghysonedd Mr. Wesley, a'i Sylwadau ar Lythyr Owen Davies* (Caerlleon: 1807).

[39] Davies, *Ymddiddanion Rhwng Dau Gymmydog, Hyffordd a Beread*, tt. 369, 370, 376; Jones, *Ymddyddanion*, 417, 427.

[40] Cf. pennod 3 uchod.

[41] Augustus Toplady, *Historic Proof of the Doctrinal Calvinism of the Church of England* , 2 Gyfrol (London: 1774); John Newton, *A Review of Ecclesiastical History, so Far as it Concerns the Progress, Declensions and Revivals of Evangelical Doctrine and Practice; With a Brief Account of the Spirit and Methods by Which Vital and Experimental Religion Have Been Opposed in all Ages of the Church* (London: 1770); Joseph Milner, *The History of the Church of Christ*, 5 cyfrol (York: 1794–1809); Thomas Haweis, *An Impartial and Succinct History of the Rise, Declension and Revival of the Church of Christ; from The Birth of our Saviour to the Present Time*, 3 cyfrol (London: 1800).

[42] G. P. Tomline, *A Refutation of Calvinism; In Which, The Doctrines of Original Sin, Grace, Regeneration, Justification, and Universal Redemption, are Explained, And the Peculiar Tenets Maintained by Calvin Upon Those Points are Proved to be Contrary to Scripture, to the Writings of the Antient Fathers of the Christian Church, and to the Public Formularies of the Church of England*, 4ydd arg. (London: 1811).

[43] LLGC, Llsgr. Thomas Charles Edwards 249, Thomas Jones at Thomas Charles, 16 Ionawr 1806.

[44] Jones, *Ymddyddanion Crefyddol*, t. 411.

[45] J. Gwynfor Jones, 'Pontio Dwy Genhedlaeth' yn *Twf*, tt. 1–41; David Ceri Jones, Boyd S. Schlenther ac Eryn M. White, *The Elect Methodists: Calvinistic Methodism in England and Wales 1735–1811* (Cardiff: 2012), tt. 223–32; D. Densil Morgan, 'Thomas Jones of Denbigh and the Ordination of 1811', *Welsh Journal of Religious History*, 6 (2011), 19–30.

[46] LlGC Llsgr. 4836 E, Robert Jones Rhos–lan at Daniel Jones, 10 Medi 1812.

[47] Yn ogysal â'r *Life*, gw. idem, *Calvinistic Methodist Holy Orders* (Caernarfon: 1911), *passim*.

[48] Brian D. Spinks, *Liturgy in the Age of Reason: Worship and Sacraments in England and Scotland 1662–c.1800* (Farnham: 2008), tt. 162, 174. Enwa Spinks Haweis, Newton, John Fletcher, a gellid ychwanegu atynt enw Rowland Hill, a deithiodd gryn dipyn gyda Charles gan bregethu drwy rannau o Gymru, *Life*, II, tt. 442–3.

[49] *Life*, II, tt. 442–3.

[50] Thomas Jones, *Sylwiadau ar Draethawd a Elwir, Undeb Crefyddol, neu Rybudd yn Erbyn Schism, Mewn Ffordd o Lythyr at yr Awdwr o Hono* (Llundain: 1793), t. 74.

[51] M. Jones, *Y Dydd yn Gwawrio: neu, hanes Dechreuad, Cynnydd a Llwyddiant y gyfeillach fawr, yn Llundain, a ffurfiwyd yn y Flwyddyn 1795, at ddanfon a chynnal Cenhadau i bregethu'r Efengyl ymhlith y Paganiaid; yr hon Gyfeillach a elwir yn gyffredin 'Missionary Society'* (Caerfyrddin: 1798); cf. penodau 3 ac 8 yn y gyfrol hon.

[52] LLGC, Llsgr. Thomas Charles Edwards 358, William Williams at Thomas Charles, 1 Ionawr 1791; *Life*, II, tt. 51–5.

[53] Jones, Schlenther a White, *The Elect Methodists*, tt. 232–4.

[54] *Life*, III, pp. 170–1; ceir trafodaeth ar y mudiadau y daeth Charles ar eu traws yn Grayson Carter, *Anglican Evangelicals: Protestant Secessions From the Via Media, c.1800–1850* (Oxford: 2000).

[55] John Davies, *Marwnad er Coffadwriaeth am Ymadawiad y Parchedig Dafydd Jones, Langana; yr hwn a hunodd gydâ'i Dadau Awst 12, 1810, ac yn 75 o oedran* (Caerfyrddin: 1811).

[56] Gan ddilyn R. A. Muller, *Post-Reformation Reformed Dogmatics: The Rise and Development of Reformed Orthodoxy, ca. 1520 to ca. 1725*, ail arg. 4 cyfrol (Grand Rapids: 2003); idem, *Calvin and the Reformed Tradition: On the Work of Christ and The Order of Salvation* (Grand Rapids: 2012).

[57] Thomas Jones, *Diwygwyr, Merthyron, a Chyffeswyr Eglwys Loegr, ynghyd a'r Prif Ddiwygwyr yn Scotland, a Gwledydd Tramor; A Phrawf eglur a dilys o'r Egwyddorion Crefyddol yr Ymdrechasant o'u Plaid: Hefyd, Crynodeb o Hanes Eglwys Crist, Hyd Amser y Diwygiad Protestanaidd* (Dinbych: 1813), tt. 824–5.

[58] 'Hanesion Crefyddol', *Trysorfa Ysprydol*, 1/2 (1799), t. 123.

[59] Gw. Morgan, 'Credo ac Athrawiaeth', tt. 129–35.

[60] Archifau Prifysgol Bangor, Llsgr. Belmont 8, Nodiadau ar Bregeth Thomas Jones, Dinbych yn Sasiwn y Bala, Mehefin 1800.

[61] 'Cymdeithasiad y Bala, Mehefin 21, 22, 1809', *Trysorfa*, 2/2 (1809), t. 72.

[62] Ibid. tt. 74–5.

[63] *Cofiant*, t. 350.

[64] *Life*, II, p.220.

[65] D. Bebbington, 'Calvin and British Evangelicalism in the Nineteenth and Twentieth Centuries', yn I. Backus, P. Benedict (goln), *Calvin and His Influence, 1509–2009* (Oxford: 2011), tt. 282–305 [283].

[66] *Cofiant*, tt. 100, 142, 194.

[67] Humphreys a Roberts, *Cofiant, neu Hanes Bywyd a Marwolaeth y Parch. Thomas Jones*, t. 69; *Cofiant*, t. 192.

[68] *Cynnydd*, tt. 290–5.

[69] Archifau Prifysgol Bangor Llsgr 7297, Daniel Jones at Robert Jones, 21 Chwefror 1810.

[70] LlGC, Llsgr. 11335, 'The Complaint of the Calvinistic Methodists in Wales On Account of their being destitute of the Ordinances of Christ in his Churches'.

[71] Idwal Jones, 'Notes on the Ordination Controversy, 1809–1810', *CCH*, 29 (1944), 109–19.

[72] Ibid., 117.

[73] Ibid., 118.

[74] *Life*, III, t. 262.

[75] d.a. *Golygiad Byr ar y Dull a'r Drefn a Sefydlwyd Gan Gorph y Methodistiaid Calfinistaidd, yn Nghymru, I Neillduaw Rhai o'u Pregethwyr i Weini yr Ordinadau o Fedydd a Swper yr Arglwydd yn eu Plith* (Bala: 1813).

[76] *Life*, III, t. 277.

[77] Morgan, *A Brief History of the Life and Labours of the Rev. T. Charles*, p. 322.

[78] Thomas Jones, *The Welsh Looking Glass or, Thoughts on the State of Religion in North Wales* (London: 1812).

[79] *Life*, III, t. 312–4.

[80] William Hughes, *Life of the Rev. Thomas Charles, B.A., Bala* (Bala: 1909).

[81] Gw. Pennod 9.

11

Thomas Charles a'r Bala

D. Densil Morgan

Nid Thomas Charles oedd y deheuwr cyntaf i wneud ei enw a'i gyfraniad yn y gogledd ac yn sicr nid ef fyddai'r olaf. Brodor o Lanfihangel Abercywyn, sir Gaerfyrddin, ydoedd fel y gwelsom, a'i wreiddiau yn ddwfn, o ddwy ochr ei deulu, yn y de-orllewin. Yno y'i haddysgwyd, ym mhentref Llanddowror i ddechrau, ac yna, er mai Eglwyswyr oedd ei deulu, yn Academi Bresbyteraidd Caerfyrddin pan oedd y credoau Calfinaidd yn cael eu herio yno'n agored.[1] Y peth mwyaf a ddigwyddodd iddo yn y cyfnod hwn, ar wahân i gael ei drwytho'n ddigonol yn yr ieithoedd clasurol i gael ei dderbyn yn ugain oed i Goleg Iesu, Rhydychen, yn 1775, oedd cael tröedigaeth trwy wrando pregeth gan yr un y byddai'n cyfeirio ato fel 'that aged herald of the kingdom of glory',[2] sef Daniel Rowland, Llangeitho.[3] Hyn, yn anad dim arall, a fyddai'n penderfynu natur ei rawd o hynny ymlaen. Er mai Rowland, ymhen blynyddoedd, a fathodd yr ymadrodd enwog amdano 'Rhodd yr Arglwydd i'r Gogledd',[4] nid oedd dim ym magwraeth, cysylltiadau teuluol nag ymlyniad eglwysig Thomas Charles i awgrymu nad yn ei wlad ei hun y byddai'n fwyaf tebygol o wneud ei enw maes o law. Mewn gwirionedd deheuwr fyddai Charles ar hyd ei oes.

Ceir y cyfeiriad cyntaf at y gogledd yn ei ddyddiadur am 1778:

> I was engaged to a Curacy in Somersetshire, but as my Rector did not want my assistance before Michaelmas, I accepted of an invitation from my friend Mr Lloyd at Bala in Merionethshire.[5]

Ordeiniwyd Charles yn ddiacon yng Nghadeirlan Rhydychen, sef capel Coleg Eglwys Crist, gan John Butler, esgob Rhydychen, ar 14 Mehefin 1778, Sul y Drindod. Bu'n fyfyriwr yng Ngholeg Iesu rhwng Mai 1775 a diwedd Mehefin 1778 pan ymadawodd am Wlad yr Haf yn gurad i'r Parchg Henry Newman, rheithor plwyfi Shepton Beauchamp a Sparkford, heb fod ymhell o Yeovil. Y cyfaill y sonia amdano yw Simon Lloyd (1756–1836), mab Plas-yn-dre, y Bala, ac etifedd teulu a oedd eisoes wedi'i ddylanwadu gan Fethodistiaeth. Plentyn ysbrydol Howell Harris oedd Sarah Bowen, ei fam, a chyn priodi yn un o aelodau cynharaf 'Teulu' Trefeca. Mewn ysgol yng Nghaerfaddon yr addysgwyd y mab ac yna, pan oedd Charles yntau yn llanc yn y Coleg Presbyteraidd, fe'i danfonwyd i Gaerfyrddin, i Ysgol y Frenhines Elisabeth. Ond yng Ngholeg Iesu y daethant yn gyfeillion, y ddau ohonynt yn union gyfoeswyr, yn rhannu'r un argyhoeddiadau efengylaidd, ac wrth gwrs yn Gymry.

Cyfnod bythgofiadwy oedd y chwech wythnos a dreuliodd Charles yng nghwmni Llwyd rhwng dechrau Gorffennaf a chanol Awst 1778, yn gyntaf yn y gogledd gan ganoli ar y Bala, ac yna yn ôl i'w fro ei hun gan aros am dridiau yn Llangeitho ar y ffordd. O hynny ymlaen byddai'r ddau yn gohebu yn gyson, yn cynghori'i gilydd yn ysbrydol, ac weithiau yn rhannu cyfrinachau. Wrth geisio ffeindio lle i'w gyfaill fel cyd-gurad yng Ngwlad yr Haf, meddai Charles, yn Nhachwedd 1778: 'I think sometimes of Miss Jones [though] am undetermined as yet.'[6] Prin bod y dihidrwydd ymddangosiadol ddidaro hwn wedi celu'r ffaith fod ei lygad eisoes wedi'i ddenu gan y Miss Jones honno a gyfarfu yn y Bala yn yr haf, a thrwy gydol y misoedd nesaf byddai meddwl y curad ifanc o Sir Gaerfyrddin yn ehedeg yn bur aml o'i orchwylion bugeiliol yn ne Lloegr i fynyddoedd Meirionnydd bell. Gadawodd croeso teulu Plas-yn-dre argraff arhosol arno, felly hefyd ddiffuantrwydd crefyddol y Methodistiaid lleol ac yn eu plith Sally Jones, Jane ei mam a Thomas Foulkes, gŵr Jane: 'Remember to give my warm Christian love to them *all*', meddai wrth Llwyd ym mis Medi 1779, 'in particular to your own family, Mr Foulkes and family and honest John Evans.'[7]

Ar ochr ei thad, wyres i John Evans, Maes-y-tryfar, Llanelltyd, oedd Sarah (Sally) Jones, ac i Richard Jones, Bryn-y-gath, Trawsfynydd, ar ochr ei mam. Priododd David, mab John Evans, â Jane, merch Richard Jones, rywbryd ar ôl 1737, ac fel rhan o'r cytundeb rhwng y ddau deulu, etifeddodd y pâr eiddo pobl Maes-y-tryfar yn y Bala: sonnir yn y ddogfen am 'David Jones's Mansion house and shop in Bala'.[8]

Nid tan 1753 y ganed iddynt etifedd, pan gyrhaeddodd Sally, eu hunig blentyn, ar 12 Tachwedd. Tybir i David Jones farw ym 1759 pan oedd Sally oddeutu chwech oed, ac ym Mai 1761 priododd Jane eilwaith. Saer coed oedd Thomas Foulkes ei gŵr newydd, yn hanu o Landrillo, Edeirnion, ond a fagwyd yn Llangwm, Sir Ddinbych. Wrth ddilyn ei grefft yn ninas Caer, bu'n gwrando ar John Wesley yn pregethu, a hyn, ym 1756, a fu'n gyfrwng ei dröedigaeth. Roedd tua pump ar hugain oed ar y pryd. Cafodd waith yn y Bala, ac am nad oedd seiat Wesleaidd yn y dre, dechreuodd fynychu seiat y Methodistiaid Calfinaidd a chafodd ei gymell i gynghori yn eu plith. Yno y cyfarfu â Jane Jones, ac wrth ei phriodi hi, daeth y cyfrifoldeb a'r fraint o ofalu am Sally hefyd. 'There has never been the slightest doubt about the saintly character of Thomas Foulkes', cofnododd D. E. Jenkins, 'and his advent to Bala gave the pious few much consolation; and little Sally Jones learnt to love him like a father.'[9]

Roedd y dystiolaeth Fethodistaidd ym Mhenllyn wedi cychwyn genhedlaeth ynghynt, ym mis Mai 1740 gyda dyfodiad Howell Harris i Lanuwchllyn yn gyntaf ac yna drannoeth i dref y Bala. Pregethodd wrth dalcen y Tŷ Marchnad. 'Bu pawb yn dra llonydd tra parhaodd i bregethu', meddai John Evans wrth gofnodi'r achlysur flynyddoedd wedyn, 'a serchog a charedig iddo wedi ei ddarfod, a chafodd ddychwel y tro hwn i'w wlad ei hun mewn heddwch.'[10] Nid felly yr oedd hi yr eildro, erbyn yr haf, pan gododd rywfaint o wrthwynebiad, ac erbyn Ionawr y flwyddyn wedyn, ar drydydd ymweliad y diwygiwr, troes y gwrthwynebiad yn erledigaeth lem. Er cynnig lle iddo gynghori yn nhŷ Catherine Edward gyferbyn â thafarn y *Bull*, tarfwyd arno gan fintai feddw dan arweiniad Robert Jones, ficer y plwyf: 'Yr oedd meibion a merched, gwŷr a gwragedd yn bwrw arno â choed a cherrig [ac] a thom yr heol . . . Bu amryw weithiau ar lawr dan eu traed hwynt, a'i gorff yn glwyfau a'i waed yn rhedeg.'[11] Fodd bynnag, er gwaethaf mileindra'r clerigwr a chynddaredd dreisgar y dorf, cafodd y neges efengylaidd ddyfnder daear, ac o 1741 ymlaen ymgynullodd mintai fechan o ddychweledigion i adeiladu'i gilydd yn y ffydd: 'Eu harfer oedd darllen y Beibl a llyfrau iach eraill, gweddïo a chanu mawl i Dduw. Ymhen ychydig torrodd Evan Moses allan i gynghori yn eu plith a bu dra defnyddiol hyd ddydd ei farwolaeth.'[12]

Ar wahân i ymweliadau achlysurol gan ambell bregethwr o'r de, John Belcher o Eglwysilan, Morgannwg, a Dafydd William Dafydd, cynghorwr o sir Gaerfyrddin a gysylltir fwyaf â Llyswyrny ym Mro Morgannwg,[13] buont heb bregethwr rheolaidd, ond er gwaethaf hynny, aethant ati i ymffurfio'n seiat: 'Yna y flwyddyn yna [1745]', meddai John Evans,

> y dechreuodd ynghylch wyth o bobl y dref ymgorffoli yn gymdeithas, i gyd gyfarfod â'i gilydd yn wythnosol i hyfforddi ac i adeiladu y naill y llall mewn gwybodaeth fwy manwl o Grist ac ohonynt eu hunain, ac i gyfrannu at achos yr Efengyl, a chadw disgyblaeth yn ôl Gair Duw ym mherthynas i'w bucheddau.[14]

Wedi hyn cawsant ymweliadau mwy cyson gan Peter Williams, Howell Davies a Williams Pantycelyn o blith yr offeiriaid a'r cynghorwyr William John o Lancothi, John Harri o sir Benfro a Morgan John Lewis o sir Fynwy.[15] O hynny allan darfu am yr erlid beth bynnag am y gwrthwynebiad, ac erbyn i Thomas Charles ymweld â'r dre dros 30 mlynedd yn ddiweddarach, roedd Methodistiaeth wedi hen ymwreiddio. 'Nid lledu fel tân gwyllt a wnaeth Methodistiaeth', meddai Eryn M. White, 'ond yn hytrach ennill tir yn araf, trwy dwf graddol, molecylig ei natur.'[16] Yn wir, pan aeth yr hynafgwr John Evans – 'honest John Evans', chwedl Charles – ati yn 1809 i adrodd yr hanes, roedd y wlad wedi'i gweddnewid:

> [Gynt] yr oeddent â'u cyrn i fyny yn erbyn y grefydd a'r crefyddwyr. Er mor gyffredin a thawel y mae pregethu ym mhob ardal yn bresennol a thyrfaoedd lluosog yn gwrando, eto ymhob lle yn y sir hon ei gwrthwynebu yn ffyrnig a wnaethant ar y cyntaf, hyd nes torrwyd llawer o'r erlidwyr i lawr gan angau ac yr enillodd y gwirionedd y dydd yn raddol . . . Y mae'r wlad wedi'i chyfnewid yn rhyfedd wrth y peth ydoedd. Y mae gwybodaeth wedi cynyddu llawer, ac eto mae lle i gynnydd llawer mwy.[17]

Ond i ddychwelyd at Sally Jones.

Erbyn Tachwedd 1779 roedd Charles yn llai gochelgar wrth grybwyll enw Sally wrth Simon Llwyd:

> I thank my friend for the favourable Intelligence you have kindly communicated to me concerning D[ea]r Miss Jones. I frequently think of her, and shod. think much more were my thoughts necessarily employ'd of late about other important and unexpected affairs; which when they are settled I believe My Dear Sally will engross more of my Time and thoughts.[18]

Cyfeiriad oedd 'y gorchwylion pwysfawr ac annisgwyl' at yr anghydfod poenus a gododd rhyngddo a'i reithor, Henry Newman, a benderfynodd yn ddirybudd docio'i gyflog a'i orfodi i chwilio am ffynhonnell arian ychwanegol er mwyn medru byw. Fel y digwyddodd, daeth ymwared yn fuan trwy law clerigwr efengylaidd arall, y Parchg John Lucas, a'i gwahoddodd i fod yn gynorthwywr iddo ym mhlwyf Milborne Port, eto yng Ngwlad yr Haf, tra yn parhau fel curad i Newman yn Sparkford. Byddai'r tâl a dderbyniasai gan Lucas yn gwneud i fyny'r golled. O ddiwedd Mawrth 1780 o Milbourne Port, tua saith milltir o Sparkford fel yr ehedai'r fran, y byddai'n ysgrifennu at Sally, ond erbyn hynny roedd ef eisoes wedi datgelu bwriad ei galon:

> The sight of so much good sense, beauty and unaffected modesty, joined with that genuine Piety which eminently adorn'd your person, administered Fuel to the Fire already enkindled, and which has continued burning with increasing ardour from that Time to this . . . You are the only person that ever I saw (and the first I ever addressed on this subject), with whom I thought I could spend my life in happy union and felicity, and for whom I possessed that particular affection and esteem requisite for conjugal happiness.[19]

Mae mwy nag un sylwebydd wedi sôn am garwriaeth Thomas Charles a Sally Jones fel 'un o garwriaethau mawr Cymru'.[20] Mae hi wedi bod yn sail ar gyfer cyfrol fechan, *Sally Jones: Rhodd Duw i Thomas Charles*,[21] ac i bennod mewn cyfrol o'r enw *The Christian Lover*![22] Does dim amheuaeth am ei hapêl ac mae'n enghreifftio'n berffaith y symudiad a ddigwyddodd yn y cyfnod rhwng priodas fel cytundeb masnachol bron rhwng dau deulu a phriodas fel menter ramantus rhwng mab a merch a oedd mewn cariad â'i gilydd, sef un o themâu Saunders Lewis yn ei nofel *Merch Gwern Hywel*, hanes rhamant Fethodistaidd arall.[23] Yr hyn sy'n ychwanegu at ei swyn oedd taerineb Charles yn wyneb claerineb Sally (ar y dechrau beth bynnag), ei benderfyniad ef i'w phriodi doed a ddelo, a'r ffaith fod y Bala ei hun, a'i hamharodrwydd adamantaidd hi i symud oddi yno, yn allweddol yn y stori. Trwy hyn denwyd Charles nôl i Gymru, a newidiwyd hanes y genedl yn ei sgil.

Ordeiniwyd Charles yn offeiriad ar 14 Mehefin 1780, eto yng nghapel Coleg Eglwys Crist, Rhydychen, gan yr un esbob, John Butler, a hyn a roes yr hawl nad oedd ganddo o'r blaen fel diacon yn yr Eglwys Anglicanaidd i weinyddu'r Ewcharist neu Swper yr Arglwydd. Byddai hyn yn dyngedfennol yn natblygiad cyfundeb y Methodistiaid Calfinaidd ymhen cenhedlaeth fel eglwys ar wahân. Trwy gydol blynyddoedd ei alltudiaeth, dychwelyd i Gymru oedd ei ddymuniad. 'I should be very glad', meddai wrth Simon Llwyd yn Nhachwedd 1779, 'were it the will of Providence, to settle in Wales; but I am very incapable of choosing myself, *I hope ye Lord will direct me*'.[24] Erbyn hyn roedd ganddo gymhelliad i wneud rhywbeth drosto'i hun a pheri i ragluniaeth weithio o'i blaid. Fel y tyfodd eu carwriaeth ac ymatebodd Sally fwyfwy iddo yn ei llythyrau treiddgar a chyfoethog ei hun, daeth rhinweddau'r Bala yn fwy i'r golwg. O ran llwyddiant crefyddol, roedd bywyd plwyf yng Ngwlad yr Haf yn ddigyffro, ond roedd y newydd fod yr achos yn cynyddu ym Meirionnydd yn llawn apêl. 'We have had one minister of the Sanctuary here of late', meddai Sally ar 27 Ebrill 1780,

> The Revd Mr Jones Llan-gan. I Suppose you know him. *Bala bach* is highly Honoured. Some of the Greatest men in the whole world – Ambassadors of the King of Kings Proclaim the Glad Tidings in it – and through mercy the Sound is not like Sounding Brass or tinkling Cymbal; but it is the Power of God into [*sic*] Salvation for many who Believe.[25]

Yn ogystal â sôn am ei theulu, ei chyfeillion ac am ei gorchwylion yn y siop roedd hi bellach yn allweddol yn ei rhedeg, mae Sally yn cyfeirio'n fynych at gynnydd yr achos Methodistaidd yn y dref. O fod yn fan lle'r erlidiwyd y gennad a'r ffyddloniaid cynnar, roedd cynulliad y Bala wedi chwyddo'n ddirfawr a'r dref yn prysur droi yn gartref i'r sasiwn ac yn gyrchfan i'r miloedd. Meddai ar 22 Mehefin 1780:

> Last week was our Association in Bala. Mr Gray Preached the first Night . . . there was Some great Solemnity apparent thro' the whole Congregation. Wednesday morning David Maurice and Mr Wm Williams Preached in the Green, there was a Pulpit erected there for that Purpose – Mr Peter Williams Preached in the afternoon. Mr S[ampson] Thomas at the Edge of the Night, and David Maurice Thursday morning – Time will not permit me to give Particular acct. of each.[26]

Thomas Gray, Llwynpiod ac Abermeurig yng nghanol Ceredigion, Annibynnwr Methodistaidd a oedd yn frodor o Dreforus, oedd y 'Mr Gray' a grybwyllwyd; Dafydd Morris Lledrod, sef tad Ebenezer Morris, Tŵr-gwyn, yng ngwaelod y sir ddaeth nesaf. Mae enwau'r ddau

Williams yn hysbys, William o Bantycelyn yr emynydd, a Peter o Landyfaelog, yr esboniwr Beiblaidd, y ddau o sir Gaerfyrddin, ac yna y cynghorwr neu'r pregethwr lleyg Sampson Thomas o Solfach, sir Benfro. Er iddo wreiddio'n dynn yn y gogledd, mudiad a dynnai'n gryf oddi ar y de oedd Methodistiaeth y ddeunawfed ganrif.

Aethai'r garwriaeth o nerth i nerth. Ni wyddai Charles faint a ddylai rannu ymhlith ei gyfeillion a'i gydnabod. A ddylai ddweud eu bod nhw wedi dyweddïo? 'Tell them', meddai Sally, 'that [you have] Something like a Dream with a Country Gearl [*sic*] among the barr[en hills] of Wales',[27] a dweud hefyd ni fynnai hi adael y bryniau llwm, na'r dref, na'r siop am bris yn y byd. Roedd ei mam a Thomas Foulkes wedi dod i ddibynnu arni. Roedd hi'n amlwg fod ganddi fedr anghyffredin i redeg busnes ac roedd hi'n ddiffuant yn credu os dyna oedd ei dawn, roedd hi'n ddyletswydd arni i'w hymarfer yn y man lle'r ydoedd. Doedd dim amheuaeth ei bod hi mewn cariad â'r offeiriad a oedd yn byw yng Ngwlad yr Haf, ac roedd atynfa o bryd i'w gilydd i fynd ato. Ond roedd y cymhelliad i aros lle'r ydoedd ganwaith yn fwy: 'I have nothing Clear on this head; but a heap of Contradictions. May the Lord Guide me according to His Counsell.'[28]

Ailymwelodd Charles â'r Bala ddechrau Medi 1780 ac arhosodd yno am oddeutu mis. Cafodd gynnig mynd yn gurad parhaol ar gyflog da i Langrallo, Morgannwg, y plwyf nesaf draw at Lan-gan lle roedd Dafydd Jones yn gwasanaethu, mewn ardal lle roedd Methodistiaeth â sawr eglwysig arni yn ymdreiddio'n rhyfeddol ar y pryd. Edward Davies oedd y ficer, clerigwr efengylaidd a oedd yn byw yn Llundain,[29] ond gan nad oedd tŷ i fynd gyda'r swydd, ac yn bwysicach, gan fod Morgannwg yn anymarferol o bell o'r Bala, gwrthod y cynnig a wnaeth. Erbyn hyn roedd Sally a'i synnwyr ymarferoldeb mawr yn amau a ddeuai ddim byd o'r garwriaeth wedi'r cwbl. Meddai ar 11 Ionawr 1781:

> I must come to a Point nearer Home or You'll make my Silence more Expressive than my words . . . I own that I have an eye to Providence in fixing yr Sittuation and Expect to Learn Something of the will of God concerning the affair bettween us in it. I do not want to Change my present State . . . But if I had a Clear Conviction that the Lord Calld me to another I shd not fear any Sittuaution that He palceth me in, But we Shd look what Suitableness there is in External Circumstances . . . my Lot being Cast among the Dear despised methodists[s] and my Small Talent for the World in a way of Business and yr Calling and Usefulness being in the Established Church . . . Shd not we weaigh [*sic*] these things and Stop our Proceedings?[30]

Er iddo geisio ei darbwyllo y byddai'n well iddi symud i Wlad yr Haf i fyw fel gwraig i offeiriad yn hytrach na rhoi'r gorau i'w bwriad i briodi, 'na' pendant oedd ei hateb. Felly hefyd oedd ymateb ei rhieni. 'She is an only child of tender an affectionate parents', meddai Charles wrth gyfaill o glerigwr, Watts Wilkinson:

> When it came to the point, I found that it would be worse than death for her to be removed . . . Indeed when I saw how their minds were affected at the thought of it, I immediately laid aside every such idea: for I would not for the world be the means of bringing their grey hairs with sorrow to the grave.[31]

Yr unig ffordd ymlaen oedd iddo yntau roi'r gorau i'w gyfrifoldebau yn Lloegr a dod o hyd i blwyf yng nghyffiniau'r Bala.

Byrdwn ei lythyrau o hynny ymlaen oedd adrodd am ei ymgais i wneud felly, a chael ei siomi yng Ngherrigydrudion, Llandyrnog yn sir Ddinbych, Croesoswallt (lle byddai disgwyl iddo wasanaethu yn Gymraeg), Mallwyd, Llanuwchllyn a Llangynog ym Maldwyn. '*O-na-bawn-i-yn-y-Bala-gyda-Sally-Bach*'[32] meddai fwy nag unwaith. 'Dear *Bala* bach – of what magic Letters is yt little word composed!'[33] Ymwelodd â Sally am ychydig ddyddiau ym Mis Mawrth 1781 ac eto, am y pedwerydd tro ym Medi ac aros yno am y mis. Erbyn y flwyddyn ddilynol, troes y peth yn brawf ar ei ffydd. 'I have nothing new to communicate respecting ye aspect of providence', meddai ar ŵyl Ddewi 1782, 'but everything at present is to me as dark as heretofore. No gleam of light seems to disperse ye universal gloom in wch we are inveloped [*sic*].'[34] Tybed a oedd hi'n ddoeth iddynt feddwl am briodi wedi'r cwbl? Ni siglodd argyhoeddiad Charles, ond doedd Sally ddim bob amser yn siŵr:

> I See myself in a Place where it is encumbent upon me to Come to Some determined resolution, either to enjoy the Privileges of a Single life unmolested, or to Venture on the mercy of the Waves for Better or for worse.[35]

'I am *not* weary of our correspondence', oedd ei ymateb pendant, 'but I *am* tired to heart of this long and unhappy distance from you and wod. willingly embrace any or every means of abolishing it.'[36]

Fel y dwysaodd yr hiraeth am ymadael am y Bala, dangosodd yr awdurdodau eglwysig eu gwerthfawrogiad o Thomas Charles trwy ei benodi'n gurad parhaol ar ei blwyf ei hun. Daeth cynnig oddi wrth esgob Caerfaddon a Wells ar 24 Medi 1782 iddo dderbyn bywoliaeth South Barrow, eto yng Ngwlad yr Haf, ac yn ôl ymchwil D. E. Jenkins, y dystiolaeth yw fod Charles wedi ei dderbyn.[37] Methodd hyn yn lân â lleddfu'r hiraeth, os dyna oedd ei fwriad, ac erbyn gwanwyn 1783, er gwaethaf amgylchiadau digon dymunol mewn gwirionedd, roedd ef wedi penderfynu doed a ddelo mai mynd i'r Bala a phriodi Sally oedd rhaid. Ymadawodd â'i blwyf ar 23 Mehefin a mynd am adref. Cyrhaeddodd y Bala erbyn 18 Gorffennaf, ac ar 20 Awst, yn Eglwys Beuno Sant at lan Llyn Tegid, gyda Simon Llwyd a'i chwaer Lydia yn dystion, a churad y plwyf, John Lloyd, yn gweinyddu, unwyd mewn glân briodas (o'r diwedd) Thomas Charles a Sally Jones. Roedd ef yn 27 oed a hithau'n 29. O hynny ymlaen, Thomas Charles *o'r Bala* a fyddai.

Mae hanes Charles a'i gysylltiad â'r Bala yn weddol hysbys ar ôl hynny. Ei ymgais i ddod o hyd i blwyf eglwysig er mwyn cyflawni ei weinidogaeth oddi mewn i derfynau Eglwys Loegr; y tensiwn a gododd rhyngddo â phlwyfolion Llandegla a Bryneglwys ym Mis Medi 1783 yn sgil taerineb awchlym ei neges efengylaidd; dryllio'r gobaith am gael setlo fel curad yn Llanymawddwy yng ngwanwyn 1784 trwy wrthwynebiad rhai o'r offeiriaid lleol, ac yna, yn groes i ddymuniad ei gyd-glerigwyr Seisnig, ei benderfyniad tyngedfennol i fwrw ei goelbren gyda'r Methodistiaid ac ymuno, ar 3 Gorffennaf 1784, â seiat y Bala.[38] Synhwyrent efallai yn well nag ef ei hun mai dyna ddiwedd y Methodistiaid Calfinaidd fel mudiad er adfywio'r Eglwys Wladol a chychwyn ar hyd llwybr a fyddai'n arwain at ymneilltuo a chreu, yn eu golwg nhw, sism yng nghorff eglwys weledig Dduw. Yn y Bala, wedi'r cwbl, yn 1811, y digwyddodd yr ordeinio cyntaf a droes y Methodistiaid yn enwad ar wahân. 'You are well acquainted with my principles', meddai Watts Wilkinson, ei hen gyfaill o ddyddiau Rhydychen,

> and I think I have some knowledge of your perplexity. I doubt not you might obtain employment in the Establishment, if willing to forsake [your] beloved Merionethshire . . . Suffer not your passions to run away with your judgement.[39]

Yr un oedd byrdwn neges John Newton, pennaeth efengylyddwyr Anglicanaidd Lloegr, a ysgrifennodd o'i blwyf St Mary Woolnoth, dinas Llundain, ar 26 Mehefin, wythnos cyn i Charles fforffedu pob gobaith am sicrhau bywoliaeth sefydlog fyth mwy:

From what I can judge you seem to make your residence in Bala a *sine qua non* ... Now for aught I can tell the reason why the Lord has permitted you to be silenced in Wales may be that He has a work for you to do in Yorkshire or Northumberland . . . I have no objection to your leaving the Church if the Lord actually calls you to do it – but I wish you to have a better reason . . . than you did it because you could not otherwise continue to live at Bala.[40]

O Orffennaf 1784 ymlaen Charles, ynghyd â Thomas Jones o Ddinbych, oedd arweinwyr diymwad Methodistiaid y gogledd, ac ar ôl marw Daniel Rowland yn Hydref 1790 a Williams Pantycelyn dri mis yn ddiweddarach, ef a ddaeth yn bennaeth Methodistiaid y genedl gyfan. Os Trefeca a Llangeitho oedd echel y mudiad yn y ddeunawfed ganrif, y Bala oedd ei echel o hynny ymlaen. O'r Bala y tarddodd mudiad yr ysgolion Sul, y Feibl Gymdeithas ac o 1803 yr ymgyrch gyhoeddi a ddaeth i feddiant Robert Saunderson, yr argraffydd enwog, yn 1814. Yn y Bala y torrwyd yn swyddogol â'r fam eglwys pan aeth Charles ati, nid heb betruster, ym Mehefin 1811 i ordeinio wyth o bregethwyr ei gyfundeb i weinyddu sacrament bedydd a Swper yr Arglwydd i ddeiliaid y seiadau. I'r Bala y daeth y miloedd i wrando pregethiad yr efengyl nid yn bennaf gan ddeheuwyr mwyach fel Ebenezer Richard Tregaron (1781–1837), Thomas Richard Abergwaun (1783–1850) a Morgan Howell Casnewydd (1796–1857) ond gan ogleddwyr o athrylith megis John Elias o Fôn (1774–1841), John Jones Tal-sarn (1796–1857) a'r seraffaidd Henry Rees (1798–1869). Dyma enghraifft o rymuster y peth: 'We had last week our great annual (Association) meeting here', meddai Charles ar 24 Mehefin 1814, bedwar mis cyn ei farw:

The congregation, though always large, was more numerous, by some thousands, than we have ever witnessed before. The meeting lasted part of four days. There were fourteen discourses delivered, and four private meetings held. Great harmony prevailed in the private meetings, and love which is the 'bond of perfectness'[*sic*]. The public discourses were edifying and powerful, and commanded the attention of 15,000 and 20,000 people without intermission. The order and decorum which prevailed among a large concourse of people was great and pleasing . . . It was the Lord's doing, and it is marvellous, surpassing marvellous, in our eyes.[41]

Mae'n debyg fod plwyfolion Llanycil wedi ystyried mynwent eglwys Feuno yn fan cysegredig erioed, ond dwysaodd ei arwyddocâd ar ôl 7 Hydref 1814 pan ddaearwyd gweddillion Thomas Charles ym meddrod y teulu yno. Roedd yn bythefnos yn brin o gyrraedd ei 60 oed. Roedd Sally wedi bod yn clafychu ers tro, ac ar yr 28ain o'r un mis, dair wythnos yn ddiweddarach, bu hi farw hefyd. Buasai Sarah, eu merch, farw yn flwydd oed yn 1787, felly adeg marw rhieni Thomas Rice (1785–1819), y mab hynaf, a David (1793–1821), ei frawd, a adawyd i alaru ar eu hôl. Priodasai Thomas Rice â Maria Jones yn 1806, a chafodd Thomas a Sally fyw i weld pump o wyrion yn cael eu geni: Sarah (1807-33), Maria (1809–36), Thomas (1810–73), David (1812–78) a Jane (1813–92). Un gwanllyd ei iechyd oedd Thomas Rice, ac ef a etifeddodd siop ei fam a'r cyfrifoldeb o'i redeg, a phan fu ef farw yn 34 oed yn 1819, ei wraig Maria oedd â gofal amdani.

Parhaodd y teulu'n ganolbwynt i Fethodistiaeth y Bala, a phan ddeuai pregethwyr heibio, ymhlith y mannau iddynt gael croeso ynddynt oedd y cartref a'r siop. Pregethwr ifanc o Ben-llwyn, Ceredigion, oedd Lewis Edwards pan ymwelodd â'r Bala gyntaf yn 1833, yn ysgolfeistr yn Nhalacharn, sir Gaerfyrddin, yn ôl ei waith beunyddiol, ond ar fin cychwyn ar yrfa academaidd ryfeddol o ddisglair ym Mhrifysgol Caeredin, y pregethwr Methodistaidd cyntaf wedi'r ordeinio yn 1811 i fynnu torri ei gŵys academaidd ei hun. Os denodd Sally Jones lygad Thomas Charles ddwy genhedlaeth ynghynt, denwyd llygad y Lewis Edwards ifanc gan harddwch a phersonoliaeth Jane, eu hwyres, yn awr. Byddai'r garwriaeth honno hefyd yn un bwysig yn hanes Methodistiaeth Cymru, ac os nad oedd, o bosibl, mor angerddol, yn sicr roedd yr un mor ddiffuant ac y byddai eu priodas yr un mor ddedwydd ac eiddo'r tad-cu a'r fam-gu. 'You asked me long ago', meddai Jane wrth gyfeilles ar 5 Rhagfyr 1835,

> if there was a friendship existing between me and Mr Lewis Edwards. At that time there was not, and I told you so: but in a very short time after circumstances changed, and I cannot now answer you in the negative. And as you are a mutual friend, and I know, one that will not divulge the secret, I confess that there is a correspondence carried on between us, which I hope will result in the glory of God.[42]

'Yr oedd Miss Charles wedi ymuno â'r Methodistiaid', meddai Thomas Charles Edwards, ei mab, 'ond yn fynych, yn ôl arfer y dyddiau hynny, yn mynd i eglwys y plwyf ar ôl oedfa bore Sul yn y capel.'[43]

Dyna brawf nad oedd yr hen Fethodistiaeth eglwysig wedi llwyr ddarfod dau ddegawd wedi 1811, prawf a ategwyd gan y ffaith fod David, ei brawd, wedi mynd nid i Lundain neu Gaeredin fel Ymneilltuwr i geisio dysg prifysgol, ond i hen goleg a phrifysgol ei dadcu: 'Yr amcan o'i febyd oedd ei baratoi i'r weinidogaeth yn Eglwys Loegr, ac yn 1831 aeth i Goleg Iesu, Rhydychen, lle hefyd graddiodd yn 1835.'[44]

Breuddwyd Lewis Edwards erbyn hynny oedd gwareiddio mudiad a oedd mewn dirfawr berygl, wedi'r rhwyg ag Eglwys Loegr ac wedi marw Thomas Charles yn 1814 a Thomas Jones yn 1820, o droi yn sect anoddefgar, gulfarn ac adweithiol, a thrwy sefydlu Coleg y Bala yn 1837, a chyhoeddi *Y Traethodydd* yn 1845, ynghyd ag amryw fentrau eraill, dyna a lwyddodd i'w wneud.[45] Does dim amheuaeth mai Thomas Charles oedd ei batrwm. Trwy briodi Jane daeth yn gyfeillgar â David Charles ei brawd, ac am i Edwards rannu'i weledigaeth o droi'r sect Fethodistaidd yn gangen iraidd a phraff o'r Un eglwys, Lân, Gatholig ac Apostolaidd, bwriodd David yntau ei goelbren gyda'r cyfundeb a chynnal braich ei frawd yng nghyfraith yn gyntaf fel cyd-athro yng Ngholeg y Bala ac yno yn 1842 yn brifathro cyntaf Coleg Trefeca. Trwy hynny gwreiddiodd weledigaeth dduwiol ddysgedig Edwards unwaith yn rhagor yn y de: 'Yr oedd dygiad i fyny [David Charles] wedi ei foldio'n glerigwr efengylaidd', meddai J. J. Morgan, 'ac er iddo wrthod y gŵn, fe gadwodd yr ysbryd.'[46] Gweledigaeth gyfannol, gatholig oedd y weledigaeth hon, ac yn un a oedd yn gweddu i'r dim â naws dysgeidiaeth y gwron o Lanfihangel Abercywyn a oedd yn 'dad i foneddigeiddrwydd y werin Gristionogol Gymraeg'.[47] Pan briododd Lewis Edwards â Jane wrth allor eglwys Beuno Sant ar 26 Rhagfyr 1836, yntau yn 27 oed a hithau'n 22, a dod i breswylio yn hen gartref y teulu, roedd hi fel petai hanes yn ei ailadrodd ei hun.

Dymuniad angerddol Lewis Edwards oedd addysgu ei gyd bregethwyr Methodist a thrwy hynny wareiddio cenedl gyfan. 'This is my devoutest aspiration, this is one of the inmost wishes of my heart of hearts', meddai unwaith, 'to see my beloved Wales restored to her proper place among the nations of the earth as the land of intellect and virtue.'[48] O'i goleg yn y Bala aeth ati nid yn unig i drwytho'i fyfyrwyr yn athrawiaethau'r Testament Newydd a diwinyddiaeth yr oesau ond i ledu'u gorwelion diwylliannol a'u moldio'n ddinasyddion byd. Mewn llofft uwchben warws yng nghefn tŷ Thomas Charles y cychwynnwyd yr ysgol nes symud i ddau dŷ annedd yn ymyl Bethel, capel y Methodistiaid Calfinaidd, yn 1839 ac yno, yn 1867, i'r colegdy newydd, eang a hardd uwchlaw'r Green. Rhwng blwyddyn agor y drysau a marw'r prifathro yn 1887, hyfforddwyd 640 o wŷr ifainc yn y coleg[49] a'u gyrru allan i wasanaethu'r eglwysi a thrwy hynny lesoli cymunedau cyfain. Ar wahân i'r pregethwyr a lafuriodd yn ddisylw yn eu cylchoedd lleol, gwnaeth eraill eu marc yn genedlaethol: Griffith Ellis Bootle, Hugh Williams yr hanesydd eglwysig, Llugwy Owen yr athronydd, O. M. Edwards, J. Puleston Jones, Daniel Owen y nofelydd ac Emrys ap Iwan ymhlith llawer mwy. Fel Thomas Charles o'i flaen, troes y prifathro yn arwr i'w genhedlaeth. 'For the last twenty years of his life', meddai Puleston Jones, 'Lewis Edwards was the object of such hero-worship with the men who had grown up around him, that it was deemed a sign either of intellectual defect or of moral depravity for anyone to attempt to criticize him.'[50] Nid pawb, ysywaeth, oedd mor werthfawrogol. Roedd Edwards yn wrthun gan ei gyfoeswr Thomas Gee ac nid oedd ofn gan un o'i fyfyrwyr, Emrys ap Iwan, ei gystwyo'n gyhoeddus am ei sêl o blaid 'yr Inglis Côs'.[51] Erbyn yr ugeinfed ganrif, roedd naws dduwiolfrydig y Bala pan oedd Edwards yn ei anterth yn arswyd yng nghof rhai. 'Y Bala', meddai Thomas Owen, 'Hesgin', yn 1932

> oedd canolbwynt Methodistiaeth Cymru yn hanner olaf y bedwaredd ganrif ar bymtheg, gyda'r Dr Lewis Edwards yn teyrnasu. Mae'n anodd i chwi amgyffred y dylanwad oedd gan Dr Edwards ar y dref a'r wlad oddiamylch. Byddai dywedyd y cyfrifid ef yn sant ymhell o fod yn ddigon cynhwysfawr. Edrychid arno fel rhyw fod o fyd arall, fel y Pedwerydd Person yn y Drindod bron. Peidiai'r plant â chwarae ar y stryd nes iddo basio, ac yr oedd ei air yn ddeddf yn y Capel Mawr ac yn y Coleg. Oni bai am hoenusrwydd y Parchg Evan Peters a hiwmor Dr Hughes, buasai'r Doctor wedi gwneud y Bala mor brudd a chulfarn a Phrotestaniaeth Genefa yn amser Calvin.[52]

Llai bustlaidd o lawer oedd barn R. T. Jenkins a fagwyd yn y dref yng nghyfnod Thomas Charles Edwards, ac fel hanesydd proffesiynol un a wyddai rywbeth nid am fyth John Calvin yng Ngenefa ond ei realiti. Hudolus yw ei ddisgrifiad o fywyd y Bala yn y 1890au, gyda chrefydd, yn ei farn, yn addurn ar y gymdogaeth ac nid yn gaethdra nac yn fwrn.[53]

Gyda galw David Charles Edwards yn fugail ar eglwys y Bala yn 1879 a dyfodiad ei frawd, Thomas Charles Edwards, yn brifathro'r coleg yn olynydd i'w tad yn 1890, sicrhawyd y byddai olyniaeth teulu

Charles yn ymgryfhau.[54] Gŵr hanner cant a thair oed ac eisoes yn clafychu, wedi bod yn llywio'r coleg cenedlaethol cyntaf yn Aberystwyth am ddeunaw mlynedd, oedd T. C. Edwards, ac yn ddewisach ganddo bod yn bennaeth ar athrofa ddiwinyddol na bod yn brifathro coleg prifysgol.[55] Agor pennod newydd yn hanes Coleg y Bala a wnaeth y pennaeth newydd, ac ynghyd â hynny bennod newydd yn hanes diwinyddiaeth Cymru yn ogystal.[56] Gwyddai ei fod mewn olyniaeth ysblennydd, a bod pwysau traddodiad ar ei ysgwyddau. 'I do not forget that the Bala Theological College was founded by your father', meddai Benjamin Jowett, meistr Coleg Balliol, Rhydychen, yn 1891:

> You seem to have an hereditary right and duty to be the Principal of it. No man of sense can imagine that theology should be taught on exactly the same lines as it would have been fifty years ago . . . and the founder of the College, though he belonged to a different generation, may still lovingly look down . . . on the work which has been committed to the care of his descendents.[57]

Hyfrydwch gan T. C. Edwards oedd dychwelyd i dref ei febyd, ac ysbrydiaeth oedd y syniad fod Lewis Edwards yn ei warchod. 'A thithau Bethlehem, tir Jwda, nid lleiaf wyt ymhlith tywysogion Jwda', meddai Owen M. Edwards (dim perthynas), un o fyfyrwyr disgleiriaf Lewis Edwards a Benjamin Jowett hwy ill dau, am y Bala.[58] Nid cablu oedd na gwamalu, ond mynegi anwyldeb am y dref a'r coleg lle'i cychwynnwyd ar lwbr a'i harweiniodd i Goleg Balliol maes o law. Cynrychiolodd y ddelfryd o dduwioldeb, diwylliant, boneddigeiddrwydd a dysg a fu'n gynhysgaeth i'w brifathro, a barhawyd gan ei fab, ond oedd â'i ffynhonnell ganrif ynghynt yn llafur a diwydrwydd Thomas Charles ei hun.

Nodiadau

1 Y prifathro ar y pryd oedd Jenkin Jenkins (bu f. 1780), tiwtor yn y clasuron ac Ariad o gan ei gred, gw. Dewi Eirug Davies, *Hoff Ddysgedig Nyth: Cyfraniad Coleg Presbyteraidd Caerfyrddin i Fywyd Cymru* (Abertawe: 1976), tt. 66–79.

2 *Life*, I, t. 173.

3 Yn Llangeithio y bu hyn, ar 20 Ionawr 1773, ac yntau'n 17 oed; gw. *Life*, I, t. 37.

4 *Cofiant*, t. 161.

[5] *Life*, I, t. 85.
[6] Ibid., t. 110.
[7] Ibid., t. 136.
[8] Ibid., t. 143.
[9] Ibid., t. 145.
[10] Goronwy P. Owen (gol.), *Atgofion John Evans y Bala: y Diwygiad Methodistaidd ym Meirionnydd a Môn* (Caernarfon: 1997), t. 85.
[11] Ibid., t. 87; am argraffiadau Harris ei hun ynghylch yr achlysur fel y'u cofnodwyd yn ei ddyddiadur gw. Geraint Tudur, *Howell Harris: from Conversion to Separation, 1735–50* (Cardiff: 2000), tt. 126–7, 138–9; mae'r bennod 'The Opposition to Methodism', tt. 119–50, yn ddadansoddiad disglair ar ei hyd.
[12] Owen (gol.), *Atgofion John Evans y Bala*, t. 89.
[13] Nid Dafydd William yr emynydd (1720/1–94) a symudodd o Lanedi, Sir Gâr, i Lanbedr-y-fro, ond Dafydd William [Dafydd] (1717–92) o Landyfaelog, a fu'n byw yn Aberddawan a Llyswyrny yn ymyl y Bont-faen ac a gladdwyd yn Salem, Pen-coed, gw. *Deffroad*, tt. 247–9.
[14] Owen (gol.), *Atgofion John Evans y Bala*, t. 90.
[15] Ibid., t. 106.
[16] Eryn M. White, *Praidd Bach y Bugail Mawr: Seiadau Methodistaidd De-Orllewin Cymru 1737–50* (Llandysul: 1995), t. 17.
[17] Owen (gol.), *Atgofion John Evans y Bala*, tt. 107, 110; cf. D. Francis Roberts a Rhiannon Francis Roberts, *Hanes Capel Tegid, y Bala* (Y Bala: 1957), tt. 1–19.
[18] *Life*, I, t. 134.
[19] Ibid., t. 147 (28 Rhagfyr 1779).
[20] *Gwas*, t. 17.
[21] Gwen Emyr, *Sally Jones: Rhodd Duw i Thomas Charles* (Pen-y-bont ar Ogwr: 1996).
[22] Michael A. G. Haykin (gol.), 'Thomas Charles and Sally Jones', *The Christian Lover: the Sweetness of Love and Marriage in the Letters of Believers* (Orlando: 2009), tt. 45–60.
[23] Saunders Lewis, *Merch Gwern Hywel: Rhamant Hanesiol* (Llandybïe: 1964).
[24] *Life*, I, t. 135.
[25] Ibid., t. 172.
[26] Ibid., t. 195.
[27] Ibid.
[28] Ibid, t. 203 (15 Gorffennaf 1780).
[29] Gw. Eifion Evans, 'Edward Davies of Coychurch', *CCH* 44 (1961), 69–72.
[30] *Life*, I, t. 242.
[31] Ibid., t. 246.
[32] Ibid., t. 255 (26 Ebrill 1781), t. 293 (18 Gorffennaf 1781).
[33] Ibid., t. 282 (27 Mehefin 1781).
[34] Ibid., t. 327.
[35] Ibid., t. 345 (7 Mai 1782).

[36] Ibid., t. 343 (19 Ebrill 1782).

[37] Ibid., tt. 368–72.

[38] Ar wahân i'r *Cofiant* a thair cyfrol D. E. Jenkins, *Life*, adroddir yr hanes gan Edward Morgan, *A Brief History of the Life and Labours of the Rev. Thomas Charles* (London: 1828), Gomer M. Roberts, *Cynnydd*, penodau 3–7 ac R. Tudur Jones, *Gwas*.

[39] *Life*, I, t. 491.

[40] Ibid., tt. 492–3.

[41] *Life*, III, t. 530.

[42] Dyfynnwyd yn D. ac Rh. F. Roberts, *Hanes Capel Tegid*, t. 61.

[43] Thomas Charles Edwards (gol.), *Bywyd a Llythyrau y Parch. Lewis Edwards DD* (Liverpool: 1901), t. 192.

[44] J. J. Morgan, *Cofiant Edward Matthews Ewenni* (Yr Wyddgrug: 1922), t. 60.

[45] Gw. D. Densil Morgan, *Lewis Edwards* (Caerdydd: 2009), *passim*.

[46] J. J. Morgan, *Cofiant Edward Matthews Ewenni*, t. 62.

[47] Derec Llwyd Morgan, 'Thomas Charles: "Math newydd ar Fethodist"', *Pobl Pantycelyn* (Llandysul: 1986), t. 85.

[48] T. C. Edwards (gol.), *Bywyd a Llythyrau y Diweddar Barch. Lewis Edwards*, t. 212.

[49] G. A. Edwards, 'Efrydwyr Coleg y Bala', *CCH* 24 (1939), 29–35, 62–74.

[50] J. Puleston Jones, 'Principal Thomas Charles Edwards MA DD', yn J. Vyrnwy Morgan, *Welsh Religious Leaders of the Victorian Era* (London: 1905), tt. 357–77 [362].

[51] T. Gwynn Jones, *Cofiant Emrys ap Iwan* (Caernarfon: 1912), tt. 86–107 ; am ddadl yr achosion Saesneg, gw. Frank Price Jones, *Radicaliaeth a'r Werin Gymreig* (Caerdydd: 1975), tt. 108–31.

[52] D. F. ac Rh. F. Roberts, *Hanes Capel Tegid*, t. 73.

[53] R. T. Jenkins, *Edrych yn Ôl* (Llundain: 1970), tt. 24–101 ; cf. idem, 'Dylanwad Dr Lewis Edwards ar feddwl Cymru', *Ymyl y Ddalen* (Wrecsam: 1957), tt. 190–207.

[54] Am D. Charles Edwards (1851–1916), gw. D. F. ac Rh. F. Roberts, *Hanes Capel Tegid*, tt. 80–1.

[55] Gw. D. D. Williams, *Thomas Charles Edwards* (Lerpwl: 1921); D. Densil Morgan, '"Y Prins": agweddau ar fywyd a gwaith Thomas Charles Edwards (1837–1900)', *Y Traethodydd* 173 (2013), 30–9.

[56] G. A. Edwards, *Athrofa'r Bala 1837–1937* (Bala: 1937), tt. 35–43; D. Densil Morgan, 'Credo ac Athrawiaeth', *Twf*, tt. 152–64; idem, '"Et Incarnatus est": the Christology of Thomas Charles Edwards', *THSC*, cyfres newydd 18 (2012), 56–66.

[57] Benjamin Jowett at Thomas Charles Edwards, 26 Medi 1891, yn Evelyn Abbott a Lewis Campbell, *The Life and Letters of Benjamin Jowett*, Vol. 2 (London: 1897), t. 363.

[58] O. M. Edwards, 'Y Bala', *Cylch Atgof ac Ysgrifau Eraill* (Wrecsam: 1958), tt. 62–75 [62].

12

Thomas Charles: 'Tad i foneddigeiddrwydd y werin Gristionogol Gymraeg'

Derec Llwyd Morgan

Teitl a roddwyd imi yw teitl y bennod hon, neu'n hytrach deitl a roddwyd yn ôl imi. Flynyddoedd lawer yn ôl bellach, wrth ddwyn i ben ddarn o waith ar y gwahaniaeth rhwng Methodistiaeth Thomas Charles a Methodistiaeth y genhedlaeth o'i flaen, dywedais mai ef a ddaeth â boneddigeiddrwydd i fywyd crefyddol Cymry cyffredin y bedwaredd ganrif ar bymtheg.[1] Trwy ddefnyddio'r epithet hir hwn i ddisgrifio Thomas Charles a'i gyfraniad i fywyd Cymru, nid boneddigeiddrwydd yn golygu *pendefigaeth a bonedd* oedd yn fy meddwl, ond yn hytrach boneddigeiddrwydd yn golygu *llarieidd-dra, cwrteisi* a *moesgarwch*. Wrth gwrs, fe ddaeth boneddigeiddrwydd yn golygu *pendefigaeth a bonedd* i fywyd Anghydffurfiol Cymru yn y ganrif honno yn ogystal – fe'u gwelir yn nodweddu'r math gymeriadau a ddaeth yn wroniaid y pulpud ac yn ben noddwyr yr Hen Gorff – ac y mae a wnelo disgynyddion Thomas Charles ryw gymaint â'r datblygiad hwnnw hefyd. Wrth feddwl am y disgrifiad uchod hanner oes yn ddiweddarach, rhaid imi gyfaddef ei fod, fel crynhoad o gamp gwareiddiol mawr Thomas Charles, braidd yn simplistig, ac i ryw raddau'n gamarweiniol – a chyfaddef ar yr un pryd ei fod yn gofiadwy o simplistig ac yn garedig o gamarweiniol. Fel y gwyddys, yr oedd Mr Charles yn glamp o ddyn a gyflawnodd yn ystod ei oes bethau gwareiddiol gwir fawr, a gellid ystyried ei glodfori am gyflwyno i werin ei ganrif beth mor ansylweddol â pharch at lanweithdra fel ffolineb pitw.

Ond nid myfi yn unig a wnaeth hynny. Yng nghynffon y tair cyfrol o gofiant trwchus iddo a luniodd D. E. Jenkins ceir pennod o dan y teitl 'Anecdotes and Documents'.[2] Prin, gwaetha'r modd, yw'r anecdotau (efallai bod hyn eto'n dweud rhywbeth am gymeriad Charles), ond yn eu plith ceir yr hanes hwn amdano'n torri bara 'menyn (cyfieithais ef):

> Pan ddigwyddai i Mr Charles fod yn westai yn un neu ragor o ffermdai'r wlad, neu yn un neu ragor o fythynnod y dosbarth gweithiol, byddai'n arfer ganddo lywyddu wrth y bwrdd bwyd, ac yn ddieithriad cymerai arno'i hun y gwaith o dorri popeth yr oedd eisiau ei dorri, hyd at dorri'r bara 'menyn.

Pan glywodd D. E. Jenkins am yr arfer hwn y tro cyntaf, yn ei benbleth aeth rhagddo i chwilio'r rheswm paham yr ymddygai Charles fel hyn. Gadawaf iddo ef fynd rhagddo â'i stori:

> Deallwn erbyn hyn ei bod yn arfer cyffredin iawn ymysg gwladwyr Gogledd Cymru i wraig y tŷ, neu'r brif forwyn, i ledaenu menyn ar fara gyda'r mynegfys (neu fys yr uwd) yn hytrach na chyllell, a bod yr arfer hwn mor ffiaidd ganddo fel y mynnai gael torri'i fara 'menyn ei hun.

Wele *hygenist* cyntaf yr Hen Gorff! Ond nid yw'r stori ar ben eto. Yn ogystal â sicrhau glendid, mynnai Charles hefyd wneud yn siŵr na ddigiai neb wrtho am fynnu'r fath lendid. Ac er mwyn peidio â phechu neb – yr wyf yn dyfynnu Jenkins unwaith yn rhagor – 'rhag peri tramgwydd wrth wahaniaethu rhwng yr hyn a wnâi mewn un tŷ ac un arall, magodd yr arfer o dorri'r bara ei hunan mewn cynifer o lefydd ag y caniateid iddo'. At yr *hygenist* rhodder yr annhramgwyddwr. Ym mharagraff agoriadol yr un bennod y mae D. E. Jenkins yn dweud: 'He had an inherent desire to avoid everything likely to offend' – er bod ganddo, meddai ymhellach, hen ddigon o wroldeb moesol i wneud yn siŵr na fyddai'r awydd hwnnw'n arwain at fradychu unrhyw egwyddor.

Ambell awr wan, byddaf i'n rhestru'r bobl na fyddai mymryn o ots gennyf petaent yn dod i fyw y drws nesaf i mi. Yn wir, byddwn yn croesawu ymhlith llawer eraill Ddafydd ap Gwilym, Gruffydd Robert Milan, Williams Pantycelyn, Dyddgu Owen, Ivor Allchurch a François Durr. Buaswn yn casáu cael Howell Harris o fewn lled cae: dyn trystfawr, hunandybus ac unbenaethol oedd ef. Ond, yn rhannol am y rhesymau a nodwyd eisoes, tra'i fod ef a'r wraig yn tempru'r tŷ gwag drws nesaf, awn mor bell â rhoi llety i Mr a Mrs Charles. Ie, yn *rhannol* am y rhesymau a nodais. Yn *bennaf* rhown lety iddo am fod ei gyflawniadau'n brawf ei fod yn ŵr gwaraidd i'w fêr, yn ŵr a oedd yn ei warineb yn mynnu ei fod drwy'i yrfa ysblennydd yn ceisio'i orau glas i wareiddio eraill. Nid oes i mi lawer o arwyr amgenach.

Wrth drafod gŵr o natur Thomas Charles, rhaid pwysleisio ei fod byth a beunydd yn ystyried budd a daioni pobl eraill. O ystyried ei rawd gwelir ei fod o hyd yn ymorol am les ei gyd-Fethodistiaid, ei gyd-Gymry, a chyda'i waith tramor am y ddynol ryw yn fyd eang. Dramor, sicrhau bod pobl yn cael iawn adnabyddiaeth o Dduw Crist trwy'r Gair oedd ei briod orchwyl. Gartref, ei brif orchwyl oedd rhoi i bobl Dduw foddion i adnabod a deall a mynegi eu profiadau o'r Duw hwnnw a'i weithredoedd. Noder yn syml mai deall a dawn fynegi yw'r rhinweddau meddyliol a llafar sy'n ein dynoli'n wâr.

Sef yr union rinweddau sy'n gosod Williams Pantycelyn ben ac ysgwydd uwchlaw neb arall o arweinwyr Methodistaidd ei ddydd yntau. Fel y dangosaf yn y man, yr oedd Thomas Charles i Gymru'r cyfnod rhwng *c*.1780 a 1814 yr hyn oedd Williams iddi rhwng *c*.1745 a 1790. Erbyn hyn yr wyf i'n credu bod y cwlwm rhyngddynt yn gryfach nag a feddyliwyd erioed. Dyma ddau ddyn dysgedig (na phoenwch am y gwahaniaeth rhwng Academi Llwyn-llwyd a Choleg yr Iesu, Rhydychen) a chanddynt ddiddordeb ysol mewn pobl. Dyma ddau ddyn cyfrifol a oedd yn enbyd o ymwybodol o werth eu doniau diamheuol fel moddion i wella byd eu cydfforddolion. Dyma ddau gawr o Fethodist taer a ddaeth yn Fethodistiaid trwy'r Eglwys Wladol ac a roddodd i'w disgynyddion, yn achos y naill lenyddiaeth newydd ac yn achos y llall enwad newydd.

* * *

Yr oedd chwant cyflawni yn Charles o'r dechrau. Y mae ei ddyddlyfrau'n dangos ei fod mor ysol ymwybodol o bwysigrwydd ei brofiadau ysbrydol ag unrhyw un o ddychweledigion deallus a synhwyrus y Diwygiad Mawr a synnodd Gymru o tua 1738 ymlaen. Yn y dyddlyfrau hynny gwelir bod ei hiraeth am dŷ ei Dad Nefol ac am gael 'eistedd yn swper priodas yr Oen' yr un mor gryf â hiraeth Howell Harris a Williams Pantycelyn amdanynt, ac ni all neb wadu pwysigrwydd y dröedigaeth a gafodd o wrando Daniel Rowland. Ond yr hyn sy'n nodweddu ei ysgrifeniadau personol yw nid y pwys a rydd ar ei dröedigaeth ei hun ond y mawr sôn sydd ynddynt am ei awydd mawr i *weithio* tros yr Arglwydd a thros eraill. Ar 6 Rhagfyr 1778, pan oedd yn gymharol segur yn ei guradiaeth yn Lloegr, ymhell o'i blwyf genedigol, ymhell o'i Fala newydd hoff (yr oedd eisoes wedi syrthio mewn cariad â'r Methodist Sarah Jones), y mae'n nodi yn ei ddyddlyfr taw amser hau yw hi, ac y mae'n gofyn a gaiff weld amser medi 'mewn gwirionedd'. Wedi peth anghredu, 'Caf,' ebr ef, 'ond rhaid i mi ddysgwyl yn amyneddus wrth yr Arglwydd.' Yr oedd – fel llawer gŵr o genhadwr – yn gwybod yn ei galon fod tasg fawr yn ei aros, ond ei fod heb wybod eto beth ydoedd.

Yn ystod ei fachgendod defosiynol, tad Thomas Charles yng Nghrist oedd Rhys Hugh, un o weision deheulaw Griffith Jones Llanddowror, y dyn mwyaf gweledigaethus-weithgar a welodd Sir Gaerfyrddin yn hanner cyntaf y ddeunawfed ganrif. Pan gafodd Charles, wedi iddo fwy neu lai setlo yn y Bala, ei droi allan o'i guradiaeth fyrhoedlog yn Llanymawddwy, y gŵyn yn ei erbyn oedd nid ei fod yn pregethu fel Methodist, ond y ffaith ei fod 'wedi ad-godi . . . yr hen arferiad llesol o holi, neu *gateceisio* plant, bob Sabboth, ar ôl y Gosper.' Ymarfer dawn Llanddowror yr oedd.

Yr oedd yn ymarfer dawn Llanddowror genhedlaeth gyfan ar ôl marw Llanddowror. Ac mewn amgylchiadau tra gwahanol i Landdowror. Fel addysgwr, gŵr mawr o flaen ei oes oedd Griffith Jones. Gŵr mawr yn perthyn i'w oes oedd Thomas Charles yr addysgwr. Rhwng nawnddydd bywyd y naill a nawnddydd bywyd y llall, fe gafwyd, fel y gwyddom, danbeidrwydd pregethu efengylaidd teimladol y Methodistiaid bore. Ceir amcan go dda am effaith y pregethu hwnnw ar ddychweledigion y Diwygiad Mawr rhwng 1738 a 1764 yn rhai o lyfrau Williams Pantycelyn, yn synhwyrus-unigolaidd yn *Llythyr Martha Philopur* ac yn oruwchgyffredin-arwrol yn *Bywyd a Marwolaeth Theomemphus*. Yn y seiadau a drefnid i brofi a chysuro'r dychweledigion hynny, ceisiai Williams a'i gyd-gynghorwyr hyfforddi'r Cymry cyffredin a gawsai'r fath brofiadau ysbrydol ysol i adnabod eu hystyr eneidegol a diwinyddol – a llwyddo'n amlach nag oedd hawl ganddynt. Ond tua diwedd y ddeunawfed ganrif ac ym mlynyddoedd cynnar y ganrif ddilynol, er bod y seiat o hyd yn eithriadol bwysig ym mywyd Methodistiaeth, yn nechrau'r ganrif newydd daethpwyd i ystyried bod yr ysgol Sul bron yr un mor bwysig. Thomas Charles oedd pen sefydlydd yr ysgol Sul yng Nghymru. A'i gyfaill mawr a'i gydweithiwr angenrheidiol Thomas Jones o Ddinbych biau dweud yng Nghymdeithasfa Pwllheli 27 a 28ain Medi 1809 fod gan y Methodistiaid 'ddwy ffordd yn neillduol o fod yn ddefnyddiol . . . heblaw pregethu, – sef cadw cymdeithasau neillduol (h.y., seiadau), a golygu ac annog yr ysgolion sabbothawl'. Prin y ceid datganiad tebyg i hwn oni bai am ymdrechion tra llwyddiannus Thomas Charles i'w datblygu.

Un o'r pethau gwir arwyddocaol am ffyniant yr ysgolion Sul yw eu bod, yn wahanol i'r seiadau, yn derbyn pawb i'w cynteddau. Y dychweledigion oedd yn poblogi'r seiadau, sef y meibion a'r merched a gawsai'r profiad Philopuraidd. Gyda golwg ar yr ysgolion Sul, yr oedd croeso i neb pwy bynnag. Gan fy mod i'n byw heb fod nepell oddi yno, gadewch imi gymryd yn enghraifft yr ysgol Sul y dywed y *Drysorfa Ysbrydol* iddi gael ei hagor yn Llannerch-y-medd yn y flwyddyn 1808, pan aeth rhai aelodau gyda'r Methodistiaid o gwmpas y tai yn y pentref 'i erfyn' ar y plant i ddyfod i'r ysgol, 'ac os na ddoent y tro hwnnw [aent] drachefn a thrachefn' – a llwyddo. Yn 1808 cafwyd ysgol ag ynddi rhwng hanner cant a thrigain o ddisgyblion 'ac ynghylch dwsin o athrawon i'w dysgu'. Ymhen dwy flynedd yr oedd yno rhwng 80 a 100 o blant, a'r *Drysorfa*'n datgan eu bod yn ffynnu'n rhyfeddol.

I fwydo meddyliau'r rhain a'u rhieni y cynhyrchodd yr addysgwr gan Thomas Charles ei lyfrau mawr tra defnyddiol, yr *Hyfforddwr*, y *Drysorfa* a'r *Geiriadur* – fel bod ganddynt wybodaeth athrawiaethol, hanesyddol, diwinyddol a daearol yn stôr fawr, fendigedig, faethlon i'w cadw yn eu cynnydd.

* * *

O edrych yn ôl dros ysgwyddau dwy ganrif rhwng 1814 a heddiw, yr hyn sy'n ddiddorol yw bod athrylith y seiat yng Nghymru, cyn ei fedd, wedi gweld pa mor sylfaenol bwysig oedd yr ysgolion Sul i 'ddysgu darllen gair Duw', ac wedi annog eu trefnydd pennaf i sefydlu rhagor ohonynt. Williams Pantycelyn oedd yr athrylith anogaethol honno, wrth gwrs, a gwelir ei siars i Thomas Charles yn y llythyr hirfaith a ysgrifennodd ato o'i wely angau ar 1 Ionawr 1791. Dyma'r calennig rhyfeddaf a aeth o sir Gaerfyrddin i Feirionnydd. Ac nid ar chwarae bach y dywedodd Pantycelyn wrth Charles am adeiladu ysgolion yn hytrach na soseietis preifat.

Y mae'r llythyr hwnnw – os maddeuwch y gormodieithu Saundersaidd – yn un o ddogfennau mawr tra phwysig hanes Cristionogaeth yng Nghymru. Y mae'n gyffes ac y mae'n ewyllys, y mae'n gyfaddefiad ac y mae'n gyfarwyddyd. Yn ieithwedd y trac athletau, dyma'r baton a drosglwyddodd Pantycelyn i Thomas Charles. Printiwyd ef y tro cyntaf yn y *Drysorfa Ysprydol* ym Mehefin 1799; y mae yn awr yn y Llyfrgell Genedlaethol, ac fe'i ceir yn hwylus rhwng tt. 170 a 172 cyfrol gyntaf *Y Pêr Ganiedydd* gan Gomer Morgan Roberts. Y mae modd ei ddarllen a'i ddehongli fel y prif gyfarwyddyd a helpodd Thomas Charles i ddiffinio'i genhadaeth. Y mae tri pheth o bwys gan Williams i'w ddweud yno, tri pheth a dderbyniodd Charles fel etifeddiaeth.

Ond cyn dod at y pethau hynny rhaid darllen y disgrifiadau graffig sydd gan y cyn ddarpar-feddyg Williams o'i drafferthion afiach – y ffordd y mae'n cael gwared bob dydd o lawer iawn 'o rafel mân oddeutu maint had coriander, sago, neu had cywarch', yr 'Infflamation o'r stumog, y spleen, y diaphragma' a greai syched annioddefol arno, a'r 'vomit' nad oedd stopio arno. Nid ei ddiddordeb gwyddonol yn unig a bâr fod Williams yn rhestru'r anhwylderau hyn, ond hefyd ei argyhoeddiad mai o Dduw y maent: 'yr Arglwydd,' ebr ef, 'a rodd ordd y cystudd yma arnaf'. A phaham? I beri iddo yn ystod y deg wythnos y bu'n gystuddiol i ddysgu mwy amdano'i hun ac am ddaioni Duw nag a ddysgasai yn ystod y deugain mlynedd a 'aeth heibio'.

Dyma ddod yn awr at y peth mawr pwysig cyntaf yn yr epistol poen hwnnw. Ebe Williams: 'mi ddes yn awr i ddarllen y bibl ag oeddwn o'r blaen yn ei ddarllen mewn rhan fawr i adeiladu ereill, y nawr i gyd imi fy hunan, megis yr inig lyfr wrth ba un oeddwn i gael fy nhreio yn y farn fawr'. Ie, y Beibl. Y cyfarwyddyd cyntaf gan Williams yw bod adnabod y Beibl yn bwysicach na'r diwygiadau oll, yr holl floeddio a gweiddi a gafwyd o du'r dychweledigion yng ngwres eu tröedigaeth, ac y mae o bwys trymach na phob pregeth a phob cyngor dynol mewn seiat. Yn un o rifynnau'r *Drysorfa Ysprydol* am 1809, mewn ysgrif olau nid amMhantycelynnaidd ar 'Ffug-Ysbrydoliaeth, a Gwallgofrwydd Crefydd', y mae'r awdur yn bwrw anfri ar bregethu 'aflafar ac anmherthynol', hynny yw, ar beroriaeth bulpudol, ac y mae'n annog pregethwyr i beidio â gor-rethregu ond yn hytrach i dywys eu gwrandawyr 'i wybodaeth brofiadol iachus o bob gwirionedd dadguddiedig yn y gair sanctaidd.' 'Nid oes gennym ni un rheol sefydlog, i brofi gwirionedd dim,' ebe cylchgrawn Thomas Charles, 'ond y gair.' Sef yw hwnnw Gair Duw, yr Ysgrythur Lân. Yr un neges yw hon yn 1809 ag a gafodd ef gan Bantycelyn ddeunaw mlynedd ynghynt, sef mai unig garn crefydd yw'r Beibl.

Teg dweud nad pregethwr carismatig oedd Thomas Charles, ond athro trefnus, nid llefarydd agwrdd, ond agorwr Llyfr y Bywyd. Go brin ei fod yn dymuno pylu'r profiad ecstatig – yr oedd pregethu tanbaid o hyd yn offeryn nerthol – ond ei bennaf cenhadaeth, yn unol ag un o awgrymiadau olaf Williams Pantycelyn, oedd rheoleiddio drwy ddysg, trefnu drwy hyfforddiant, dysg a hyfforddiant sylfaenol-ysgrythurol. Gwreiddio profiad yn y Beibl oedd un o ddyheadau pennaf Charles, magu dysgedigion ysgrythurgar, rhoi i'w blant (o bob oed) adnabyddiaeth o Air y Bywyd. Nid eu gwefreiddio drwy eiriau ond eu gwareiddio drwy'r Gair. Pwynt mawr cyntaf llythyr Williams yw mai'r Beibl yw craidd pob gwybodaeth.

Dewch yn awr yn ôl at y llythyr hwnnw a luniwyd yn 1791. Un o nodweddion dychymyg y Diwygiad Mawr yng nghanol y ddeunawfed ganrif oedd ei fod yn ddiwygiad ar grefydd y tybid iddo ddigwydd fel gwawr wedi gwyll, fel fflam dân yn codi megis o ddim. Pantycelyn ei hun i gryn raddau oedd yn gyfrifol am y drychfeddwl hwn. Ef a ysgrifennodd, 'O! hyfrud forau, disgleiriodd yr Haul ar *Gymru*.' Ac ef a ddywedodd i Howell Harris godi 'Pan 'roedd *Cymru* gynt yn gorwedd / Mewn rhyw dywyll farwol hun . . .'. Gwir ei fod yn y man wedi dod i weld y Diwygiad Cymreig nid fel toriad ond fel parhad, fel etifedd yr Eglwys Fore yn y Testament Newydd, fel etifedd y rhai fel 'Wickliffe, Jerôm o Prague, Hus, Lollius, Walden, ac eraill' ddiwedd yr Oesoedd Canol, ac fel etifedd y Diwygiad Protestannaidd. Hynny yw, daeth Williams i gydnabod rhediad hanes, daeth i weld traddodiad y gorffennol fel peth byw. Daeth hefyd i weld pa mor bwysig oedd bod y Cymry dychweledig yn deall eu bod yn rhan o'r ddynoliaeth oll. Yn y rhannau lawer o'r gyfrol *Pantheologia* a gyhoeddodd, ei fwriad oedd dysgu'r Cymry am gyflwr a buchedd pobl mewn parthau eraill o'r byd. Yn llythyr 1 Ionawr 1791 y mae'n mynd gam ymhellach, ac yn pwysleisio mai un o rannau 'crefydd wir', ynghyd â iachawdwriaeth yr enaid unigol yn nhragwyddol gyfamod Duw a'i Fab, yw 'cadw cyfeillach neilltuol a Duw yn ein holl ymdriniaethau a'r byd' – datganiad sydd heb os nac oni bai yn Charlesaidd ddychrynllyd. Siawns na wyddai Williams – onid oeddynt er 1784 yn gohebu â'i gilydd ac yn cyfarfod â'i gilydd? – am awydd Thomas Charles i genhadu dramor, i helaethu dylanwad Duw drwy'r ddaear oll. Siawns nad oedd yn y rhan hon o'i lythyr olaf ato yn ei gyfarwyddo i ddal ati gyda'r gwaith, a'i estyn – fel y caiff pob bod dynol gyd-dystiolaethu 'ein bod yn blant i Dduw' yn '[y] gyfeillach dawel yr hon sydd fel nefoedd ar y Ddaiar'. Geiriau Williams yw'r rhain. Yr un peth a ddywedodd Thomas Charles pan ddywedodd, 'Anhawdd gennyf gredu fod enaid y dyn hwnnw mewn cyflwr diogel, ag sydd yn ddifater am eneidiau eraill.' Fel y cynhwysai *Pantheologia* adroddiadau am drigolion Affrica a'r India ac yn y blaen, y mae'r *Drysorfa* hithau yn cynnwys erthyglau sy'n trafod cynnydd y grefydd Gristionogol yn Syria a Rwsia, ymhlith yr Indiaid Cochion, yr Hottentotiaid, ac Ynyswyr Môr y De – ac mewn ffordd neilltuol iawn yn peri bod dychymyg Cymry ysgrythurgar yr ysgol Sul yn fwy llydanwedd na dychymyg Cymry'r seiadau genhedlaeth ynghynt.

Yr oedd newyddion tramor o bwys mawr yr adeg hon. Cofier mai un o ofnau'r cyfnod o bobtu'r flwyddyn 1800 oedd y byddai'r '*Pen-ciwdod*, [Napoleon] Buonoparte' – a oedd eisoes wedi ymosod ar y Wlad Sanctaidd a Holand ac a oedd wedi llenwi holl swyddi Ffrainc gyda'i gefnogwyr diras ei hun – yn ymosod ar Brydain. Pe llwyddai, llwyddai'r Diafol yn ei sgil. Y perygl oedd y gwenwynid pob man gan 'yr holl Atheistaidd *Grew*' y dylanwadodd Voltaire arnynt. Onid gwell, onid rheitiach, fod lluoedd y Brenin a deyrnasai o Lundain yn trechu Ffrainc? A bod y Feibl Gymdeithas yr oedd ei phencadlys ym Mhrydain yn ffynnu? Lle y cynrychiola Napoleon y Diafol –

> Ennynodd [Duw] dân yn Ynys Brydain,
> A'r fflam gyrhaeddodd Russia o'r,
> Gorllewin, Dwyrain, De', a Gogledd,
> A'i llewyrch sydd o fôr i fôr. . . .
>
> Cyfododd Duw Benaethiaid Europe,
> I ddwyn y 'mlaen ei achos mawr,
> Ei eiriau ymddiriedodd iddynt,
> Y trysor pennaf ar y llawr.

Sef, y Beibl, yr Efengyl Lân.

> Arwydd ydyw o'r frawdoliaeth
> Sanctaidd, bur, a leinw'r byd,
> Rhan o'r nef sydd ar y ddaear,
> Pan fo'r cymdeithasau 'nghyd.

Dewch yn ôl y trydydd a'r olaf dro at lythyr Williams Pantycelyn. Yr wyf wedi cyfeirio eisoes at ddwy o'r tair rhan o wir grefydd y dywed iddo gael goleuni arnynt yn ystod ei salwch hir, sef achubiaeth yr unigolyn drwy waed Crist ac, yn ail, 'cadw cyfeillach neilltuol a Duw yn ein holl ymrwymiadau a'r byd'. '[Y]n ola', meddai, 'mi ddes i weld y trydydd rhan o wir grefydd', sef y ffordd y mae'r Cristion yn byw ac yn ymarweddu, yn byw ac yn ymarweddu mewn ffordd sydd 'yn datguddio i'r byd annuwiol bod gwahaniaeth mawr rhyngom ni a hwy':

> hwy yn cadw malais, ein bod ni yn faddeugar, ai bôn hwy yn falch, ein bod ni yn ostyngedig; ar bon hwy yn siaradus, ein bod ni yn ystyriol; lle bon hwy yn gelwyddog, ein bod ni yn eirwir; lle bôn hwy yn dwyll-odrus, ein bod ni yn onest; a lle bon hwy am wneid drwg i bawb, ein [bod ni] am wneid da i bawb.

Prin fod y math hwn o gatalogio moesol y math o beth a ddisgwyliech o law y mwyaf awenus afieithus o lenorion Methodistaidd Cymru. Na, prin. Ond y llaw a ddisgrifiodd yn fanwl holl bechodau erchyll y byd ym mherson atgas Theomemphus cyn ei dröedigaeth, y llaw honno a ysgrifennodd y geiriau egwyddorlan hyn hefyd. Pam? Beth oedd ei amcan? Y mae'r ateb eto'n y llythyr. 'Fel y cyflawnir yr ysgrythur sydd yn dywedyd llewyrched felly eich goleuni ger bron dynion fel y gwelont eich gweithredoedd da chwi, ac y gogoneddent eich tad yr hwn sydd yn y Nefoedd.' Yr hyn a geir yma yw cyfarwyddyd i sicrhau bod Cristionogion Methodistaidd Cymru yn cael eu hyfforddi i fod mor foesgar ag y gallai bechgyn a merched y Ffydd Ddi-ffuant fyth fod. Yn anad neb, Mr Charles yn ei ysgolion Sul ac yn ei gyhoeddiadau perthynol iddynt a geisiodd sicrhau'r hyfforddiant tyner hwn.

Os darllenwch weithiau rhai o haneswyr sosialaidd yr ugeinfed ganrif, fe welwch feirniadaeth lem ar yr ymgais foesol hon, beirniadaeth a grynhoir gan E. P. Thompson yn ei gyfrol ddiamheuol fawr *The Making of the English Working Class*. Yn gyntaf, dywed Thompson mai pennaf ddiben yr addysg hon oedd 'achubiaeth foesol' – 'the "moral rescue" of the children of the poor'. Yn ail, dywed fod y pwys a roddid ar y bywyd tragwyddol ar gorn ystyried amodau byw daear lawr wedi cadarnhau'r gormesedig yn eu hanobaith. Ac yn drydydd, dywed fod y math o addysg a geid yn yr ysgolion Sul yn 'ddefnyddiol' (*utilitarian*) yn hytrach nag yn ddeallusol.

Gadewch i ni edrych ar y feirniadaeth gyfansawdd hon. Y gyntaf yw bod yr ysgolion Sul wedi achub plant i foesoldeb a moesgarwch. Byddai Thomas Charles wedi derbyn y feirniadaeth hon fel compliment. Wrth drafod ysgolion cylchynol Griffith Jones, un o'r pethau a ddywedodd amdanynt oedd eu bod wedi cael effaith fawr 'ar foesau trigolion yr ardaloedd lle byddent yn cael eu cynnal'. Ac yn y *Rheolau* a luniodd i'w fodel o ysgol Sul yn 1813 y mae'n nodi pwysigrwydd 'dysgu ymddygiadau' am fod hynny 'yn hardd ac yn hyfryd ynddo ei hun, ac o fuddioldeb mawr i gymdeithas yn gyffredinol'. Ac yn adlewyrchu glendid mewnol, ysbrydol. Dysgai ef blant i foesymgrymu i 'bawb o'u gwell', a gostwng a phlygu wrth dderbyn rhywbeth gan yr athro. Dysgai'r bechgyn i dynnu eu hetiau wrth fwyta, dysgai'r bechgyn a'r merched fel ei gilydd i ymsythu wrth gerdded – eto am fod hyn 'yn addas ac yn hardd', a dysgai hwy i ochelyd 'pob arferion budron . . . megys poeri yn aml ac ar y llawr – a chwythu llysnafedd y trwyn ar y llawr – tòri gwynt i fynnu yn ddiatalfa, ac heb roddi y llaw ar y genau'. O, gellir clywed rhai yn gweiddi'n groch fod yma fabwysiadu arferion neis-neis y *petite bourgeoisie*. Purion. Ond ym mha fath o ystafell y dymunech chi fyw ynddi, yn 1814 neu yn y flwyddyn 2014, ystafell sy'n llyn o faw trwyn a phoer neu ystafell hancesog? Traethai Charles yn erbyn tybaco hefyd, am ei fod yn llysieuyn mor afiach; yn erbyn paffio a chreulondeb at anifeiliaid, a rhegi, a gwisgo'n rhy grand; ac yn erbyn chwarae cardiau a dawnsio a diota o bob math – 'gwleddoedd llygredig' o bob math – megis yn erbyn myned o ferched ifanc 'i'r ffair i *swagro*'. *Moral rescue*? Heb os. Er, y mae'n well gennyf i o beth coblyn ddefnyddio ymadrodd Charles Raven, *social redemption*. Pe na bai Thomas Charles wedi dysgu'r arferion ymarweddol hyn i'w blant, byddai'r bwlch rhwng y breintiedig a'r di-fraint wedi lledu'n fwy fyth. Wrth edrych ar ambell un o enethod moesgar Thomas Charles yn 1814 edrych ar rywun hyfryd, deniadol iawn ei chymeriad a'i phersonoliaeth yr ydys, rhywun fel Elin Pantybuarth onest ffyddlon yn nofel Daniel Owen, *Gwen Tomos*, Elin Pantybuarth *in embryo*.

Yr ail gyhuddiad sosialaidd yn erbyn y math o addysg a geid gan Thomas Charles a'i debyg oedd ei bod yn gosod pwys ar y tragwyddol ac yn anwybyddu'r bywyd hwn. Wel, nac oedd, er bod yma eto flewyn o wir yn y cyhuddiad. Os rhoddodd i blant ledneisrwydd a chwrteisi, os rhoddodd iddynt y *mores* gorau, rhoi iddynt foesau'r byd hwn yr oedd, er eu bod yn adlewyrchu nodweddion angylion nef. Ond y mae yma 'nac oedd' mwy o lawer. Pan ordeiniodd y Methodistiaid eu gweinidogion eu hunain yn 1811, daethant o'r diwedd yn bobl a oedd yn llwyr annibynnol ar Eglwys Loegr, daethant yn hunanlywodraethol. Bu ganddynt beth annibyniaeth gynt, hunanlywodraeth drefnedig y seiadau a'r sasiynau. Ond yn awr yr oedd ganddynt hunanlywodraeth corff. Er mai corff yn perthyn i Dduw oedd hwnnw, bydol i raddau helaeth iawn oedd y ddyletswydd a'r ddisgyblaeth angenrheidiol i'w drefnu a'i reoli. Do, rhoddodd Charles i bobl Cymru ddoniau llywodraeth.

Y trydydd cyhuddiad sosialaidd yn erbyn yr ysgolion Sul oedd eu bod yn gosod bri ar wybodaeth ddefnyddiol, ar yr iwtilitaraidd yn hytrach na'r synhwyrus-hardd. Unwaith yn rhagor, y mae yn y cyhuddiad elfen o wirionedd. Ewch drwy holl rifynnau'r *Drysorfa,* tynnwch allan ohoni emyn ardderchog Thomas Jones o Ddinbych, 'Mi wn fod fy Mhrynwr yn fyw,' ac nid oes gennych fawr ddim 'llenyddiaeth' o bwys artistig ar ôl. Yr un modd y llyfrau sy'n diffinio'r ysgol Sul a'r llyfrau cateceisio a luniodd Thomas Charles. Ond ffordd arwynebol iawn o ddiffinio addysg a'i heffaith ar bobl yw hon. Meddyliwch am y *Geiriadur Ysgrythurol.* Fel y mae ei enw'n arwyddocáu, y mae'n gyfeirlyfr i'r Beibl, ydyw, ond y mae hefyd yn encyclopaedia i'w oes. Gan hynny, yr oedd ac y mae yn rhwym o agor drysau ac o godi llenni yr oedd ei awdur ei hun hyd yn oed yn ansicr o'r hyn a allai fod yr ochr draw iddynt. Helaethu gwybodaeth 'iachusol a defnyddiol' (dyna'r ansoddair Thompsonaidd yna eto) oedd un o'i nodau. Ond ei brif nod oedd dysgu pobl a phlant i iawn ddarllen y Beibl. A phwy yn ei iawn bwyll a ddywedai mai llyfr iwtilitaraidd yw hwnnw? Wrth agor ei gloriau yr ydys yn agor llyfrgell lawn o hanes, drama, barddoniaeth, damhegion, croniclau, athroniaeth a diwinyddiaeth nad oes dim diwedd ar ei chyfoeth, oll wedi'i gwisgo mewn iaith goeth, yr hon o'i dysgu a'i defnyddio a ddyrchafai feddwl a thafod y werin Gymraeg i fod cyn gyfoethoced â meddwl unrhyw werin yn y byd.

* * *

Brawddeg olaf llythyr Pantycelyn 1 Ionawr 1971– bu farw ymhen deg diwrnod – oedd 'Llwydded Duw fy mrawd annwyl chwi yn y weinidogaeth fwy fwy Amen.' Yr oedd llwyddiant gweinidogaeth Thomas Charles mor fawr fel y sonnir amdani'n ddathliadol ddau can mlynedd yn ddiweddarach, gan blant gwerin na fuasent yma i'w dathlu o gwbl oni bai am lwyddiant ei weinidogaeth addysgiadolloyw ef.

Nodiadau

1 Derec Llwyd Morgan, 'Thomas Charles: "Math newydd ar Fethodist"', *Pobl Pantycelyn* (Llandysul: 1986), tt. 74–85 a *passim.*

2 *Life,* III, tt. 603–22.

Llyfryddiaeth Ddethol

Bebbington, David W., *Evangelicalism in Modern Britain: A History from the 1730s to the 1980s* (London: 1989).

Davies, Gwyn, *Griffith Jones Llanddowror: Athro Cenedl* (Pen-y-bont ar Ogwr: 1984).

Davies, Morris, *Cofiant Ann Griffith* (Dinbych: 1908).

Emyr, Gwen, *Sally Jones: Rhodd Duw i Charles* (Pen-y-bont ar Ogwr: 1996).

Evans, R. H. (gol.), *Hanes Henaduriaeth Dyffryn Clwyd* (Dinbych: 1986).

Gruffydd, R. Geraint (gol.), *Y Gair ar Waith: Ysgrifau ar yr Etifeddiaeth Feiblaidd yng Nghymru* (Caerdydd: 1988).

Harvey, John, *The Art of Piety: The Visual Culture of Welsh Nonconformity* (Cardiff: 1995).

Hindmarsh, D. Bruce, *John Newton and the English Evangelical Tradition* (Oxford: 1996).

Haykin, Michael a Stewart, Kenneth (goln), *The Emergence of Evangelicalism: Exploring Historical Continuities* (Nottingham: 2008).

James, E. Wyn (gol.), *Rhyfeddaf Fyth . . . : Emynau a Llythyrau Ann Griffiths ynghyd â'r Byrgofiant iddi gan John Hughes, Pontrobert, a Rhai Llythyrau gan Gyfeillion* (Gregynog: 1998).

Jenkins, D. E., *The Life of the Rev. Thomas Charles B.A. of Bala*, I (Denbigh: 1908, ail arg. 1910).

Jenkins, D. E., *The Life of the Rev. Thomas Charles B.A. of Bala*, II (Denbigh: 1908, ail arg. 1910).

Jenkins, D. E., *The Life of the Rev. Thomas Charles B.A. of Bala*, III (Denbigh: 1908, ail arg. 1910).

Jenkins, D. E., *Calvinistic Methodist Holy Orders* (Caernarfon: 1911).

Jones, David Ceri, Schlenther, Boyd S. a White, Eryn M., *The Elect Methodists: Calvinistic Methodism in England and Wales 1735–1811* (Cardiff: 2012).

Jones, Frank Price, *Thomas Jones o Ddinbych: 1756–1820* (Dinbych: 1956).

Jones, Frank Price, *Radicaliaeth a'r Werin Gymreig* (Caerdydd: 1975).
Jones, Gwilym H., *Geiriadura'r Gair* (Caernarfon: 1993).
Jones, J. Gwynfor (gol.), *Hanes Methodistiaeth Galfinaidd Cymru. Cyfrol III: Y Twf a'r Cadarnhau (c.1814–1914)* (Caernarfon: 2011).
Jones, J. Morgan, *Ordeiniad 1811 ymysg y Methodistiaid Calfinaidd* (Caernarfon: 1911).
Jones, Jonathan, *Cofiant y Parch. Thomas Jones o Ddinbych* (Dinbych: 1897).
Jones, Robert, Rhos-lan, G. M. Ashton (gol.), *Drych yr Amseroedd* (Caerdydd: 1958).
Jones, R. Tudur, 'Diwylliant Thomas Charles o'r Bala', yn J. E. Caerwyn Williams (gol.), *Ysgrifau Beirniadol* 4 (Dinbych: 1969), tt. 98–120.
Jones, R. Tudur, *Thomas Charles o'r Bala: Gwas y Gair a Chyfaill Cenedl* (Caerdydd: 1979).
Jones, R. Tudur, D. Densil Morgan (gol.), *Grym y Gair a Fflam y Ffydd: Ysgrifau ar Hanes Crefydd yng Nghymru* (Bangor: 1998).
Lord, Peter, *Hugh Hughes: Arlunydd Gwlad* (Llandysul: 1995).
Lord, Peter, *Diwylliant Gweledol Cymru: Delweddu'r Genedl* (Caerdydd: 2000).
Morgan, D. Densil, *Christmas Evans a'r Ymneilltuaeth Newydd* (Llandysul: 1991).
Morgan, D. Densil, *Lewis Edwards* (Caerdydd: 2009).
Morgan, Derec Llwyd, *Y Diwygiad Mawr* (Llandysul: 1981).
Morgan, Derec Llwyd, *Pobl Pantycelyn* (Llandysul: 1986).
Morgan, Dyfnallt (gol.), *Y Ferch o Ddolwar Fach* (Caernarfon: 1977).
Morgan, Edward (gol.), *Essays, Letters and Interesting Papers of the Late Rev. Thomas Charles of Bala* (London: 1836); cafwyd argraffiad o dan y teitl, *Thomas Charles' Spiritual Counsels* (Edinburgh: 1993).
O'Kane, Martin a John Morgan-Guy (goln), *Biblical Art from Wales* (Sheffield: 2010).
Owen, Goronwy P., *Atgofion John Evans y Bala: Y Diwygiad Methodistaidd ym Meirionnydd a Môn* (Caernarfon: 1997).
Roberts, D. Francis a Roberts, Rhiannon Francis, *Hanes Capel Tegid, y Bala* (Y Bala: 1957).
Roberts, Gomer M. (gol), *Hanes Methodistiaeth Galfinaidd Cymru. Cyfrol I: Y Deffroad Mawr* (Caernarfon: 1973).
Roberts, Gomer M. (gol.), *Hanes Methodistiaeth Galfinaidd Cymru, Cyfrol II: Cynnydd y Corff* (Caernarfon: 1978).
Steer, Roger, *Good News for the World: The Story of Bible Society* (Oxford: 2004).
White, Eryn M., *The Welsh Bible* (Stroud: 2007).

Mynegai